LA CITÉ DES ANGES DÉCHUS

JOHN BERENDT

LA CITÉ
DES ANGES DÉCHUS

traduit de l'anglais (États-Unis)
par Pierre Brévignon

l'Archipel

Note de l'auteur

Ce livre n'est pas une fiction. Toutes les personnes qui y figurent existent réellement et sont désignées par leur véritable nom. Pour plus de facilité, on trouvera en fin de volume une liste des principaux lieux et personnages, ainsi qu'un glossaire des termes italiens utilisés dans le texte.

Ce livre a paru sous le titre
The City of Falling Angels
The Penguin Press, New York, 2005.

www.editionsarchipel.com

Si vous souhaitez recevoir notre catalogue et
être tenu au courant de nos publications,
envoyez vos nom et adresse, en citant ce livre,
aux Éditions de l'Archipel,
34, rue des Bourdonnais 75001 Paris.
Et, pour le Canada, à
Édipresse Inc., 945, avenue Beaumont,
Montréal, Québec, H3N 1W3.

ISBN 978-2-84187-968-7

Pour Harold Hayes et Clay Felker

ATTENTION, CHUTE D'ANGES

*Écriteau placé à l'entrée de l'église Santa Maria della Salute
au début des années 1970,
avant les travaux de restauration.*

Prologue

L'effet Venise

— À Venise, tout le monde joue un rôle, m'explique le comte Girolamo Marcello. Et ce rôle change sans cesse. La clé pour comprendre les Vénitiens, c'est le rythme. Le rythme de la lagune, le rythme de l'eau, des marées, des vagues...

Je marchais le long de la Calle della Mandola quand je suis tombé sur le comte Marcello. Membre d'une vénérable famille vénitienne, il est considéré comme un spécialiste de l'histoire, des structures sociales et des subtilités de Venise. Comme nous allons tous les deux dans la même direction, nous repartons ensemble.

— Le rythme de Venise est comme la respiration. Marée haute, haute pression : tension. Marée basse, basse pression : détente. Les Vénitiens ne sont pas du tout réceptifs au rythme de la roue. Ce rythme est réservé à d'autres endroits, des endroits où il y a des automobiles. Notre rythme à nous, c'est celui de l'Adriatique. Celui de la mer. À Venise, le rythme bat en même temps que la marée, et la marée change toutes les six heures.

Le comte Marcello inspire profondément.

— Comment percevez-vous un pont ?

— Je vous demande pardon ? Un pont ?

— Le percevez-vous comme un obstacle ou juste comme une autre série de marches à monter pour passer de l'autre côté d'un canal ? Nous autres, Vénitiens, ne voyons pas les ponts comme des obstacles. Pour nous, les ponts sont des transitions. Nous les traversons très lentement. Ils font partie du rythme. Ils sont comme une passerelle entre deux salles

11

d'un théâtre, comme un changement de décor, comme le passage de l'acte I à l'acte II dans une pièce. Notre rôle change chaque fois que nous traversons un pont. Nous passons d'une réalité… à une autre réalité. D'une rue… à une autre rue. D'un décor… à un autre décor.

Nous approchons d'un pont enjambant le Rio di San Luca et donnant sur le Campo Manin.

— Un tableau en trompe-l'œil, reprend le comte, est un tableau qui paraît tellement réel qu'il ne ressemble pas à un tableau. Il ressemble à la vraie vie, alors qu'évidemment il n'en est rien. C'est la réalité volée une fois. Mais alors, qu'est-ce qu'un trompe-l'œil se reflétant dans un miroir ? La réalité volée deux fois ? Un rayon de soleil se reflète sur le canal, puis à travers une fenêtre sur un plafond, puis du plafond vers un vase et du vase sur un verre ou sur une coupe en argent. Quel est le véritable rayon de soleil ? Quel est le véritable reflet ? Qu'est-ce qui est vrai, qu'est-ce qui ne l'est pas ? La réponse à cette question n'est pas simple, parce que la vérité peut changer. Je peux changer. Vous pouvez changer. C'est l'effet Venise.

Nous descendons du pont et arrivons sur le Campo Manin. Hormis d'être passé de l'obscurité profonde de la Calle della Mandola au soleil qui baigne la place, je ne me sens pas différent. Mon rôle, quel qu'il soit, est resté celui que je jouais avant de traverser le pont. Bien sûr, je n'en dis rien au comte Marcello. Mais je le regarde en me demandant s'il admettrait n'avoir subi lui-même aucune transformation.

Tandis que nous avançons sur le Campo Manin, il respire à nouveau profondément puis, d'un ton définitif, déclare :

— Nous autres, Vénitiens, ne disons jamais la vérité. Il faut toujours comprendre le contraire de nos paroles.

1

Une soirée à Venise

L'air sentait encore le bois calciné quand je suis arrivé à Venise, trois jours après l'incendie. Ma visite à cette époque de l'année était pure coïncidence : j'avais préparé ce voyage plusieurs mois auparavant, avec l'intention de venir quelques semaines en basse saison pour profiter de la ville en évitant la cohue des autres touristes.

— S'il y avait eu du vent dans la nuit de lundi, m'expliqua le pilote du bateau-taxi qui traversait la lagune depuis l'aéroport, il n'y aurait plus de Venise du tout.

— Comment est-ce arrivé ?

Le pilote haussa les épaules.

— Comment toutes ces choses arrivent ?

Nous étions au début de février 1996, entre le nouvel an et le carnaval, dans cette période d'accalmie où, chaque année, Venise reprend son souffle. Les touristes sont partis et, en leur absence, la ville qu'ils habitaient a pour ainsi dire fermé ses portes. Les halls d'hôtel sont aussi déserts que les magasins de souvenirs ; les gondoles restent attachées à leurs piquets, couvertes d'une bâche bleue ; des exemplaires de l'*International Herald Tribune* passent la journée sur leurs tourniquets sans trouver preneur ; les pigeons fuient la place Saint-Marc et son maigre butin pour mendier leurs miettes dans d'autres quartiers de la ville.

Pendant ce temps, l'autre Venise, celle habitée par les Vénitiens, continue de vivre à son rythme habituel – commerces de quartier, primeurs et maraîchers, marchés aux poissons, bars à vin. Durant ces quatre semaines, les Vénitiens peuvent déambuler dans les rues de leur ville sans avoir à se frayer un chemin parmi des groupes compacts de touristes trop lents. La ville respire à nouveau, son pouls s'accélère. Venise revient enfin aux Vénitiens.

Mais cette fois, l'ambiance semblait assourdie. Les gens parlaient à voix basse, d'un air hébété, comme s'il y avait eu une mort soudaine dans la famille. Le sujet courait sur toutes les lèvres. En quelques jours, j'avais entendu l'histoire racontée de façon si détaillée que j'avais l'impression d'avoir assisté moi-même au drame.

C'était arrivé un lundi soir, le 29 janvier 1996.

Peu avant 21 heures, Archimede Seguso s'assit à table pour le dîner et déplia sa serviette. Avant de s'installer à son tour, son épouse alla dans le salon pour baisser les stores – son petit rituel depuis bien longtemps. La signora Seguso savait parfaitement que personne ne pouvait les voir par la fenêtre mais c'était sa façon d'envelopper sa famille dans une étreinte domestique. Les Seguso habitaient au troisième étage de la Ca'Capello, une bâtisse du XVIe siècle. Un étroit canal l'entoure sur deux côtés avant de se jeter dans le Grand Canal, non loin.

Le signor Seguso attendait patiemment. À quatre-vingt-six ans, il était toujours grand, mince, droit comme un i. Une frange de fins cheveux blancs et des sourcils en V lui donnaient l'air d'un sorcier bienveillant, avec plus d'un tour dans son sac. Son visage très expressif et ses yeux pétillants fascinaient tous ceux qui le rencontraient. Mais si on restait auprès de lui suffisamment longtemps, c'est vers ses mains que l'on finissait par être attiré.

Elles étaient grandes et musculeuses, les mains d'un artisan dont le métier requiert une grande force physique. Pendant soixante-quinze ans, le signor Seguso avait passé dix, douze, dix-huit heures par jour devant le fourneau en ébullition d'une verrerie. Il devait tourner sans cesse dans ses mains un lourd tuyau de métal, la canne, pour éviter que l'amas de verre en fusion à l'autre bout ne coule d'un côté ou de l'autre ; il s'arrêtait pour souffler dans la canne afin de faire gonfler le verre puis, le posant sur son établi, continuait de tourner le tuyau de la main gauche pendant que la droite, armée d'une paire de pinces, tirait, pinçait et caressait le bulbe incandescent pour le métamorphoser en une coupe, un verre à pied ou un vase gracieux.

Après toutes ces années passées à tourner la canne de verrier pendant des heures, la main gauche du signor Seguso s'était moulée elle-même autour du tuyau au point de prendre une forme incurvée, comme s'il se trouvait toujours posé dans sa paume. Cette main, la preuve de son talent, faisait sa fierté, et c'est pour cette raison que l'artiste qui avait peint son portrait quelques années auparavant l'avait reproduite avec un soin tout particulier, en respectant sa forme creuse.

Tous les hommes de la famille Seguso avaient embrassé le métier de verrier depuis le xive siècle. Archimede – la vingt-et-unième génération ! – était l'un des plus doués. Il était capable de sculpter de lourds objets en verre massif comme de souffler des vases si délicats et si fragiles qu'on peut à peine les toucher. Ce fut le premier verrier à voir ses œuvres exposées au palais des Doges, sur la place Saint-Marc – ou vendues à New York chez Tiffany's, sur la 5e Avenue.

Archimede Seguso avait commencé à souffler le verre à l'âge de onze ans. À vingt ans, on le surnommait déjà *il Mago del Fuoco* (« le Magicien du Feu »). À présent, sa santé ne lui permettait plus de rester dix-huit heures par jour devant un fourneau crépitant et étouffant, mais il n'en travaillait pas moins chaque jour, et avec un plaisir inentamé. Ce 29 janvier 1996, il s'était levé comme d'habitude à 4 h 30 du matin, comme toujours persuadé que les pièces qu'il créerait dans la journée seraient les plus belles de sa carrière.

Dans le salon, la signora Seguso s'arrêta pour regarder par l'une des fenêtres avant de baisser les stores. Remarquant que l'air était devenu brumeux, elle annonça à voix haute qu'un brouillard hivernal s'était abattu sur Venise. Dans l'autre pièce, le signor Seguso répondit qu'il avait dû tomber très vite car, quelques minutes plus tôt, le ciel était tellement dégagé qu'on apercevait la lune dans son premier quart.

La fenêtre du salon donnait sur une petit canal bordant l'arrière du théâtre de La Fenice, distant d'une dizaine de mètres. À trois cents mètres environ, l'aile principale de l'opéra semblait voilée dans la brume. Au moment où elle commença à descendre les stores, la signora Seguso fut attirée par une brusque lueur. Elle pensa à un éclair. Puis elle vit une autre lueur, et elle comprit tout de suite.

— Papa ! cria-t-elle. Il y a le feu à La Fenice !

Le signor Seguso se précipita à la fenêtre. Des flammes de plus en plus nombreuses léchaient la façade de l'opéra, illuminant cette fumée dense que la signora Seguso avait prise pour du brouillard. Pendant que sa femme composait le 115 pour prévenir les pompiers, le signor Seguso alla dans sa chambre et regarda par la fenêtre d'angle, qui était encore plus proche de La Fenice que celle du salon.

La maison des Seguso était séparée du feu par une enfilade de bâtisses qui constituaient La Fenice. L'incendie faisait rage dans la partie la plus éloignée, cette aile d'une sobre architecture néoclassique comprenant l'entrée principale et les salles de réception dites « salles Apolinnee ». Elle débouchait sur la partie centrale de l'édifice, avec sa grande salle rococo, et enfin l'espace immense des coulisses. De part et d'autre de l'auditorium et des coulisses, des bâtiments plus petits abritaient notamment l'atelier pour les décors, situé directement face à la maison du signor Seguso, de l'autre côté du canal.

Ne parvenant pas à joindre les pompiers, la signora Seguso composa le 112 pour alerter la police.

L'énormité du drame qui se déroulait de l'autre côté de la fenêtre laissait Archimede Seguso abasourdi. Le *Gran Teatro* La Fenice était l'un des joyaux de Venise ; c'était sans doute le plus bel opéra du monde, et l'un des plus importants. C'est pour La Fenice qu'avait été composés des dizaines d'opéras, c'est sur sa scène qu'ils avaient été créés : *Rigoletto, La Traviata* et *Simon Boccanegra* de Verdi, *The Rake's Progress* de Stravinski, *The Turn of the Screw* de Benjamin Britten. Pendant deux cents ans, le public s'était extasié devant l'acoustique de la salle, d'une limpidité somptueuse, devant la splendeur des loges incrustées d'or sur cinq étages et la fantaisie baroque qui caractérisait tout l'édifice. Les Seguso prenaient toujours une loge pour la saison et, au fil des ans, ils s'étaient vu attribuer des emplacements de plus en plus privilégiés, jusqu'à être voisins de la grande loge royale.

La signora Seguso n'arrivait pas non plus à contacter la police. Elle devenait folle. Elle sortit dans l'escalier et appela son fils Gino, qui vivait dans l'appartement du dessus avec sa femme et leur fils Antonio. Mais Gino était encore à la verrerie Seguso, à Murano, et Antonio était parti voir un ami du côté du Rialto.

Le signor Seguso resta silencieux devant la fenêtre de sa chambre, observant les flammes partir à l'assaut du dernier étage de l'entrée principale. Il savait que, toute magnifique qu'elle soit, La Fenice n'était en cet instant qu'un énorme amoncellement de bois de chauffage. À l'intérieur de l'épaisse carapace en pierre d'Istrie bordée de briques, la structure de l'opéra était entièrement en bois – poutres en bois, sols en bois, murs en bois. Les ornements en bois sculpté, en stuc et en papier mâché étaient recouverts de plusieurs couches de laque et de dorure. Le signor Seguso était également conscient que l'atelier des décors, de l'autre côté du canal, était bourré de solvants et, plus inquiétant encore, de bouteilles de butane utilisées pour la soudure.

La signora Seguso vint le voir pour lui dire qu'elle avait enfin pu parler à un policier.

— Ils sont déjà au courant. Il m'a dit que nous devions quitter la maison tout de suite.

Elle regarda par-dessus l'épaule de son mari et étouffa un cri : pendant le bref moment où elle avait tourné le dos aux fenêtres, les flammes s'étaient rapprochées : elles avaient gagné les quatre salons de réception précédant l'auditorium et avançaient dans leur direction.

Archimede Seguso les observa d'un œil expert. Il ouvrit la fenêtre et une bouffée d'air frais s'engouffra dans la pièce. Le vent soufflait vers le sud-ouest. La maison des Seguso étant située à l'ouest de l'opéra, Archimede calcula que si le vent ne changeait pas de direction **ou** ne forcissait pas, le feu progresserait vers l'autre côté de La Fenice.

— Écoute, Nandina, dit-il d'une voix rassurante, calme-toi. Nous ne courons aucun danger.

La maison des Seguso n'était qu'un des nombreux bâtiments bordant l'opéra. Si l'entrée principale débouchait sur une petite place, le Campo San Fantin, il était enclavé sur ses autres côtés par de vieilles maisons tout aussi inflammables, tantôt mitoyennes, tantôt distantes d'un ou deux mètres seulement. Ce genre de construction est très fréquent à Venise, où l'espace est une denrée précieuse. Vue du ciel, Venise est un puzzle de toits en terracotta. Le passage entre certains bâtiments est si étroit qu'on ne peut pas l'emprunter avec un parapluie ouvert. À Venise, les cambrioleurs ont pris l'habitude de s'enfuir après leur forfait en sautant de toit en toit. Si les flammes qui ravageaient La Fenice étaient capables de sauter de la même façon, alors c'est une grande partie de Venise qui risquait d'être détruite.

L'opéra lui-même était désert. Il avait été fermé cinq mois plus tôt pour des travaux de rénovation et devait rouvrir dans un mois. Le canal longeant la façade arrière avait été fermé, vidé et drainé de sa vase et de ses eaux usées afin que ses parois puissent être réparées – pour la première fois depuis quarante ans. Il n'était plus qu'une tranchée profonde et boueuse révélant un enchevêtrement de tuyaux et quelques machines-outils dans des flaques. Ce canal vide empêchait les bateaux des pompiers d'atteindre La Fenice et, pire encore, les privait d'une réserve d'eau. À Venise, les pompiers pompent directement leur eau dans les canaux. La ville n'est équipée d'aucune bouche à incendie.

À présent, La Fenice était cernée par des cris et le tumulte des passants courant en tous sens. Les habitants des maisons voisines essayant de rentrer chez eux étaient refoulés par les policiers, les clients du Ristorante Antico Martini étaient évacués en même temps que des dizaines de touristes hébétés quittant l'hôtel La Fenice avec leurs valises à roulettes et demandant la direction de l'hôtel Saturnia, où l'on devait les héberger. Une femme en chemise de nuit sortit de chez elle en titubant et, le regard hystérique, se mit à hurler au milieu du Campo San Fantin. Elle se roula par terre en frappant le sol de ses poings, avant d'être emmenée à l'intérieur de l'Antico Martini par les serveurs du restaurant.

Deux bateaux de pompiers atteignirent un canal situé à proximité de l'opéra. Mais leurs lances à incendie n'étaient pas assez longues pour contourner les bâtiments voisins ; ils durent donc les faire passer par la fenêtre des cuisines de l'Antico Martini et par la salle du restaurant jusqu'au Campo San Fantin. Mais la pression n'était pas suffisant, l'eau atteignait à peine les embrasures des fenêtres. Le feu continuait sa danse moqueuse, aspirant de grandes goulées d'air qui faisaient claquer les flammes comme des voiles écarlates dans un vent violent.

Plusieurs policiers tentaient d'ouvrir la lourde porte d'entrée principale – en vain. L'un d'eux dut dégainer son pistolet et tirer sur la serrure. La porte s'ouvrit, et deux pompiers franchirent un épais mur de fumée blanche. Quelques instants plus tard, ils sortirent en courant.

— Trop tard ! Ça brûle comme de la paille...

Les gémissements des sirènes emplissaient l'air à présent, tandis que les bateaux des policiers et des pompiers fonçaient sur le Grand Canal. Une heure après que l'alarme avait été donnée, le principal bateau-pompe de la ville s'arrima au débarcadère derrière le Haig's Bar. Ses pompes ultra-puissantes allaient enfin pouvoir acheminer l'eau sur les deux cents mètres séparant le Grand Canal de La Fenice. Des dizaines de pompiers déroulèrent leurs lances jusqu'au Campo Santa Maria del Giglio, assemblant fébrilement les différentes sections – pour s'apercevoir que les diamètres ne correspondaient pas. Malgré les fuites aux points de jonction, ils parvinrent à acheminer les lances jusque sur les toits des maisons entourant l'opéra. Une partie des lances était orientée vers La Fenice, l'autre vers les bâtiments adjacents. Alfio Pini, le capitaine des pompiers, avait déjà pris une décision stratégique : puisque La Fenice était perdue, la ville devait être sauvée.

Quand l'électricité fut coupée, le comte Girolamo Marcello était en pleine conversation avec son fils. Ils dînaient au dernier étage de son palais, à moins d'une minute à pied de l'opéra. Un peu plus tôt dans la journée, le comte avait appris la nouvelle de la mort, à New York, du poète russe et prix Nobel Joseph Brodsky. Crise cardiaque. Il avait cinquante-cinq ans. Amoureux passionné de Venise, Brodsky était un ami et un hôte de Marcello. C'est notamment pendant son séjour dans le palais du comte que Brodsky avait écrit son dernier livre, *Acqua Alta*, une évocation lyrique de la Sérénissime. Dans l'après-midi, Marcello avait téléphoné à Maria, la veuve de Brodsky, et ils avaient discuté de la possibilité de faire inhumer le poète à Venise. Marcello savait que ce ne serait pas facile à obtenir. Tous les emplacements encore disponibles dans l'île-cimetière de San Michele étaient réservés depuis plusieurs années. Et il avait toujours été admis que tout nouvel arrivant, même vénitien de naissance, devrait être déterré au bout de dix ans pour être transféré dans un cimetière ordinaire, situé plus loin sur la lagune. Mais pour un non-Vénitien juif et athée, obtenir une autorisation d'inhumer, même temporaire, relevait du parcours du combattant. La règle avait, certes, connu des exceptions notables : Igor Stravinski repose à San Michele, aux côtés de Serge Diaghilev et d'Ezra Pound. Ils sont enterrés dans la section réservée aux anglicans et aux Grecs orthodoxes, et autorisés à y rester définitivement. Aussi demeurait-il un espoir d'y voir un jour la sépulture de Joseph Brodsky, et c'est à cela que pensait le comte Marcello lorsque les lumières s'éteignirent.

Fils et père restèrent dans le noir pendant un moment, pensant que les lumières se rallumeraient. Puis ils entendirent les sirènes, nombreuses, bien plus nombreuses que d'ordinaire.

— Montons voir ce qui se passe, déclara Marcello.

Ils se rendirent aussitôt à l'*altana*, cette terrasse en bois juchée sur les toits des maisons vénitiennes ; dès qu'ils ouvrirent la porte, ils virent le brasier.

Le comte décida qu'il fallait quitter le palais sans tarder. Ils descendirent les escaliers à tâtons dans l'obscurité. Marcello se demanda si le palais vieux de six cents ans serait détruit par les flammes. Avec lui, c'était la bibliothèque privée la plus impressionnante de tout Venise qui risquait de disparaître. À elle seule, elle occupait presque tout le deuxième étage. C'était une merveille d'architecture : hauts plafonds, galerie panoramique accessible par un escalier secret dissimulé derrière un pan de mur mobile, étagères garnies du sol jusqu'au plafond de 40 000 volumes d'archives privées et publiques, certaines datées de plus de dix siècles... Cette collection était une véritable caverne d'Ali Baba pour tous les passionnés d'histoire vénitienne, et Marcello ouvrait régulièrement ses portes aux universitaires. Lui-même passait de longues heures, assis dans un fauteuil en cuir aux allures de trône, à parcourir ces archives, en particulier tous les documents relatifs à sa famille, l'une des plus anciennes de Venise. L'un de ses ancêtres n'avait-il pas été doge au XVe siècle ? Avec d'autres familles, les Marcello étaient même à l'origine de la construction de La Fenice, et en étaient restés propriétaires jusqu'à la veille de la Seconde Guerre mondiale, lorsque la municipalité de Venise leur avait succédé.

Marcello marcha jusqu'aux abords du Campo San Fantin et se retrouva dans une foule où l'ensemble du conseil municipal était déjà présent : ses membres étaient tous arrivés d'une réunion à la Ca'Farsetti, la mairie de Venise. Le comte Marcello est une personnalité connue de toute la ville, avec sa calvitie et sa barbe blanche impeccablement taillée. Les journalistes l'interrogent souvent, sachant qu'ils peuvent s'attendre de sa part à un commentaire franc, souvent assorti d'un ou deux paradoxes piquants. À un journaliste qui lui avait demandé un autoportrait, Marcello avait répondu : « Curieux, incapable de tenir en place, éclectique, impulsif et capricieux. » Ce sont ces deux derniers traits de caractère qui prirent le dessus tandis que, parmi la foule assemblée Campo San Fantin, le comte regardait l'incendie ravager La Fenice.

— Quel dommage ! L'opéra va disparaître, je ne le reverrai plus jamais ! La reconstruction risque d'être trop longue, je serai mort avant la fin des travaux...

Cette remarque s'adressait à la personne avec laquelle il était en train de discuter, mais il avait haussé la voix pour qu'elle n'échappe pas à l'élégant quinquagénaire à barbe sombre qui se tenait à quelques mètres de là : Massimo Cacciari, maire de Venise. Cet ancien communiste, professeur de philosophie et d'architecture à l'université de Venise, était aussi l'une des figures éminentes de la philosophie italienne contemporaine. En tant que maire, il était automatiquement désigné président de La Fenice ; autrement dit il avait en charge la sécurité du bâtiment et serait désormais responsable de sa reconstruction. La remarque de Marcello laissait clairement entendre qui ni Cacciari ni son cabinet de gauche n'étaient capables de relever un tel défi. Mais le maire, indifférent à la réflexion railleuse du comte, ne quittait pas des yeux l'incendie. Il paraissait désespéré.

— À mon avis, reprit Marcello, s'ils veulent le reconstruire en lui redonnant sa fonction première – un lieu convivial, un lieu de rencontre –, ils devraient en faire une gigantesque discothèque pour les jeunes.

Un vieil homme qui se tenait devant le comte se retourna, stupéfait. Des larmes roulaient sur ses joues.

— Girolamo ! s'exclama-t-il. Comment peux-tu dire une chose pareille ? De toute façon, qui peut dire de quoi les jeunes auront envie dans cinq ans ?

Un fracas assourdissant se fit entendre depuis les profondeurs de La Fenice. Le monumental lustre en cristal venait de s'écraser dans les décombres.

— Sur ce point, tu as raison. Mais, comme chacun sait, aller à l'opéra a toujours été une démarche sociale. Il suffit de regarder son plan : seulement un tiers des places sont positionnées correctement par rapport à la scène. Les autres, ceux des loges surtout, sont conçues pour regarder le public. L'espace est organisé de façon purement sociale.

Le comte parlait d'un ton légèrement sceptique, sans une once de cynisme, amusé à l'idée que l'on puisse croire que, depuis des générations, les gens – y compris les Marcello – allaient à l'opéra pour des raisons aussi nobles que l'amour de la musique et l'envie de se cultiver. (Son ancêtre Benedetto Marcello, compositeur du XVIIIe siècle, était bien sûr un cas à part.) Durant toute son existence, La Fenice avait fait figure de sanctuaire dans le paysage social de Venise – et

Girolamo Marcello était une autorité en matière d'histoire de la société vénitienne. /

— Jadis, poursuivit-il, les loges privées étaient équipées de rideaux que l'on pouvait fermer, y compris pendant les représentations. Mon grand-père adorait aller à l'opéra, mais il se contrefichait de la musique. Il n'ouvrait les rideaux que pour des moments bien précis du spectacle. « Silence ! disait-il, voilà l'aria ! » Il ouvrait les rideaux, applaudissait : « Bravo ! Splendide ! Quel chanteur ! », puis il les refermait à nouveau et un domestique venait nous apporter un panier rempli de cuisses de poulet et de bouteilles de vin. L'opéra n'était qu'une sorte de divertissement. Et puis, louer une loge à La Fenice revenait moins cher que chauffer tout un palais pour la soirée...

Soudain, un bruit terrible fit trembler le sol. Les sols des différents étages du bâtiment de façade s'étaient effondrés les uns sur les autres. Les gens amassés à l'entrée du *campo* firent un bond en arrière au moment où le toit de l'entrée cédait, projetant dans l'air des flammes et des débris incandescents. Le comte Marcello, pour sa part, retourna sur son *altana*, muni d'une bouteille de grappa, d'une caméra vidéo et d'un seau d'eau au cas où l'un de ces débris viendrait à atterrir sur son toit.

En quelques minutes – pendant que la caméra de Girolamo Marcello filmait en ronronnant, pendant qu'Archimede Seguso regardait la scène en silence depuis la fenêtre de sa chambre, pendant que des centaines de Vénitiens faisaient de même depuis les toits, et avec eux des milliers d'autres devant leur poste de télévision –, le toit de l'auditorium s'écrasa dans un vacarme infernal, provoquant une véritable éruption volcanique. Un puissant courant d'air envoya dans le ciel de Venise des braises ardentes, telles des comètes.

Peu après 23 heures, un hélicoptère bombardier d'eau se profila au-dessus de la place Saint-Marc, piqua au ras du Grand Canal et remplit d'eau son énorme réservoir, un *bamby bucket* de 800 litres, avant de remonter en flèche puis, survolant La Fenice sous les acclamations des Vénitiens, de déverser l'eau sur le brasier. Dans un gigantesque sifflement, une colonne sinueuse de vapeur et de fumée monta de l'opéra – pourtant, le feu continuait toujours de faire rage. L'hélicoptère repartit vers le Grand Canal pour un nouveau plein.

Brusquement, Girolamo Marcello s'aperçut que sa femme Lesa, qui avait quitté la ville, risquait d'apprendre la nouvelle avant qu'il ait eu le temps de la rassurer sur la famille et le palais. Il descendit du toit pour aller lui téléphoner.

La comtesse Marcello travaille pour Save Venice, une organisation américaine à but non lucratif aidant à récolter des fonds pour restaurer le patrimoine artistique et architectural vénitien. Son quartier général est situé à New York, et Lesa Marcello dirige son bureau de Venise. Ces trente dernières années, Save Venice a aidé à restaurer des peintures, des fresques, des mosaïques, des statues, des plafonds et des façades. Plus récemment, Save Venice a permis la restauration du rideau peint de La Fenice pour la somme de 100 000 dollars.

Cette organisation connaît une immense popularité aux États-Unis – sans doute parce qu'elle a été fondée dans une perspective participative. Elle organise ainsi des séjours de quatre jours à Venise où, pour 3 000 dollars par personne, les participants prennent part à différents événements ainsi qu'à des déjeuners somptueux, à des dîners de gala et à des soirées dans des villas et des palais privés.

Tous les hivers, Save Venice poursuit son activité en organisant un grand bal à New York. En 1996, c'était un bal masqué pour lequel était réservée la somptueuse Rainbow Room du 65e étage du Rockefeller Center. En décrochant le téléphone pour appeler son épouse, le comte Marcello se rappela soudain que le bal devait se dérouler le soir même.

Les tours de Manhattan étincelaient dans le soleil de cette fin d'après-midi quand Lesa Marcello décrocha le téléphone. Autour d'elle, des gens s'activaient pour terminer à temps la décoration de la Rainbow Room. Le décorateur d'intérieur John Saladino était furieux : les syndicats lui ayant accordé seulement trois heures pour aménager le salon, il avait dû faire appel à tous les domestiques de sa maison de vingt-trois pièces dans le Connecticut, auxquels s'ajoutaient douze employés de son agence. À la tombée de la nuit, la salle de bal Arts-déco de la Rainbow Room devrait ressembler à l'idée qu'il se faisait de la lagune vénitienne.

— La Rainbow Room est verrouillée par une cabale de syndicalistes! rugissait-il à voix suffisamment haute pour être entendu de ceux qu'il critiquait. Ils n'ont qu'un but dans la vie: compliquer la vie de tout le monde!

Il fusilla du regard quatre électriciens aux gestes particulièrement lents.

— Je décore quatre-vingt-huit tables pour que chacune évoque une île de la lagune. Au-dessus de chaque table sera suspendue une grappe de ballons gonflables argentés qui refléteront la lumière des bougies, afin de former une sorte de *baldacchino* scintillant...

M. Saladino parcourut l'assistance d'un regard noir.

— Je me demande si quelqu'un *ici* a la moindre idée de ce qu'est un *baldacchino*...

À l'évidence, il n'attendait aucune réponse de la part des gens qui soufflaient dans les ballons ou préparaient les centres de table, ni des techniciens réglant bruyamment la balance sur l'estrade où se produirait l'orchestre de Peter Duchin, ni des deux jongleurs en train de répéter leur numéro.

— Un *baldacchino*, intervint un homme à la corpulence imposante, aux longs cheveux blancs et au nez aquilin, est notre mot pour dire un *ciel de lit*.

Puis il haussa les épaules et se tourna vers un chevalet situé près de l'estrade. C'était Ludovico De Luigi, l'un des peintres les plus célèbres de Venise. Save Venice l'avait fait venir à New York afin qu'il exécute, au cours du bal, une aquarelle qui serait ensuite mise aux enchères au profit de l'association.

De Luigi est un homme d'une grande assurance et d'un flair exceptionnel. Ses tableaux futuristes, à la Dalí, dépeignent un univers métaphysico-surréaliste. Ce sont le plus souvent des paysages fantomatiques où l'on reconnaît des bâtiments vénitiens, dans des juxtapositions extraordinaires: l'église Santa Maria della Salute transformée en plate-forme pétrolière au milieu de l'océan, la place Saint-Marc inondée d'où surgit la silhouette massive d'un sous-marin Polaris tourné de façon menaçante vers la basilique... Si elles flirtent parfois avec le kitsch, les œuvres de De Luigi sont toujours techniquement parfaites et stimulantes pour le regard.

À Venise, il est autant connu pour ses peintures que pour ses pitreries. Un jour, la municipalité l'ayant autorisé à exposer place Saint-Marc une statue de cheval, il invita à l'inauguration un membre du Parlement : Ilona Staller, députée du Parti radical italien, plus connue par les amateurs de films pornographiques sous le nom de « Cicciolina ». Elle arriva en gondole, seins nus, et grimpa sur le cheval en proclamant qu'elle était une œuvre d'art vivante juchée sur une œuvre d'art inerte. L'immunité parlementaire protégeant la Cicciolina de poursuite pour comportement obscène en public, c'est De Luigi qui fut accusé à sa place. Lors de son procès, il expliqua au juge – en l'occurrence une juge – qu'il ne s'était pas attendu à voir arriver la Cicciolina seins nus.

— Pourtant, signor De Luigi, connaissant l'histoire de Mlle Staller, vous ne vous étiez pas *imaginé* qu'elle pourrait retirer ses vêtements ?

— Madame le juge, je suis un artiste. J'ai une imagination très riche. Je peux même vous imaginer *vous* retirant vos vêtements ici, en plein tribunal. Ce n'est pas pour autant que je m'attends à vous voir le faire.

— Signor De Luigi, moi aussi j'ai de l'imagination, et je peux très bien imaginer vous condamner à cinq ans de prison pour outrage à la Cour.

Il écopa finalement d'une peine de cinq mois de prison, qui peu après fut amnistiée. Et ce soir, dans la Rainbow Room du Rockefeller Center de New York, il allait peindre la Chiesa dei Miracoli, en hommage à un très ambitieux projet de restauration mené par Save Venice. Pendant qu'il mélangeait ses couleurs sur la palette, Lesa Marcello décrocha le combiné téléphonique et se tourna vers les baies vitrées donnant sur Manhattan.

La comtesse Marcello est une femme aux cheveux noirs, aux manières très posées et dont le visage exprime une patience infinie. Elle pressa une main contre son oreille pour ne pas être dérangée par le bruit et entendre ce que Girolamo avait à lui dire : il y a eu un incendie à La Fenice, on n'a pas pu l'éteindre. « Elle a disparu. On ne peut rien y faire. Mais au moins nous sommes sains et saufs, et pour le moment le feu est circonscrit. »

Choquée, Lesa se laissa tomber sur une chaise devant la baie vitrée. Des larmes ruisselaient sur ses joues tandis qu'elle tentait de mesurer toute la portée de cette information. Pendant plusieurs générations, sa famille avait joué un rôle de premier plan dans la vie de Venise. Son grand-père en avait été le maire durant l'entre-deux-guerres. Elle posa un regard vide sur le panorama : le soleil couchant jetait des reflets rouge orangé sur la façade de verre des gratte-ciel de Wall Street. La ville tout entière paraissait s'embraser.

La comtesse se détourna.

— Oh mon Dieu, non ! s'exclama Bea Guthrie, directrice exécutive de Save Venice, quand Lesa lui apprit la nouvelle.

Elle posa le centre de table auquel elle travaillait et son visage se crispa sous l'effet de la panique. En une fraction de seconde, le bal masqué de l'association s'était transformé en une frivolité totalement hors de propos, et il était trop tard pour l'annuler. Dans quelques heures, six cents fêtards costumés se presseraient à l'entrée de la Rainbow Room, déguisés en gondoliers, en papes, en doges, en courtisans, en Marco Polo, en Shylock, en Casanova, en Tadzio, et il serait impossible de les renvoyer chez eux. L'invitée d'honneur, la signora Lamberto Dini, épouse du Premier ministre italien, serait sans doute obligée de prendre congé, et cela ne ferait que souligner l'incongruité de ce bal. Il fallait prendre une décision. Mais laquelle ?

Bea téléphona à son mari, Bob Guthrie, président de Save Venice et chef du département de chirurgie plastique et reconstructrice au Downtown Hospital de New York. Le Dr Guthrie était au bloc opératoire. Elle appela alors Larry Lovett, directeur de Save Venice et ancien directeur de la Metropolitan Opera Guild et de la Chamber Music Society du Lincoln Center. Quelques années auparavant, il avait acquis un palais sur le Grand Canal et en avait fait sa résidence principale. Il réagit à l'annonce de la destruction de La Fenice avec autant de colère que de tristesse. Sachant comment les choses se déroulaient à Venise, il était persuadé que le sinistre, quelle qu'en soit la cause, avait pour origine une négligence humaine. Le Dr Guthrie apprit la nouvelle en sortant du bloc. Sa stupeur fut tempérée par une touche de pragmatisme : « Eh bien ! dit-il, voilà un rideau de scène à 100 000 dollars qui s'envole en fumée... »

Ni Larry Lovett ni Bob Guthrie ne trouvèrent une solution décente pour annuler la soirée. Elle devrait tout simplement se dérouler comme prévu. Pendant un court instant, ils se demandèrent s'il était envisageable de ne pas faire allusion à l'incendie, supposant qu'une petite minorité des invités en aurait entendu parler avant de se rendre au bal. Mais cela ne ferait qu'aggraver la situation, conclurent-ils.

Bea Guthrie retourna à son centre de table inachevé. Au même moment, un homme au visage rubicond et aux cheveux frisés noirs fit son entrée dans la Rainbow Room et salua Bea d'un sourire et d'un geste de la main. Emilio Pates, restaurateur vénitien, avait lui aussi fait le voyage à New York à la demande de Save Venice pour préparer le dîner de six cents couverts. Il était en train d'évaluer la distance entre les cuisines au 64e étage et les tables du salon. Il avançait en comptant ses pas, sans quitter sa montre des yeux. Son principal souci était le risotto aux *porcini* et à la truffe blanche.

— Vous devez compter deux minutes au sortir du feu, expliquait-il au chef de rang qui marchait à côté de lui. Deux minutes, c'est le temps mis par le risotto pour absorber toute l'eau et se transformer en bouillie. Donc, vous avez deux minutes pour aller des cuisines aux assiettes. Pas une seconde de plus !

Quand le signor Pates atteignit l'extrémité de la salle, il consulta sa montre puis regarda Bea Guthrie.

— Une minute quarante-cinq secondes ! *Va bene !*

En fin d'après-midi, quand les décorations furent terminées, Bea Guthrie rentra chez elle pour se changer. Elle se sentait déprimée, angoissée par les heures à venir. C'est le moment que choisit l'invitée d'honneur, la signora Dini, pour lui téléphoner.

— Je crois que j'ai une idée, en tout cas si vous êtes d'accord : lorsque tous les invités seront présents et que tous auront appris la nouvelle de l'incendie, je prendrai la parole et je remercierai, au nom de tous les Italiens, le conseil de Save Venice d'avoir pris la décision cet après-midi de consacrer tous les fonds récoltés ce soir à la reconstruction de La Fenice.

Cela donnerait à la soirée une tournure positive. Le conseil de Save Venice pouvait être consulté assez rapidement, et tous ses membres donneraient certainement leur accord. Soudain ragaillardie, Bea Guthrie alla enfiler son costume d'Arlequin en prévision du bal masqué.

La signora Seguso faillit pleurer de joie quand son fils Gino et son petit-fils Antonio rentrèrent à la maison. Pendant la coupure d'électricité, la lumière ondoyante de l'incendie avait envahi l'appartement, éclaboussant les murs et les meubles, comme si la maison elle-même prenait feu. Le téléphone n'avait pas cessé de sonner : les amis voulaient savoir si tout allait bien. Au rez-de-chaussée, Gino et Antonio discutaient avec les pompiers qui leur conseillaient d'évacuer au plus vite comme l'avaient déjà fait la plupart de leurs voisins. Ils parlaient à voix basse et avec déférence, car ils savaient que le vieil homme à l'étage n'était autre que le grand Archimede Seguso.

Et Archimede Seguso refusait de quitter la maison.

Et aucun des membres de la famille ne voulait partir tant qu'il resterait là. Gino et Antonio s'empressèrent d'écarter tous les meubles des fenêtres, de baisser les stores, de rouler les tapis et de rentrer les jardinières. Antonio monta sur la terrasse pour retirer l'auvent de son support et asperger d'eau les tuiles. Elles étaient déjà tellement bouillantes qu'un nuage de vapeur s'éleva du toit. Pendant ce temps, la signora Seguso et sa bru rangeaient leurs affaires dans des valises, pour être prêtes à partir si Archimede changeait d'avis. En voyant la valise de sa femme dans l'entrée, Gino l'ouvrit pour voir ce qu'elle emportait : elle était remplie de photos de famille encore encadrées.

— On peut tout racheter, sauf les souvenirs, lui expliqua-t-elle.

Gino l'embrassa.

À nouveau, un bruit terrifiant fit trembler les murs : le toit au-dessus de la scène s'était écroulé.

Le capitaine des pompiers vint prévenir les Seguso, presque en s'excusant, que ses hommes allaient devoir faire passer une lance à incendie dans leur salon pour atteindre la fenêtre face à La Fenice, au cas où le feu ouvrirait une brèche dans le mur donnant sur le canal. Avec d'infinies précautions, les pompiers mirent à l'abri les œuvres d'art d'Archimede Seguso – les pièces abstraites et modernes réalisées dans les années vingt et trente, quand la plupart des maîtres verriers vénitiens continuaient de s'inspirer du style ornemental du xviiie siècle. La lance à incendie fut donc déroulée entre une haie d'honneur d'objets en verre touchés par le génie de Seguso : coupes et vases sertis d'un lacis coloré semblable à de la dentelle, ou de rubans multicolores, ou de minuscules spirales de bulles, personnages ou animaux sculptés dans une seule masse de verre fondu – un tour de force presque impossible, qu'il avait accompli seul.

Accompagné par le capitaine des pompiers, Gino se rendit dans la chambre de son père. Le capitaine, plutôt que de s'adresser directement au vieil homme, se tourna vers Gino et dit :

— Nous sommes très préoccupés par la sécurité du *Maestro*.

Le signor Seguso continuait de regarder par la fenêtre, en silence.

— Papa, dit Gino d'une douce voix implorante, l'incendie se rapproche. Je crois que nous devrions partir.

Les yeux de son père restaient fixés sur La Fenice, sur le brasier transpercé de flammes vertes, violettes, ocre. Par les persiennes des volets à l'arrière de l'opéra, il apercevait les flammes, dont les flaques boueuses au fond du canal renvoyaient les reflets. De longues langues léchaient les fenêtres, des geysers de cendre jaillissaient des trous béants dans le toit. La Fenice s'était métamorphosée en une fournaise incandescente.

— Je reste ici, déclara calmement Archimede Seguso.

Au Haig's Bar, plusieurs mots revenaient souvent dans les conversations, des mots qui n'avaient rien à voir avec La Fenice, ni même entre eux : *Bari... Petruzzelli... San Giovanni in Laterno... Uffizi... Milano... Palermo...* Et un autre, récurrent, faisait le lien entre eux : *mafia.*

La mafia s'était récemment lancée dans les incendies et les attentats à la bombe. Et ce qui se passait ce soir à La Fenice rappelait de façon troublante l'incendie qui avait détruit en 1991 le Teatro Petruzzelli de Bari. L'enquête de police avait établi que le chef de la mafia locale avait soudoyé le directeur de l'opéra pour toucher des contrats lucratifs pendant le chantier de reconstruction. Nombreux était ceux qui voyaient dans l'incendie de La Fenice une répétition de cette opération. La mafia était également soupçonnée dans les attentats mortels à la voiture piégée qui avaient partiellement détruit l'église Saint-Jean-de-Latran à Rome, le musée des Offices de Florence et la Galerie d'art moderne de Milan. Ces attentats sonnaient comme des avertissements à l'attention du pape Jean-Paul II, qui multipliait les dénonciations contre la Pieuvre, et du gouvernement italien qui avait renforcé la juridiction antimafia. En ce moment même, un parrain sicilien était jugé à Mestre, sur la rive continentale de la lagune vénitienne, pour le meurtre à Palerme d'un juge antimafia, de son épouse et de ses gardes du corps. L'incendie de La Fenice était peut-être une effroyable manœuvre d'intimidation pour obtenir l'arrêt du procès?

— La mafia! s'exclama Girolamo Marcello devant les amis qui l'avaient rejoint sur son *altana.* Si ce sont bien eux qui ont mis le feu à La Fenice, ils se sont donné beaucoup de mal pour rien : elle aurait brûlé de toute façon, c'était le chaos depuis des mois! Juste après le début des travaux de rénovation, le superviseur de La Fenice m'a convoqué. Save Venice venait de financer le nouveau rideau de scène, et voilà qu'il me demandait de nous occuper des fresques de *La Divine Comédie* qui décorent le bar. Lorsque nous sommes allés les inspecter, je n'en ai pas cru mes yeux − c'était une vraie folie! Dans toutes les pièces, il y avait des matériaux inflammables : des pots de vernis, de térébenthine, de dissolvants, fermés, ouverts, dégoulinant par terre… Des paquets de lattes de plancher, des rouleaux de revêtements de linoléum, des tas de détritus ici ou là… Et au milieu de tout ça, des ouvriers travaillant avec des lampes à souder! Vous imaginez un peu? Des lampes à souder! Et comme d'habitude, surveillance, zéro, responsabilité, zéro. Je me suis dit: « Ils sont fous! » Alors si la mafia voulait que La Fenice brûle, il lui suffisait d'attendre.

À 2 heures du matin, même si officiellement l'incendie n'était pas encore maîtrisé, Archimede constata qu'un point d'équilibre avait été atteint entre les flammes et les pompiers. Il apparut dans l'embrasure de la porte de sa chambre – c'était la première fois en quatre heures qu'il quittait son poste devant la fenêtre.

— Nous sommes hors de danger, Nandina, annonça-t-il à sa femme en l'embrassant. Je t'avais bien dit de ne pas t'inquiéter.

Puis il embrassa son fils, sa bru et son petit-fils. Après quoi, sans rien ajouter, il alla se coucher.

Au moment où le signor Seguso se mettait au lit, une cohorte de généraux prussiens, de bouffons du roi et de princesses de contes de fées s'extirpait des ascenseurs du Rockefeller Center pour entrer dans la Rainbow Room, entièrement éclairée aux chandelles. Un évêque en tenue d'apparat trinquait avec une danseuse du ventre. Un bourreau encagoulé devisait avec Marie-Antoinette. Un groupe de curieux s'était formé autour de Ludovico De Luigi, qui avait déjà esquissé les contours de la Chiesa dei Miracoli et commençait à colorer sa façade incrustée de marbre. Les jongleurs, acrobates, cracheurs de feu et mimes en costumes de la *commedia dell'arte* déambulaient parmi les convives qui, pour la plupart, ignoraient ce qu'il était advenu de La Fenice. CBS avait jusqu'alors été la seule chaîne à mentionner la nouvelle – pendant onze secondes, et sans images.

Assis à son piano, Peter Duchin évoquait quelque oiseau exotique dont les plumes noires et blanches couronnaient d'un panache son masque noir. Quand il vit Bob Guthrie s'avancer vers le micro, il interrompit l'orchestre d'un geste de la main.

Sa silhouette massive enveloppée dans un caftan rouge et blanc, Guthrie souhaita la bienvenue à ses invités. Puis il leur dit qu'il détestait annoncer de mauvaises nouvelles, mais que La Fenice était en ce moment même ravagée par un incendie.

— Et on ne peut pas la sauver.

Toute la salle résonna de « non ! » incrédules et de protestations étouffées, puis le silence se fit. Guthrie annonça l'invitée d'honneur et, les yeux emplis de larmes, la signora Dini prit le micro. D'une voix tremblante, elle remercia le conseil de Save Venice qui, en fin d'après-midi, avait décidé de consacrer l'ensemble des fonds récoltés dans la soirée à la reconstruction de La Fenice. Le silence fut rompu par quelques applaudissements clairsemés qui, peu à peu, enflèrent, jusqu'à devenir une gigantesque ovation qui culmina dans une explosion de « hourras » et de sifflets.

Le visage terreux, Ludovico De Luigi retira son tableau du chevalet. À la place, il installa une toile blanche sur laquelle, en quelques coups de crayon, il dessina rapidement La Fenice. Il la plaça au milieu de la lagune, pour ajouter une touche ironique, et l'engloutit dans les flammes.

Plusieurs convives reprirent les ascenseurs pour rentrer chez eux et se changer en tenue de soirée classique, expliquant qu'ils n'avaient plus le cœur à être déguisés. La signora Dini s'écarta du micro et se tamponna les yeux avec un mouchoir. Bob Guthrie resta à discuter avec un petit groupe d'invités, à proximité du micro toujours ouvert qui capta une partie de leur conversation. « Nous récolterons sans doute près d'un million de dollars pour La Fenice ce soir », dit-il en se fondant sur le prix de l'entrée – 1 000 dollars –, la vente de la toile de De Luigi et les dons spontanés. En réponse à une question sur la gestion de l'argent : « Non, non ! Certainement pas. Nous ne donnerons pas l'argent à Venise tant que les travaux de restauration n'auront pas commencé. Vous plaisantez ? Nous ne sommes pas naïfs à ce point. En attendant, l'argent sera placé sur un compte bloqué. Sinon, impossible de dire dans quelles mains il risquerait de finir… »

À 3 heures du matin, l'incendie fut enfin officiellement maîtrisé. Aucun des débris enflammés n'avait occasionné de nouveaux départs de feu et aucun blessé grave n'était à déplorer. Les murs épais des bâtiments avaient empêché les flammes de se propager, mais à l'intérieur tout était réduit en cendres. Au lieu de détruire Venise, La Fenice s'était pour ainsi dire suicidée.

À 4 heures du matin, l'hélicoptère survola pour la dernière fois les décombres. Le destin tragique de La Fenice semblait tracé par les lances à incendie serpentant depuis le Grand Canal à travers le Campo Santa Maria del Giglio. Le maire Massimo Cacciari était resté sur le Campo San Fantin, regardant d'un air sinistre ce qui restait de l'opéra. Près de l'entrée, une affiche intacte derrière son panneau de verre annonçait le concert de jazz que Woody Allen et sa formation devaient donner à la fin du mois pour fêter la rénovation de la salle.

À 5 heures du matin, Archimede Seguso ouvrit les yeux et s'assit dans son lit, ragaillardi malgré ses trois heures de sommeil. Il avança jusqu'à la fenêtre et ouvrit les stores. Les pompiers avaient allumé des projecteurs et braquaient leurs lances vers l'intérieur de l'opéra. Des colonnes de fumée s'élevaient de la coquille vide de La Fenice.

Le signor Seguso s'habilla à la lumière des projecteurs reflétée sur les murs. Par-dessus l'odeur du bois calciné, il sentit celle du café que sa femme lui préparait. Comme d'habitude, elle se tenait près de la porte de sa chambre, prête à lui donner sa tasse et, comme d'habitude, il but son café debout devant elle. Puis il l'embrassa sur les deux joues, ajusta sur sa tête son feutre gris et descendit dans la rue. Devant la maison, il s'arrêta quelques instants et leva les yeux vers La Fenice. Les fenêtres n'étaient plus que des trous béants par lesquels apparaissait le ciel sombre d'avant l'aurore. Un vent violent et froid venu du nord sifflait sur ce spectacle de désolation. S'il avait soufflé huit heures plus tôt, l'incendie aurait certainement pris une tout autre ampleur.

Un jeune pompier épuisé était adossé contre un mur. Il hocha la tête en voyant approcher le signor Seguso.

— Nous n'avons rien pu faire, dit-il.

— Vous avez fait tout votre possible, répondit le signor Seguso d'une voix apaisante. C'était sans espoir.

Le pompier secoua la tête.

— Chaque fois qu'un morceau de ce plafond tombait, un morceau de mon cœur tombait avec.

— J'ai ressenti la même chose, dit le signor Seguso. Mais tu ne dois pas te sentir coupable.

— C'est un échec... je ne m'en remettrai jamais.

— Regarde autour de toi : vous avez sauvé Venise !

Sur ce, le vieil homme tourna les talons et s'engagea d'un pas lent dans la Calle Caotorta, en direction des Fondamente Nuove. Là, il prendrait le vaporetto qui le déposerait à Murano, où se trouvait la verrerie Seguso. Quand il était plus jeune, cette marche d'un peu moins de deux kilomètres durait douze minutes. À présent, il mettait une heure à rejoindre la station de vaporetto.

Parvenu au Campo Sant'Angelo, il se retourna et vit une haute colonne sinueuse de fumée. Éclairée par derrière, elle ressemblait à un spectre sanglant flottant dans le ciel.

Le Campo ouvrait sur une rue commerçante, la Calle de la Mandola. Un homme en bleu de travail était en train de nettoyer une vitrine. Les laveurs de vitrine étaient les seuls à travailler de si bonne heure, et ils saluaient toujours le signor Seguso.

— Ah ! *Maestro* ! s'exclama l'homme en bleu. Nous étions inquiets pour vous, cette nuit. Vous vivez tellement près de La Fenice...

— C'est très aimable à vous, répondit Archimede en s'inclinant légèrement et en effleurant le bord de son chapeau. Dieu merci, nous n'avons jamais été vraiment menacés. Mais nous avons perdu notre opéra...

Le signor Seguso ne s'arrêtait jamais ni ne ralentissait le pas. Peu après 6 heures, il arriva à la verrerie et pénétra dans la salle du fourneau, semblable à une caverne. Six grands fours enchâssés dans des blocs en céramique étaient disposés dans la salle, à bonne distance l'un de l'autre. Le feu remplissait l'espace d'un vrombissement furieux et ininterrompu. Le signor Seguso discuta avec un assistant des couleurs qu'il voulait travailler, certaines transparentes, d'autres opaques. Il y aurait de l'orange, du rouge, du violet, de la terre d'ombre, du bleu de cobalt, de la feuille d'or, du blanc et du noir. Bien plus de couleurs qu'il n'en utilisait d'ordinaire, mais l'assistant n'en demanda pas la raison et le maître ne donna aucune explication.

Quand le verre fut prêt, il se tint devant la gueule ouverte d'un four, canne d'acier dans la main, posant un regard calme et pénétrant sur la fournaise. Puis, d'un mouvement fluide et gracieux, il plongea l'extrémité du tuyau dans le réservoir de verre fondu et le tourna lentement, encore et encore, jusqu'à ce que la lourde goutte piriforme atteigne la taille qu'il souhaitait pour réaliser un vase.

Le premier vase, d'une série qui en comporterait finalement plus d'une centaine, ne ressemblait à rien de ce qu'il avait déjà conçu. Sur un arrière-plan opaque aussi noir que la nuit, il avait placé un tourbillon sinueux de diamants rouges, verts, blancs et or, se croisant et s'entrecroisant sur tout le pourtour. Il n'expliqua jamais ce qu'il faisait mais, dès le deuxième vase, tout le monde avait compris. Il gravait dans le verre son souvenir de l'incendie – les flammes, les étincelles, les braises et la fumée, leur danse dans le ciel nocturne, leurs reflets dans l'eau croupie au fond du canal –, tel qu'il l'avait vu depuis la fenêtre de sa chambre, à travers les persiennes.

Les jours suivants, la municipalité de Venise diligenterait une enquête pour déterminer les circonstances de l'accident du 29 janvier 1996. Mais au matin du 30, alors que les braises de La Fenice étaient encore chaudes, un Vénitien avait déjà livré son propre témoignage, par le biais d'une œuvre d'art d'une terrible beauté.

2

Cendres et poussières

Je suis allé à Venise une dizaine de fois, sinon plus. Dès mon premier séjour, il y a vingt ans, je suis tombé sous le charme de cette cité de dômes, de campaniles, mirage flottant paresseusement au loin d'où surgissent, çà et là, un saint de marbre ou un ange paré d'or.

Cette fois encore, j'avais choisi d'aborder Venise par bateau-taxi. Le bateau ralentit en arrivant à destination, puis se faufila dans l'intimité obscure d'un canal étroit. Nous glissions, à un rythme presque solennel, sous des balcons en surplomb et des créatures en pierre usées par les éléments, serties dans des façades délabrées de brique et de stuc. Par les fenêtres ouvertes, je distinguais des plafonds décorés de fresques, des lustres en verre. Je percevais des bribes de musique, de conversations, mais nul klaxon, nul crissement de pneus, et pour seul bruit de moteur le ronronnement étouffé de celui du taxi. Les remous que laissait notre sillage venaient clapoter contre les marches moussues descendant au fond des canaux. Cette traversée de vingt minutes était devenue un rite de passage que j'attendais chaque fois impatiemment – car, en parcourant ces cinq kilomètres de lagune, je me retrouvais propulsé mille ans en arrière.

À mes yeux, Venise n'est pas seulement belle : elle est belle *partout.* Un jour, je me suis amusé à mettre cette idée à l'épreuve dans un jeu appelé « la roulette photo ». Le principe était simple : je devais me promener dans la ville et prendre des photos à des moments imprévus – chaque fois que j'entendrais sonner une cloche d'église, chaque fois que je verrais un chien ou un chat – pour voir à quelle fréquence, à partir d'un point de vue arbitraire, on pouvait se trouver face à un panorama d'une beauté exceptionnelle. La réponse était : presque toujours.

Cela dit, avant de presser le déclencheur, je devais en général attendre qu'une cohorte de touristes sorte du champ – même dans les quartiers excentrés où ils n'étaient pas censés s'aventurer. C'est pour cette raison que j'avais décidé de venir au beau milieu de l'hiver : pour voir Venise débarrassée du filtre déformant des autres touristes ; pour la percevoir enfin comme une ville vivante. Les gens que je verrais dans les rues seraient des gens qui vivraient vraiment à Venise, qui marcheraient dans un but précis et regarderaient en habitués un décor qui avait encore le pouvoir de me figer sur place. Mais, en traversant la lagune par cette première matinée de février 1996 et en sentant les premiers effluves de bois calciné, je compris que j'étais arrivé à Venise à un moment extraordinaire.

Une incroyable photo aérienne en couleur de la ville s'étalait à la une du *Gazzettino*. Au centre de cette vue panoramique prise au lendemain de l'incendie, l'emplacement de La Fenice n'était plus qu'un cratère noirâtre d'où montait un mince panache de fumée. « Plus jamais ! Plus jamais nous ne devons voir ce genre de photos », écrivait l'éditorialiste.

Venise fut submergée par les manifestations de sympathie. Luciano Pavarotti annonça qu'il donnerait un récital pour récolter des fonds destinés à financer la reconstruction de l'opéra. Pour ne pas être en reste, Plácido Domingo annonça qu'il donnerait lui aussi un concert, et qu'il aurait pour cadre la basilique Saint-Marc. Pavarotti riposta en précisant qu'il chanterait lui aussi dans la basilique, mais *seul*. Woody Allen, dont la formation de jazz était au programme de la soirée de réouverture de La Fenice après ses travaux de rénovation, expliqua à un journaliste que l'incendie était certainement l'œuvre « d'un amoureux de la bonne musique », avant d'ajouter : « S'ils ne voulaient pas que je joue, ils n'avaient qu'à me le demander ! »

La destruction de son opéra était une perte particulièrement brutale pour Venise. La Fenice restait l'une des rares attractions culturelles à n'avoir pas été entièrement abandonnées aux étrangers. Les Vénitiens étaient toujours plus nombreux que les touristes aux concerts de La Fenice, c'est pourquoi les Italiens lui vouaient une affection particulière, même ceux qui n'y avaient jamais mis les pieds. Les prostituées de la ville organisèrent une collecte et remirent au maire Cacciari un chèque de 1 500 dollars.

En l'espace de deux jours, *Il Gazzettino* publia une série de révélations concernant l'incendie. Sans céder aux sirènes de la théorie du complot, les journalistes mettaient en évidence des coïncidences suspectes : ainsi on découvrit que, deux jours avant le drame, l'alarme antifumée et les détecteurs de chaleur avaient été désactivés. Une désactivation nécessaire car, apparemment, les émanations dégagées par le chantier de rénovation déclenchaient régulièrement ces alarmes, interrompant le travail des ouvriers. Quant au système d'aspersion d'urgence, il avait été démonté en attendant l'installation d'un nouveau.

L'unique gardien de La Fenice ne s'était pas manifesté avant 21 h 20, au moins vingt minutes avant que la première alerte soit donnée. Il prétendit avoir fait un tour de ronde dans les bâtiments pour découvrir l'origine de la fumée. Enfin, on apprit que, deux semaines plus tôt, un début d'incendie provoqué, peut-être intentionnellement, par une lampe à souder avait été maîtrisé, mais que l'incident avait été étouffé.

Complot ou non, les négligences étaient évidentes, à commencer par le canal vide. Le maire Cacciari avait lancé une opération fort louable, et longtemps reportée, de drainage et de nettoyage des plus petits canaux de Venise. Un an avant le drame, cependant, le préfet municipal – ou administrateur principal – avait écrit au maire une lettre de mise en garde, dans laquelle il l'enjoignait de ne pas faire procéder au drainage des canaux tant que la ville n'aurait pas trouvé une source d'eau alternative en cas d'incendie. Sa lettre était restée sans réponse. Six mois plus tard, le préfet envoya une seconde lettre. La réponse fut l'incendie de La Fenice.

Le canal asséché n'est qu'un détail dans l'inventaire des négligences et des malveillances qui conduisirent au sinistre.

Les gens qui avaient participé à la rénovation de l'opéra décrivirent tous le chantier comme un chaos absolu. Les portes de sécurité étaient restées déverrouillées, voire largement ouvertes, laissant à quiconque, autorisé ou non, le loisir d'aller et venir. Des doubles des clés de l'entrée principale avaient été distribués un peu au hasard – plusieurs, d'ailleurs, n'avaient pas été rendus.

Il y avait aussi l'étrange histoire du café de La Fenice. Les autorités avaient ordonné sa fermeture durant les travaux, mais la patronne du café, Annamaria Rosato, avait supplié ses employeurs de le laisser ouvert pour qu'il serve de cantine aux ouvriers. Ils avaient fini par accepter, non sans lui recommander la plus grande prudence. La signora Rosato avait donc branché sa cafetière et sa plaque électriques pour faire chauffer la pasta, puis fait le tour des différentes salles avec sa cuisinière improvisée, en prenant garde de se tenir aussi loin que possible des zones en chantier. Mais, l'incendie s'étant déclaré juste à côté de l'endroit où elle s'était provisoirement établie, la signora Rosato et sa cafetière eurent très vite droit à la une des journaux. La police la convoqua pour l'interroger en tant que suspecte. Elle fut mise hors de cause, mais pas avant que sa notoriété inattendue n'attise assez sa rancune pour qu'elle livre publiquement quelques noms de coupables potentiels : les ouvriers qui avaient utilisé sa plaque l'après-midi du drame, les conservateurs qui avaient laissé allumées toute la nuit de puissantes ampoules pour accélérer le séchage des parcelles de stuc encore fraîches... Toutes les personnes qu'elle montra du doigt furent interrogées et, plus tard, relâchées.

Les procureurs, après avoir recueilli des dizaines de témoignages, durent admettre devant les journalistes qu'ils n'avaient encore aucune idée de la façon dont le feu s'était déclenché. Le procureur Felice Casson chargea une commission de quatre experts de déterminer les circonstances du drame, et leur ordonna de commencer l'enquête immédiatement.

Toutefois, une vérité était déjà douloureusement établie : aucun des deux maux dont souffre traditionnellement Venise n'était à blâmer dans cette affaire. Ni la hausse du niveau de la mer, qui menace d'inonder la ville dans un avenir indéterminé, ni la surpopulation touristique, coupable de rejeter la vie hors de Venise. Venise n'avait été inondée ni par les eaux ni par les flots de touristes la nuit où La Fenice avait brûlé. Venise n'avait à s'en prendre qu'à elle-même.

Selon *Il Gazzettino*, une réunion municipale au sujet de La Fenice devait se tenir un peu plus tard dans la journée à l'Ateneo Veneto, un monumental palais du XVIe siècle. Ce palais avait jadis abrité une confrérie religieuse dont les membres avaient pour mission d'accompagner à l'échafaud les condamnés à mort et de leur trouver une sépulture décente. Depuis deux cents ans, l'Ateneo Veneto est le siège de l'Académie des lettres et des sciences, le Parnasse culturel de Venise. Son grand salon, au rez-de-chaussée, accueille des conférences et des événements de la plus haute tenue artistique et littéraire. Qu'une réunion se tienne dans ce palais signifie *en soi* qu'elle intéresse au premier chef l'élite culturelle de la ville.

Je me rendis au Campo San Fantin une heure avant le début de la réunion, et tombai sur une assemblée de Vénitiens endeuillés, défilant en silence devant La Fenice. Deux *carabinieri* montaient la garde devant l'entrée. Vêtus d'une élégante veste bleu sombre et d'un pantalon bleu à rayure rouge, ils fumaient des cigarettes. De prime abord, La Fenice semblait ne pas avoir changé : le portique solennel, les colonnes corinthiennes, les grilles en acier ouvragé, les fenêtres et les balustrades. Tout était intact. Mais, bien sûr, ce n'était que la façade. Et c'était tout ce qu'il restait : la façade. La Fenice était devenue son propre masque. Un masque qui dissimulait un amas de décombres.

La foule traversa peu à peu le *campo* pour se rendre à l'Ateneo Veneto. Le grand salon était déjà bondé, des gens se tenaient debout au fond ou dans les allées latérales, pendant que les orateurs s'entassaient dans les premiers rangs.

Une femme près de la porte d'entrée se tourna vers sa voisine.

— Il n'y a pas de hasard. Attends un peu, tu verras.

L'autre acquiesça d'un hochement de tête.

Deux hommes évoquaient la qualité déclinante, ces dernières années, de la troupe rattachée à La Fenice, et surtout de l'orchestre.

— Quelle tristesse de voir un si beau bâtiment brûler. Ç'aurait dû être l'orchestre.

Une jeune femme essoufflée entra dans le salon et se fraya un chemin jusqu'à une place que lui avait réservée son ami.

— Je ne t'ai pas raconté où j'étais, la nuit de l'incendie ? Au cinéma. Il donnait *Senso*, tu te rends compte ? Le seul film dont une scène se déroule à La Fenice. Comme l'action se déroule dans les années 1860, Visconti avait insisté pour que la salle soit éclairée par des lampes à gaz. Des lampes à gaz ! Des milliers de petits feux au cœur de La Fenice ! Ensuite, quand je suis sortie de la salle, j'ai vu des gens courir partout en criant : « La Fenice ! La Fenice ! » Je les ai suivis et, sur le pont de l'Accademia, j'ai vu l'incendie. J'ai cru que je rêvais.

Beaucoup de voisins directs de l'opéra étaient venus à la réunion, et réagissaient de façons différentes à la perspective de vivre à l'ombre d'un fantôme. Gino Seguso expliqua que, depuis l'incendie, son père passait la plupart de son temps à la verrerie, fabriquant des vases et des coupes pour commémorer cette terrible nuit.

— Pour l'instant, il en a réalisé plus d'une vingtaine. Et il continue à faire fondre du verre... Tout ce qu'il dit, c'est : « Il faut que je les fasse », et nous ne savons pas du tout quand cette pulsion va s'apaiser. Mais chaque pièce est splendide, vraiment splendide...

Emilio Baldi, propriétaire de l'Antico Martini, évaluait d'un air sombre les pertes des prochains mois, voire des prochaines années, pendant lesquelles son restaurant ne donnerait plus sur une ravissante place mais sur un chantier assourdissant.

— Cela dit, nuança-t-il avec un maigre sourire, il reste sans doute un espoir : le soir de l'incendie, nous avions huit tables occupées en terrasse et, bien sûr, tous les clients sont partis en courant. Mais depuis, les clients de sept tables sont revenus et ont insisté pour payer leur addition. C'est peut-être le signe que, finalement, la situation va s'arranger.

Je m'assis derrière une vieille dame anglaise qui montrait au couple devant elle un morceau de tissu peint, brûlé sur les bords, à peine plus grand qu'un timbre-poste.

— C'est un morceau de décor, expliqua-t-elle. C'est bien triste, n'est-ce pas ?

— Nous l'avons trouvé sur notre *altana*, intervint son mari. Nous habitons au Palazzo Cini, et nous dînions au Monaco l'autre soir. Soudain, les serveurs ont quitté la salle du restaurant, l'air préoccupé. Nous leur avons demandé s'il y avait un problème, et ils nous ont dit qu'apparemment un incendie s'était déclaré près de La Fenice. Nous sommes montés sur la terrasse de l'hôtel Saturnia, qui a une vue imprenable sur l'opéra. L'incendie était là, juste en face de nous, si près que le manteau de fourrure de Marguerite a un peu roussi. Quelques minutes plus tard, en rentrant chez nous, nous avons vu dans le ciel des nuages de braises...

— C'était terrifiant. Le lendemain matin, notre *altana* était couverte de cendres. C'est là que Christopher a trouvé le petit morceau de décor. Il avait survolé tout le Grand Canal, porté par le vent.

Elle glissa la relique calcinée dans un mouchoir qu'elle rangea dans son portefeuille.

— Nous ne saurons jamais à quel spectacle ce décor appartenait.

C'est le directeur général de La Fenice, Gianfranco Pontel, qui ouvrit les débats. Des sanglots dans la voix, il assura l'assemblée qu'il ne connaîtrait plus le repos tant que La Fenice ne serait pas reconstruite et à nouveau opérationnelle. Politicien sans aucune expérience musicale, il ajouta qu'il ne voyait aucune raison de démissionner, comme plusieurs personnes l'y avaient exhorté publiquement.

Après Pontel, d'autres officiels se succédèrent, l'un après l'autre pleurant le destin tragique de La Fenice, priant pour sa résurrection et s'absolvant de toute responsabilité. Sur la fresque des *Cercles du Purgatoire* ornant le plafond du grand salon, les âmes tourmentées peintes par Palma le Jeune écoutaient leurs discours d'un air moqueur.

Les cheveux noirs ébouriffés, le maire Cacciari s'approcha du micro. Le lendemain de l'incendie, il avait annoncé que la ville rebâtirait La Fenice en deux ans et à l'identique, plutôt que d'en faire un opéra moderne. Il avait repris à son compte le slogan utilisé en 1902 à propos de la reconstruction du campanile de la place Saint-Marc, qui s'était effondré : *Com'era, dov'era* (« Tel qu'il était, où il était »). Le conseil municipal avait aussitôt entériné la décision de Cacciari.

Ce soir, le maire répéta sa promesse. D'un ton direct, il raconta comment son esprit s'efforçait de rationaliser la situation :

— On s'invente mille excuses. On se dit : tu ne pouvais pas être à la fois le gardien de La Fenice, la police, les services publics, les pompiers... Tu ne peux pas surveiller la ville maison par maison, église par église, musée par musée... Je me suis dit toutes ces choses, mais je ne peux pas m'empêcher de penser : non, ce n'est pas possible, ça n'a pas pu arriver. La Fenice n'a pas brûlé, c'est impossible.

Si l'assistance était manifestement mécontente, le décor grandiose de l'Ateneo Veneto l'amenait à observer une certaine retenue, même si le silence n'était pas aussi complet qu'à l'ordinaire. Un murmure d'agacement répondait aux remarques de l'orateur, d'où fusaient parfois des mots plus audibles, colériques et cassants, provenant en majorité de la partie gauche de l'assemblée.

— Quand nous vous avons élu, s'écria une voix, nous vous avons donné le plus bel opéra du monde *intact* ! Et vous nous l'avez rendu en cendres !

C'était Ludovico De Luigi, tout juste de retour de New York, où son tableau représentant La Fenice en feu avait été vendu aux enchères par Save Venice. Le visage empourpré, secouant sa crinière blanche, il pointait un doigt vengeur vers Cacciari.

— C'est une honte ! Quelqu'un doit assumer ses responsabilités ! Si ce n'est pas vous, alors qui ?

Le murmure enfla, céda la place à la rumeur, et la rumeur scandait le prénom de De Luigi : « Ludovico... vico... vico... vico... ! »

Dans le public, certains tournaient la tête, un peu embarrassés. Ludovico allait-il transformer une nouvelle fois une réunion en esclandre? Y avait-il, cachées non loin, des mannequins nues prêtes à surgir dans le grand salon? Allait-il exhiber une nouvelle version de son violoncelle en bronze d'où jaillit un énorme phallus? Ou procéder à un lâcher de rats, comme il l'avait déjà fait place Saint-Marc? Apparemment non. De Luigi n'avait pas eu le temps d'amener à l'Ateneo Veneto autre chose que lui-même.

Le maire Cacciari le regarda d'un air las.

— Venise est unique, dit-il. Elle ne ressemble à aucune autre ville sur terre. Personne ne peut me demander d'assumer plus de responsabilités au-delà du raisonnable ou du normal.

— Mais c'est pour ça qu'on vous a élu! riposta De Luigi. Nous vous avons donné des responsabilités, que vous le vouliez ou non. Quant à *vous*...

Il désignait à présent Pontel, le directeur général.

— ... par pitié, cessez de pleurnicher! On dirait un bébé à qui on vient de retirer ses jouets! Prenez la seule décision honorable: démissionnez!

Satisfait d'avoir pu donner son point de vue, De Luigi s'apaisa. Un autre responsable prit la parole, pour dire que la reconstruction de La Fenice permettrait de remettre à l'honneur d'anciens métiers. Il faudrait ainsi faire appel à des artisans capables de sculpter le bois et la pierre, le stuc et le papier mâché, et de recréer les parquets, les peintures, les fresques, les dorures, les tissus ornementaux utilisés dans les rideaux, les tapisseries, la garniture des fauteuils. Le coût du chantier s'élèverait à 60 millions de dollars, mais le financement ne serait pas un problème car Rome avait reconnu La Fenice comme un trésor national. L'argent arriverait dans les caisses.

— Qu'est-ce que je t'avais dit? Il n'y a pas de hasard, murmura à son amie la femme près de la porte.

Le dernier à parler fut un adjoint au maire.

— Venise est une ville tout en bois et en velours. Les dégâts auraient pu être bien pires...

L'assistance sortit sur le Campo San Fantin, baigné des derniers rayons du soleil. Cigarette au coin des lèvres, les deux *carabinieri* bavardaient à présent avec un trio de jolies jeunes filles. Ils leur expliquaient qu'ils auraient été ravis de les laisser entrer pour qu'elles jettent un coup d'œil au désastre, mais la police avait fermé les portes avec des scellés. La voix de Ludovico De Luigi, sur le point de partir avec ses amis, tonna une dernière fois :

— Bien sûr que je voulais les insulter ! Je m'en fiche, qu'ils soient en colère...

En passant devant La Fenice, il l'indiqua d'un geste.

— À une époque, Venise avait douze opéras. Aujourd'hui, il ne nous en reste qu'un. Un dernier clou dans le cercueil... Regardez-moi ça ! Une coquille vide. Exactement comme Venise.

La mort de la Sérénissime est prédite, constatée et déplorée depuis deux siècles – depuis 1797, lorsque Napoléon mit à genoux la République de Venise. À l'apogée de sa gloire, Venise était le siège mondial du pouvoir maritime suprême. Son emprise s'étendait des Alpes à Constantinople, et sa fortune était inégalée. La variété architecturale de ses palais – byzantins, gothiques, Renaissance, baroques, néo-classiques – témoignait d'une esthétique changeante façonnée par un millénaire de conquêtes et de trésors accumulés.

Le XVIIIᵉ siècle marqua le début d'une ère vouée à l'hédonisme et à la débauche : bals masqués, jeu, prostitution, corruption. La classe régnante abandonna ses responsabilités et l'État s'affaiblit, incapable de résister à l'avancée des troupes napoléoniennes. Le Grand Conseil de la République vénitienne vota sa dissolution le 12 mai 1797 et le dernier d'une lignée de cent vingt doges abdiqua. Depuis ce jour, le palais des Doges n'accueillit plus aucun doge, plus aucun Conseil des Dix ne se réunit dans la chambre du Grand Conseil, plus aucun navire de guerre ne sortit des chantiers de l'Arsenal, plus aucun prisonnier ne traversa le pont des Soupirs pour rejoindre les oubliettes.

« Je serai un Attila pour l'État vénitien ! », avait rugi Napoléon – en italien, pour être sûr de bien se faire comprendre.

Il fut fidèle à sa parole. Ses hommes pillèrent les trésors de Venise, démolirent d'innombrables bâtiments, arrachèrent des pierres précieuses à leur écrin, fondirent des objets en or et en argent et firent expédier les tableaux les plus importants au Louvre et à la pinacothèque de Brera, à Milan.

Au sortir de la défaite, Venise n'était plus qu'un petit village de province, tout juste capable de sombrer dans un déclin languide et pittoresque. C'est cette image de Venise que nous avons aujourd'hui : non pas une cité conquérante, fière et triomphante, mais une humble ruine décrépite.

Venise la déchue est devenue le symbole de la grandeur enfuie, un lieu de mélancolie, de nostalgie, de charme, de mystère et de beauté. D'où l'attrait irrésistible qu'elle exerce sur les peintres et les écrivains. Lord Byron, qui vécut pendant deux ans dans un palais sur le Grand Canal, semblait avoir une prédilection pour la Venise décadente : « Sûrement Venise est-elle plus chère à mon cœur en ses jours malheureux / Que lorsqu'elle était glorieuse, merveilleuse et splendide. » (*Childe Harold*, chant IV). Henry James considérait Venise comme une attraction usée pour touristes, « une kermesse à bout de souffle, un bazar » *(Heures italiennes)*. John Ruskin, se focalisant sur les richesses architecturales de la cité, proclamait qu'elle était « le Paradis des villes ». Mais pour Charles Dickens, Venise était une « ville fantôme », quand Thomas Mann lui trouvait une sombre séduction, « mi-conte de fées, mi-piège ».

Il est facile de comprendre pourquoi tant de romans policiers ont pour cadre Venise. Rien de tel, pour créer une atmosphère mystérieuse, que des petits canaux obscurs, un dédale de passages étroits où parfois les initiés eux-mêmes s'égarent. Reflets, masques et miroirs laissent entendre qu'une réalité différente se cache derrière les apparences. Et ces jardins cachés, ces volets fermés, ces voix surgies de nulle part, ne suggèrent-ils pas le secret, une brèche dans un univers occulte ? Après tout, les arches mauresques qui rythment l'architecture de la ville rappellent sans cesse que l'âme insondable de l'Orient plane sur Venise…

Dans la prise de conscience qui saisit les Vénitiens après l'incendie de La Fenice, je retrouvai exactement ma propre interrogation – en l'occurrence : que signifie vivre dans un décor aussi étouffant et surnaturel ? Restait-il quelque chose de cette Venise décrite un jour par Virginia Woolf comme « un terrain de jeu ouvert à tout ce qui est joyeux, mystérieux et innocent » ?

Une chose est sûre : le nombre d'habitants de Venise a décliné de façon régulière depuis quarante-cinq ans, passant de 174 000 en 1951 à 70 000 au moment de l'incendie de La Fenice. La hausse du coût de la vie et la diminution des offres d'emploi a entraîné une migration vers le continent. Toutefois, Venise est sortie de sa pauvreté : l'Italie du Nord peut désormais se targuer d'avoir l'un des plus hauts revenus par habitant de toute l'Europe.

C'est du reste grâce à deux siècles de pauvreté que l'héritage architectural de la ville est remarquablement préservé de toute intrusion moderne. Les XIXe et XXe siècles n'y ont pour ainsi dire laissé aucune trace. En déambulant de nos jours dans Venise, on évolue dans une succession de décors assez semblables à ceux que Canaletto peignait au XVIIIe siècle.

Quelques jours après mon arrivée, j'ai commencé à envisager de prolonger mon séjour et de vivre à Venise pendant quelque temps. J'avais appris les bases de la grammaire italienne à l'âge de seize ans, lors d'un été passé à Turin en tant qu'étudiant dans une famille italienne, et je ne les avais pas oubliées. En outre, je lis le journal sans difficulté, je comprends à peu près l'italien oral et je le parle suffisamment pour me faire comprendre.

Je décidai de louer un appartement plutôt que de rester à l'hôtel. Je marcherais dans les rues de la ville avec un petit calepin, parfois un dictaphone. Je ne me fixerais aucun programme précis, si ce n'est une chose : regarder davantage les gens qui vivent à Venise et un peu moins les onze millions de touristes qui s'y déversent chaque année.

Pour me préparer à cette tâche, je me replongeai dans les classiques. Ils étaient tout sauf encourageants. Dans *En observant Venise*, Mary McCarthy n'y allait pas par quatre chemins : « Rien ne peut être dit [à propos de Venise] (y compris cette phrase) qui n'ait pas été dit auparavant. »

La remarque entre parenthèses renvoie à Henry James, qui écrivait en 1882 : « Je ne suis pas certain qu'il n'y ait pas quelque impudence à prétendre ajouter quoi que ce soit de nouveau à ce qui a été dit sur Venise. »

Ces réflexions ne sont pas aussi rédhibitoires qu'on pourrait le croire. Mary McCarthy fait surtout référence aux observations nourries de clichés formulées par des gens qui croient à tort avoir fait une découverte – constater, par exemple, que la place Saint-Marc ressemble à une bibliothèque à ciel ouvert, ou que Venise la nuit s'apparente à un décor de théâtre, ou que le noir funèbre des gondoles leur donne des airs de corbillards. Quant à James, il réagissait à l'abondance de récits de voyage et de souvenirs personnels à propos de Venise, qui en son temps était *la* destination à la mode.

Quoi qu'il en soit, j'avais décidé de m'intéresser, non pas à Venise *per se*, mais aux gens qui y vivent, ce qui n'est pas la même chose. Et cet angle d'approche n'avait pas été partagé par beaucoup d'auteurs. Les livres et les films les plus célèbres sur Venise mettent en scène des personnages qui ne font qu'y passer : *La Mort à Venise*, *Les Ailes de la colombe*, *Les Papiers de Jeffrey Aspern*, *Ne vous retournez pas*, *Vacances à Venise*, *Au-delà du fleuve et sous les arbres*, *Étrange séduction*... Les protagonistes de toutes ces histoires, et de bien d'autres encore, ne sont ni des Vénitiens ni des habitants expatriés. Ce sont des gens *de passage*. Ma vision de Venise se focaliserait sur des hommes et des femmes qui, pour la plupart, y habitent.

Pourquoi Venise ?

Parce que, selon moi, Venise est d'une beauté unique, isolée, retournée sur elle-même, et qu'elle offre un puissant stimulant aux cinq sens, à l'intellect et à l'imagination.

Parce que, malgré ses kilomètres de ruelles et de canaux enchevêtrés, Venise est bien plus petite et bien plus maniable qu'il y paraît. Avec ses 410 km², Venise atteint à peine le double de la superficie de Central Park.

Parce que le son des cloches carillonnant tous les quarts d'heure – à côté et au loin, en solo et de concert, chacune avec sa personnalité propre – a toujours eu un effet tonifiant pour mes oreilles et pour mes nerfs.

Parce que je ne pouvais pas imaginer accorder ma vie à un rythme plus séduisant pour un séjour d'une durée indéterminée.

Et parce que, si le scénario le plus alarmiste concernant la montée des eaux s'avérait, Venise pourrait bien ne plus être là pour très longtemps.

3

Au bord de l'eau

Je pris un appartement dans Cannaregio, un quartier résidentiel suffisamment éloigné des principaux trajets touristiques pour garder son atmosphère authentique : femmes faisant leurs courses dans les marchés en plein air, enfants jouant sur les places, dialecte vénitien apportant sa touche mélodieuse aux discussions... Les voix et les bruits de pas constituent toute l'ambiance sonore de Venise, puisque aucune voiture ne peut les couvrir et que la végétation est trop rare pour les absorber. Les voix résonnent avec une clarté surprenante sur le pavé des rues et des places. Quelques mots échangés dans la maison de l'autre côté de la *calle* paraîtront étonnamment proches, comme s'ils avaient été prononcés par des personnes situées dans la même pièce que nous. Au début de la soirée, les gens se retrouvent par petits groupes pour bavarder le long de Strada Nuova, la grande rue qui traverse Cannaregio, et le bruissement de leurs conversations monte dans l'air, semblable au murmure des bavardages pendant une soirée mondaine.

Mon appartement occupait une partie du rez-de-chaussée du Palazzo da Silva, siège de l'ambassade d'Angleterre au XVIIe siècle. Juste à côté débute le Ghetto, vieux de cinq siècles, le premier quartier juif jamais créé dans une ville et qui donnerait son nom à tous les futurs ghettos à travers le monde. Mon nouveau chez-moi était constitué de trois pièces, avec du marbre au sol, des poutres au plafond et une vue sur le Canale della Misericordia, qui court le long du bâtiment comme une douve. L'eau vient lécher la pierre à un mètre sous ma fenêtre.

De l'autre côté du canal, le trottoir bordé de petites échoppes est à peu près aussi passant qu'un chemin de campagne. Le canal en lui-même est assez étroit, et son eau stagnante est brassée de temps en temps par le sillage des bateaux qui la font agréablement clapoter. Quand l'eau monte, ces bateaux passent au niveau de la fenêtre et les voix de leurs passagers sont très distinctement audibles. Quand le niveau de l'eau baisse, hommes et embarcations disparaissent de l'embrasure de la fenêtre, tels des laveurs de carreaux faisant descendre leur cabine. Puis l'eau monte à nouveau, et avec elle réapparaissent par la fenêtre bateaux et passagers.

Mes propriétaires, Peter et Rose Lauritzen, habitaient deux étages plus haut, à l'étage principal du palais, le *piano nobile*. Peter était américain, Rose anglaise, et ils vivaient à Venise depuis près de trente ans. Je les avais contactés sur les conseils d'amis qui me les avaient recommandés comme étant non seulement très sympathiques, mais aussi incollables sur Venise.

Peter Lauritzen a écrit quatre livres renommés sur Venise, consacrés respectivement à son histoire, à son patrimoine artistique, à son architecture et à sa préservation. Publiée en 1978, son *Histoire de Venise* est l'une des rares à avoir été écrites en anglais depuis le travail pionnier d'Horatio Brown, en 1893. Ses travaux lui ayant valu d'être reconnu comme historien, Peter a pu gagner sa vie en tant que conférencier pour des voyages organisés très sélecte en Italie et en Europe de l'Est. Parmi ses clients privilégiés se trouvent des administrateurs de musées, des groupes d'universitaires spécialisés et de riches particuliers désireux d'être accompagnés par un guide de premier ordre. Quoique assez guindé dans ses manières, Peter, m'avaient prévenu mes amis, était quelqu'un d'extrêmement dynamique.

C'est Rose qui avait décroché lorsque j'avais appelé pour m'enquérir de la disponibilité de leur appartement. Elle parlait un anglais languissant, qui plongeait au sommet de sa voix pour s'apaiser en un murmure incompréhensible avant de reprendre son envol et de redevenir intelligible. Cette voix unique se matérialisa, à mon arrivée, sous la forme d'une femme extraordinairement belle, la quarantaine finissante, avec de grands yeux d'un bleu trouble, un large sourire, et une abondante crinière de cheveux bruns cascadant sur ses épaules. Elle était grande, vêtue de noir, et d'une minceur raisonnable. Tandis qu'elle me faisait visiter l'appartement, je découvris que son charme farfelu transparaissait dans des remarques emphatiques, légèrement absurdes et souvent pleines d'autodérision.

— À Venise, me prévint-elle, quoi que vous disiez, tout le monde considérera que vous mentez. Les Vénitiens embellissent tout et partent du principe que vous faites de même. Alors autant vous y mettre tout de suite. Car, aussi surprenant que ça paraisse, s'ils découvrent que vous dites toujours la vérité, vous serez vite considéré comme un rabat-joie et mis sur liste noire.

Elle m'expliqua ensuite que mon appartement était à l'origine un *magazzino*, une pièce de stockage avec un sol en terre battue.

— Nous étions extrêmement contents de nous quand nous l'avons rénové, jusqu'à ce que la commune de Venise nous prévienne par courrier que c'était illégal ! Complètement… totalement… illégal ! Parce que nous n'avions pas demandé de permis de rénover. Vous vous rendez compte ? Pendant quatre cents ans, ce rez-de-chaussée n'avait été rien d'autre qu'une déchetterie, littéralement ! Il n'avait aucune valeur architecturale, pas de charpente, pas de bas-reliefs, pas de fresques, pas de dorures, rien du tout… Je suppose que nous aurions dû savoir qu'il nous fallait un permis, mais si nous l'avions su nous aurions sans doute laissé tomber l'idée. Parce que ça signifiait se colleter la bureaucratie vénitienne, qui est un cauchemar absolu, un cauche-*mar*, un cauche*maaaaaar* !

Dans la cuisine, Rose me montra comment faire tourner la machine à laver sans déclencher une inondation et comment allumer le four sans produire une boule de feu.

— En tout cas, quand la lettre de la commune est arrivée, Peter à piqué une *mééé*gacolère et moi je me suis fait ma petite crise d'hystérie, parce que j'allais être obligée d'aller voir la commune pour régler cette histoire. Le cauchemar ! Mais tous nos amis nous ont dit : « Ne soyez pas idiots. Faites tous les travaux que vous voulez, puis allez à la mairie et avouez votre erreur. Vous paierez une amende et vous recevrez un morceau de papier, le *condono*, qui légalise toute l'opération ! »

Rose me guida ensuite dans la salle de séjour, confortablement meublée de fauteuils club, de liseuses, d'une table et de bibliothèques remplies jusqu'au plafond de livres d'histoire, de biographies, de livres d'art, de guides de voyage et de romans allant des grands classiques aux vulgaires *pulp*. Le surplus de la bibliothèque des Lauritzen, deux étages plus haut.

— Alors je suis allée à la commune, mon cœur battait la chamade, et je leur ai dit : « Je suis affreusement confuse ! Nous n'avions pas la moindre idée... *Non lo sapevamo !* L'homme au guichet n'a pas cru un mot de ce que je lui disais mais il a eu pitié de moi. Comment aurait-il pu en aller autrement, avec mon visage ravagé par l'angoisse, mes cheveux en bataille, ma voix réduite à un gémissement pathétique ? En fin de compte, il m'a donné le *condono*, Dieu merci, parce qu'il aurait pu nous obliger à détruire tout ce que nous avions retapé pour que l'appartement redevienne une pièce de stockage... Une vraie torture ! Une torture, une torture, une tort*uuuure* !

Rose se tenait à présent devant la fenêtre. Elle me montra les différents magasins de l'autre côté du canal : la boucherie, le bazar, le siège de la section locale du parti communiste, l'atelier d'un photographe et sa vitrine décorée de photos de mariage jaunies. Juste devant moi se trouvait une *trattoria* pittoresque, l'Antica Mola. Malgré le froid, des tables avaient été installées en terrasse.

— Lorsque vous aurez mangé plusieurs fois à l'Antica Mola, Giorgio comprendra que vous n'êtes pas un touriste et vous aurez droit à une réduction. C'est là l'un des grands secrets de Venise : la réduction – *lo sconto !* Les touristes seraient furieux s'ils découvraient que les Vénitiens payent 30 à 40 % de moins qu'eux !

Et pas seulement dans les restaurants, ajouta-t-elle. Rose m'expliqua qu'il serait intéressant que j'aille régulièrement chez les mêmes marchands, notamment les vendeurs de fruits et légumes.

— Vous êtes à leur merci. Ce sont *eux* qui choisissent pour vous les tomates, et tout le reste. Il n'y a pas de *self-service*. Alors s'ils vous connaissent – et vous apprécient –, ils ne mettront pas de fruits trop mûrs dans votre sac. Et rappelez-vous : à Venise, tout est négociable. Je dis bien tout : les prix, les loyers, les frais de docteur, les frais d'avocat, les impôts, les amendes, même les peines de prison... Tout ! Je vous conseille aussi de sympathiser avec un pilote de bateau-taxi, car ils pratiquent des prix horriblement élevés. Le taxi blanc que vous voyez là-bas appartient à Pino Panatta, qui s'occupe aussi de mon chien. C'est un homme adorable. Son taxi est toujours immaculé et, comme il vit juste en face, à côté des communistes, c'est merveilleusement pratique !

Après avoir terminé la visite, Rose me proposa de venir boire un verre avec son mari. J'acceptai et, alors que je me détournais de la fenêtre, je lui demandai pourquoi les barreaux de fer étaient renforcés par une sorte d'écran grillagé. Si je voyais son efficacité pour empêcher les mouches et les papillons d'entrer, je voyais aussi que les moucherons et les moustiques pouvaient passer sans problème.

— Oh, le grillage ! Ce n'est pas pour les moustiques, c'est pour... *i ratti* !

Jamais je n'avais entendu quelqu'un évoquer d'un ton si badin le voisinage des rats. Le rire de Rose résonna dans le hall à double hauteur sous plafond, tandis qu'elle ouvrait la voie vers les étages en montant les marches d'un large escalier en pierre.

L'entrée principale, ou *portego*, servait de salon aux Lauritzen. À une extrémité, dans un renfoncement voûté, des portes-fenêtres ouvraient sur un balcon donnant sur la section du Canale della Misericordia que je voyais aussi deux étages plus bas, au ras des flots. Une belle lumière du nord emplissait la pièce, illuminant les murs couleur crème. De chaque côté du salon, des portes menaient à d'autres pièces, conformément à la symétrie des plans décrits par Peter Lauritzen dans son livre *Palais de Venise*.

Lauritzen en personne sortit justement de son bureau en me saluant chaleureusement, tout en brandissant une bouteille de *prosecco* bien frais, ce vin blanc pétillant typique de la Vénétie. Les cheveux coiffés en arrière, il portait une veste d'intérieur noire matelassée, une chemise blanche et une cravate à motifs. Une moustache finement taillée et une barbe à la Van Dyck entouraient sa bouche, de laquelle sortaient des paroles modulées par un accent anglais vif et professoral surprenant chez un Américain du Midwest. Ses manières étaient – si tant est que ce soit possible – plus chatoyantes encore que celles de son épouse.

— Eh bien ! commença-t-il. Vous avez vraiment choisi le moment le plus dramatique pour venir à Venise.

— Pure coïncidence, dis-je. Qu'est-ce qu'on raconte, en ville, à propos de l'incendie de La Fenice ?

— Oh, les rumeurs habituelles. Comme toujours, beaucoup pensent que la mafia se cache derrière tout ça.

Il me tendit un verre de *prosecco*.

— De toute façon, quelles que soient les conclusions de l'enquête, l'impression générale est que nous ne saurons jamais ce qui s'est réellement passé. Et que, finalement, ça n'a pas beaucoup d'importance. Ce qui est important, c'est la tragédie d'avoir perdu La Fenice. Selon moi, la question cruciale devrait être : « Sera-t-elle un jour reconstruite ? » plutôt que : « Qui a fait le coup ? » Je sais, cela doit vous surprendre car tout le monde parle de sa reconstruction. À Venise, si vous voulez réparer une fissure dans un mur, vous devez récolter vingt-sept signatures de vingt-sept bureaux différents, après quoi vous devez attendre encore six ans pour que la fissure soit rebouchée. Comment peut-on envisager de reconstruire un opéra dans cette folie ambiante ? Non, non, le talon d'Achille de Venise, ce n'est pas le feu, ce n'est pas l'eau, c'est la bureaucratie ! Je vous l'accorde, c'est grâce à la bureaucratie qu'a pu être empêchée la destruction des édifices en bordure du Grand Canal, près de la Piazza San Marco, pour construire une Foire des expositions. Mais elle reste tout de même insupportablement pesante.

— Délirante ! renchérit Rose. Absolument dé-li-rante !

— Et maintenant on nous rebat les oreilles avec ce slogan : *Com'era, dov'era !* Mais c'est impossible de reconstruire La Fenice exactement à l'identique, parce que toute son ossature était en bois pour obtenir la meilleure acoustique possible, et que le nouvel opéra devra être construit en béton. Vous imaginez quel son produirait un stradivarius en béton ?

— Hideux, intervint Rose, to-ta-le-ment hideux !

— D'ailleurs, qu'est-ce que ça signifie, « comme elle était » ? Comme c'était en 1792, lorsque La Fenice de Giannantonio Selva a été inaugurée ? Ou « comme elle était » en 1808, quand Selva a redessiné la salle pour ajouter la loge impériale demandée par Napoléon ? Ou « comme elle était » en 1837, après le premier incendie qui l'a détruite et la reconstruction par les frères Meduna d'une Fenice entièrement nouvelle car on avait perdu les plans originaux de Selva ? Ou « comme elle était » en 1854... ou en 1937... ?

À chaque date et à chaque nom, la voix de Peter devenait plus pressante, à la façon d'un avocat énumérant une série de chefs d'accusation de plus en plus graves. Il se tenait au milieu du salon, une main cramponnée au revers de sa veste, l'autre gesticulant vigoureusement. Sa barbe à la Van Dyck tressautait comme pour renforcer la vigueur de ses déclarations.

— Il y a eu au moins cinq Fenice en deux cents ans, sans compter des dizaines de modifications mineures.

Rose continuait de parsemer le monologue de son mari de ses propres commentaires.

— Mauvaise installation électrique, dit-elle. Ça vient sûrement de là. À Venise, l'électricité est acheminée par des câbles enfouis sous une couche de détritus au fond des canaux. Ils finissent par s'user, se corroder, se dénuder. Puis ils remontent dans de vieux bâtiments qui ne sont pas faits pour les accueillir, et en ressortent sous forme de raccordement à la terre. Donc, si votre grille-pain provoque un court-circuit, il y a toutes les chances pour que vous électrocutiez votre voisin.

Peter, lui, maintenait le cap de sa discussion.

— Vous ne devez jamais oublier que Venise est une ville byzantine. Ça explique beaucoup de choses. Par exemple : si vous possédez une maison à Venise, c'est à vous qu'il revient de faire tous les travaux nécessaires. Mais, avant toute chose, vous devez demander un permis, et les permis sont très difficiles à obtenir. Alors vous êtes obligé de soudoyer les agents municipaux pour qu'ils vous délivrent un permis – ces mêmes agents qui vous infligeraient une amende si vous ne faisiez pas les travaux, ou si vous les faisiez sans permis.

— À Venise, les pots-de-vin sont une philosophie de la vie, intervint Rose. Mais n'allez pas parler de pot-de-vin : les Vénitiens voient plutôt ça comme une partie légitime de l'économie.

— La mentalité anglo-saxonne n'existe tout simplement pas ici. Ainsi, la notion de loi, pour les Vénitiens, n'a strictement rien d'anglo-saxon. Il y a quelques années, deux cent quarante-sept personnes ont comparu devant la justice pour différents crimes et délits commis dans la lagune. Quel a été le résultat ? Tous ont été innocentés. Le code pénal est encore celui mis au point sous Mussolini. Cinquante ou soixante gouvernements se sont succédé en Italie depuis la Seconde Guerre mondiale et aucun n'a eu assez de pouvoir pour tenter de changer le code pénal !

— Certaines lois existent depuis plusieurs siècles. Si on additionnait toutes les taxes et tous les impôts que l'on est censé devoir à l'État, il faudrait payer quelque chose comme 140 % de nos revenus !

Peter constata que mon verre était presque vide, et s'empressa de le remplir.

— J'espère, reprit-il en laissant les bulles se dissiper, que nous ne vous donnons pas une fausse impression – à savoir, que nous n'aimons pas Venise.

— Nous adorons Venise, confirma Rose.

— Nous ne voudrions vivre nulle part ailleurs. Hormis ses charmes les plus évidents, Venise offre l'air le plus pur de toutes les villes du monde. Non seulement les voitures sont bannies – et vous seriez étonné d'apprendre combien de gens n'en ont pas conscience – mais en plus les combustibles fossiles n'existent pas car, en 1973, Venise a interdit l'utilisation du mazout, remplacé par le méthane, qui se consume proprement.

Je ne pouvais pas laisser passer cette remarque sans réagir.

— Vous avez tout de même les cheminées d'usine qui envoient leur fumée sur toute la lagune depuis Marghera et Mestre.

Le sourire de Peter s'élargit, anticipant sur un argument décisif.

— Les vents prédominants soufflent vers le continent, comme dans toutes les villes portuaires. Par conséquent, les fumées polluantes que vous voyez sortir de ces cheminées n'avancent pas vers nous, elles *s'éloignent* de nous.

Que les gens vivant à Venise parlent beaucoup de Venise me paraissait logique. Tout ce qui intéresse les Vénitiens, après tout, c'est Venise elle-même. Mais je ne pensais pas qu'ils s'exprimeraient avec autant de véhémence que les Lauritzen. Peter poursuivit sur un ton qui s'apparentait moins à une conversation qu'à un exposé – documenté, didactique, fougueux, polémique –, n'hésitant pas à placer de temps en temps quelques « nonobstant ». Rose, pour sa part, réussissait à parler en italique et me dépeignit une Venise extrême et excessive – horrible et délicieuse, sinistre et exquise, hideuse et enchanteresse. Qu'ils en soient conscients ou non, les Lauritzen se décrivaient en état de siège, comme la ville elle-même – mais un siège courageux, assumé fièrement, où transparaissait tout leur amour pour cette ville malgré ses défauts. Dans leur impatience à m'expliquer Venise, il leur arrivait de se couper, ou de parler en même temps sans s'en apercevoir. Dans ces moments-là, mes yeux allaient de l'un à l'autre, ma tête pivotait et acquiesçait, tandis que je m'efforçais de ne pas commettre de gaffe sociale en écoutant l'un et en ignorant l'autre.

Par exemple, pendant que Peter disait : « Venise n'est pas une ville pour tout le monde ; pour y vivre, on doit d'abord aimer vivre sur une île, et près de l'eau... », Rose m'expliquait : « C'est exactement comme un village irlandais, où tout le monde connaît tout le monde. » Sans y prêter attention, Peter continuait : « Pour vivre à Venise, on doit aussi être capable de se passer d'espaces verts, et n'avoir aucune prévention contre la marche à pied. » Les paroles de Rose me parvenaient en filigrane : « On passe son temps à tomber nez à nez avec des connaissances, parce que la seule façon de se déplacer à Venise, qu'on soit comtesse ou commerçante, c'est de marcher à pied ou de prendre le vaporetto. On ne peut pas rouler incognito dans une voiture aux vitres fumées, et de ce point de vue Venise est terriblement démocratique. »

Suivre la conversation des Lauritzen était comme écouter une chaîne stéréo dont chaque enceinte diffuserait une musique différente. D'une oreille, j'entendais Peter : « Toutes ces caractéristiques sont très inhabituelles, et beaucoup de personnes qui prétendent adorer Venise s'aperçoivent petit à petit que ce n'est pas le cas. » De l'autre oreille, si je ne me trompais pas, j'entendais Rose : « Quand je rentre de faire les courses, Peter ne me demande pas ce que j'ai acheté. Il me demande qui j'ai rencontré. »

— Le mot-clé est « claustrophobique », disait Peter. Je le guette dans chaque conversation. Lorsqu'il arrive qu'une personne le prononce, je sais qu'elle ne serait jamais heureuse à Venise.

— Curieusement, *j'aime* l'idée que Venise est un village, s'émerveillait Rose en simultané.

Les Lauritzen avaient la ferveur des convertis. Venise était leur lieu d'élection. Ils n'y vivaient pas parce qu'ils y étaient nés. Leur défense fougueuse de Venise me semblait être, en partie, une justification de leur décision d'y vivre, dans cette sorte d'exil volontaire.

Peter était né à Oak Park, dans l'Illinois. Sa découverte de Venise s'est faite grâce à la Lawrenceville School de Princeton et à une bourse Fulbright obtenue pour aller à Florence étudier la langue provençale dans la poésie de Dante. Son père aurait préféré le voir réussir dans le basket ou les affaires, mais Peter n'est jamais revenu aux États-Unis. Il devint l'assistant du prêtre anglican de l'église américaine de

Florence, et il le suivit lorsque le prêtre fut muté à Venise pour y fonder une église anglaise. C'est là qu'il rencontra Rose, tomba amoureux d'elle puis l'épousa.

À l'époque où il posa ses bagages à Venise, Peter ne ressemblait plus guère au garçon d'Oak Park, dans l'Illinois. Il s'était recréé lui-même, avec une naïveté désarmante.

— Mon père n'a jamais compris comment qui que ce soit pouvait choisir d'aller vivre en Italie. En Italie ! Il aimait bien nous rendre visite, mais il n'a jamais réussi à prendre au sérieux ma décision de m'y installer. Quand notre fils Frederick est né, mon père nous a proposé de payer ses frais de scolarité à condition qu'il entre dans une université américaine. Il avait peur que nous en fassions un Anglais ! Une idée qui lui était certainement venue à cause de ma façon de parler ou de la nationalité de mon épouse. Quoi qu'il en soit, j'ai le plaisir de dire qu'à ce jour Frederick a entièrement grandi à Venise – ce n'est pas un Anglais, c'est un Vénitien. Il va bientôt entrer à l'université, mais à Oxford, pas aux États-Unis. Quant à mon installation en Italie, c'est la meilleure décision que j'aie jamais prise. Je m'abandonne avec délices à cette vie que je me suis inventée.

Pour Rose, le choix de vivre à Venise s'est imposé naturellement. C'est une aristocrate britannique. Sa famille vivait depuis des siècles dans de somptueux manoirs et comptait dans ses rangs des noms aussi prestigieux que le baron d'Ashford, lord Bury et le comte d'Albermarle. Parmi ses ancêtres se trouvent aussi quelques spécimens excentriques : l'arrière-grand-tante de Rose, Alice Keppel, était la maîtresse attitrée du roi Edward VII. La fille de Mme Keppel, Violet Trefusis – « tante Violet » – était la célèbre amante fantasque et ardente de Vita Sackville-West. Adolescente, Rose avait rendu visite à sa vieille tante Violet, expatriée à Florence. Violet avait initié sa nièce aux arcanes du grand style et de la haute société, façonnant de manière significative son caractère pragmatique et spectaculaire. Bien que Rose ait le droit de se faire appeler « lady Rose », son arrière-plan familial semblait l'indifférer. C'était, entre autres, pour y échapper qu'elle s'était installée à Venise. Et, parce qu'elle avait passé l'essentiel de son enfance à Mount

Stewart, une propriété familiale d'Irlande du Nord, elle répondait souvent aux questions sur son origine d'un sibyllin : « Je suis une bouseuse d'Irlandaise. »

Rose était venue régulièrement à Venise depuis ses seize ans, en compagnie de sa mère qui avait acquis la maison d'un vieux gondolier en guise de résidence d'été. Ezra Pound habitait la maison voisine, en tout point identique, qu'il partageait depuis les années vingt avec sa maîtresse, Olga Rudge.

— Pound venait juste de sortir du Saint Elizabeth Hospital for the Criminally Insane. Quand je l'ai vu, nous étions dans les années soixante et il ressemblait à un vénérable ermite. Comme vous le savez, il avait fait vœu de silence. Nous les voyions tous les deux, Olga et Ezra, se promenant paisiblement dans le quartier ou s'arrêtant dans l'un des cafés au bord des Zattere. Elle était minuscule et d'une beauté frappante. Lui était grand, digne et toujours élégant : chapeau de feutre à large bord, manteau en laine, cravate. Son visage était taillé à la serpe et ses yeux immensément tristes. Quand des gens les arrêtaient pour les saluer, il se tenait à l'écart, en silence, pendant qu'Olga échangeait quelques plaisanteries. Nous ne l'avons jamais vu prendre la parole en public, mais, à la maison, il nous est arrivé de l'entendre lire à haute voix ses poésies, avec des intonations graves et bien rythmées. Ma mère, qui était une grande fan, avait un jour sonné chez lui pour qu'il la reçoive. Olga lui avait demandé très poliment de s'en aller : ça ne servait à rien, il refusait de parler à qui que ce soit. Finalement, nous avons compris que ce que nous avions entendu était des enregistrements de Pound lisant ses poèmes. Il était assis de l'autre côté du mur, tout comme nous, écoutant le disque en silence. Pound est mort depuis une éternité, mais Olga vit toujours. Elle a plus de cent ans.

Le cercle d'amis des Lauritzen comprenait des Vénitiens et des expatriés, dont la célèbre collectionneuse d'art Peggy Guggenheim. Peter accompagnait souvent Peggy lors de ses promenades en gondole, en fin d'après-midi. Elle possédait la dernière gondole privée de Venise.

— Elle connaissait chaque centimètre du moindre petit canal. Elle était assise sur une petite chaise, son *lhasa apsos* étendu à ses pieds, son gondolier debout derrière elle, en train de ramer. Elle lui indiquait la direction à suivre d'un geste de la main, comme si elle conduisait une voiture, sans prendre la peine de lui parler ni même de le regarder. Peggy était réputée pour sa radinerie. Elle avait embauché comme gondolier un croque-mort, car c'était le moins cher de toute la ville. Elle ne semblait pas se soucier de l'entendre entonner des chants funèbres en guise de sérénade ou de le voir le plus souvent totalement ivre.

— J'ai rendu visite à Peggy dans les derniers temps de sa maladie. Elle relisait Henry James. Elle m'a dit qu'elle avait donné des instructions pour être enterrée avec ses chiens dans le jardin de son palazzo sur le Grand Canal. Elle m'a fait promettre de m'assurer que ses derniers vœux seraient respectés. C'est ce que j'ai fait. Lorsqu'elle est morte, quatorze de ses chiens l'attendaient déjà dans le jardin. Elle était encore en vie quand le dernier a été enterré. Durant la cérémonie, pendant qu'un domestique sondait le sol à l'aide d'une bêche pour trouver un emplacement, il a déterré un crâne de *lhasa apsos* qui a roulé jusqu'aux pieds de Peggy. Elle était en train de sangloter dans un mouchoir et n'a rien remarqué.

Dans son bureau, Peter me montra l'édition 1922 de l'intégrale des œuvres d'Henry James que lui avait léguée Peggy. Chaque volume portait le premier de ses trois noms de femme mariée : « Peggy Vail. »

Peggy Guggenheim ne fut jamais acceptée par les membres de la société vénitienne, qui se disaient choqués par ses frasques sexuelles. Les Lauritzen, eux, avaient été bien accueillis par les Vénitiens, qui les invitaient souvent à leurs réceptions. Le soir où j'ai fait leur connaissance, Peter prit sur son bureau une invitation, l'étudia un moment puis jeta à Rose un coup d'œil qui signifiait : « Dois-je y aller ? » Rose hocha la tête. Douze familles vénitiennes organisaient dans deux semaines un bal masqué, et les Lauritzen y étaient conviés avec la personne de leur choix. Lorsque Peter me proposa de les accompagner, j'acceptai aussitôt.

— Vous verrez ce que je veux dire quand je compare Venise à un petit village, commenta Rose.

Avant de partir, je signai le livre d'or des Lauritzen – et la question que je m'étais posée en début de soirée se manifesta à nouveau.

— À propos, demandai-je à Rose, comment la municipalité a découvert que vous aviez fait des travaux dans les pièces du rez-de-chaussée ?

Rose m'adressa un sourire de conspiratrice.

— Apparemment, quelqu'un nous a dénoncés. Nous ne savons pas qui. Un voisin, peut-être.

— Ah, dis-je. Alors Venise est un village… mais avec un côté tranchant ?

Son sourire s'élargit.

— Oh ! Tout à fait.

4

En marchant, en rêvant...

Hormis le flux et le reflux du Canale della Misericordia deux fois par jour, la vie telle que je la voyais de ma fenêtre suivait un rythme bien particulier. La journée commençait dans le calme précédant l'aube, lorsque le marchand de fruitS sautait dans son canot, amarré sur la rive en face, démarrait son moteur en douceur et descendait le canal avec un discret crachotement, comme si son canot se déplaçait en catimini. Puis le silence revenait, bercé par le clapotis de l'eau contre les pierres.

Aux environs de 8 heures, la vie le long du canal s'éveillait officiellement, avec l'ouverture des portes et des rideaux de fer des boutiques sur l'autre rive. Giorgio installait tables et chaises à la terrasse de sa trattoria. Le boucher réceptionnait la viande livrée dans un canot à fond plat.

Les passants commençaient à entrer dans mon champ de vision, tels des acteurs traversant la scène ; un ouvrier marchant sans se presser ; un homme en costume au pas plus résolu. Dans la trattoria, des clients prenaient leur café en feuilletant le *Gazzettino* du matin. Juste à côté, dans le QG du parti communiste local décoré d'affiches frappées de la faucille et du marteau, une ou deux personnes étaient assises derrière un bureau, répondant au téléphone ou lisant le journal. La boutique voisine était l'ancien atelier de Renato Bonà, l'un des derniers artisans vénitiens spécialisés dans les rames et les *forcole* des gondoliers. Le génie de ce sculpteur – passé maître dans l'art de courber, voire de tordre les *forcole* – en avait fait un demi-dieu auprès des gondoliers. Depuis sa mort, voici deux ans, son atelier était devenu une sorte de sanctuaire, signalé par une plaque commémorative. Le canale della Misericordia ne figurait sur aucun des trajets habituels des gondoles, mais régulièrement l'une d'elles passait devant l'atelier en un silencieux hommage à Bonà. Seule une gondole avait le droit de s'y amarrer : elle était réservée aux mariages, par conséquent plus décorée et ouvragée que les autres, quoique toujours noire. Dans la journée, le gondolier la préparait pour un couple en installant des housses blanches et dorées sur les chaises et les coussins.

À 13 heures, le roulement des rideaux métalliques se faisait entendre, car les boutiques fermaient pour le déjeuner. Seule la trattoria restait ouverte, accueillant une clientèle venue principalement du quartier pour déguster des spécialités de poissons. Ensuite, le cours de la vie ralentissait jusqu'en fin d'après-midi, lorsque les boutiques ouvraient à nouveau et que les piétons – étudiants sortant de cours, femmes au foyer se dépêchant de faire les courses pour le dîner – se mettaient à marcher plus vite.

Avec le début de la soirée, les rideaux de fer se déroulaient une dernière fois et les lumières de la trattoria délimitaient le centre de la scène. Les passants adoptaient le rythme de la flânerie et des voix chaleureuses flottaient dans l'air nocturne. Vers minuit, le bruit des bateaux et des remous disparaissait. Les voix s'atténuaient. Giorgio rentrait les tables et les chaises dans son restaurant, puis éteignait les lumières. Le marchand de fruits et légumes avait depuis longtemps amarré son canot et Pino avait bâché le pont extérieur de son bateau-taxi blanc avant de monter dans son appartement au-dessus du local du parti communiste.

Venise peut être un endroit déroutant, y compris pour ceux qui y vivent et pensent bien la connaître. Les rues étroites et sinueuses, les méandres du Grand Canal et l'absence de tout repère visible de loin ont tôt fait d'égarer le piéton. Ernest Hemingway a décrit Venise comme une « ville étrange et piégeuse », où marcher peut se révéler « plus excitant que résoudre une grille de mots croisés ». Pour ma part, j'avais plutôt l'impression d'avancer dans un palais des glaces, surtout lorsque, après avoir suivi pendant vingt minutes un trajet que je croyais rectiligne, je m'apercevais que j'étais revenu à mon point de départ. Mais les rues et les places de Cannaregio me devinrent familières plus vite que je ne l'avais espéré, tout comme certains de ses habitants. Ainsi, j'étais installé depuis une semaine à peine quand je fis la connaissance de l'Homme-Plante.

Au premier abord, il ressemblait à un arbuste en mouvement. C'était une oasis de caoutchouc, de ficus, de bruyère et de lierre flottant le long de Strada Nuova, criant de toutes ses forces et dans toutes les directions : « Oh là ! Tu as une maison ? Un endroit où aller ? » Il s'approcha de moi et je distinguai un petit homme trapu avec une touffe drue de cheveux gris jaillissant au centre d'une masse de verdure débordant de sacs qu'il portait aux épaules et tenait des deux mains. Il s'arrêta pour parler à une matrone généreuse surmontée d'une cuirasse de cheveux gris courts.

— Celle-ci coûte 80 000 lires (41 euros), mais je te la laisse pour 20 000 (10 euros). Elle tiendra pendant des années !

— Arrête de me mentir, répondit la femme.

L'homme posa ses sacs par terre et émergea de sa forêt personnelle. Il mesurait 1 mètre 80 et portait une veste rouge vif, un tee-shirt jaune, une cravate bien trop courte et des baskets montantes.

— Elle tiendra ! croassa-t-il. Je te connais depuis une éternité, sœur. Oh là ! Et tu aimes les plantes. Tu les aimes, vraiment. Tant mieux, tant mieux. L'homme qui t'épousera aura bien de la chance !

— Elle est déjà mariée, commenta un homme qui assistait à la scène.

La femme donna 10 000 lires (7,5 euros) à l'Homme-Plante et prit la plante, l'air sceptique.

— Merci, sœur. Que Dieu la fasse proliférer ! Donne-lui un peu de thé à la camomille, c'est plein de vitamines, mais pas d'eau du robinet sauf si tu filtres le chlore. Le chlore, c'est du poison !

Un jeune homme arrivant dans l'autre sens lui cria :

— Eh, mec ! Tu as une maison ? Un endroit où aller ?

L'Homme-Plante me fixa.

— Tu vois ? Ils me connaissent. Eh, gamin ! Tu me connais depuis toujours, pas vrai ?

— Ouais ! Tu chantes tout le temps, répondit le garçon.

— Tu vois ? J'ai inventé cette chanson au stade Zamperini, pendant un match de l'équipe de Venise. Je la chante pour l'adversaire quand il perd. « Tu as une maison » signifie « qu'est-ce que tu fabriques dans le coin ? À quoi ça sert ? Tu as une maison ? Tu ferais aussi bien de rentrer chez toi ». Et maintenant tous les gosses ont repris cette chanson. Ils l'ont même écrite sur des banderoles qu'ils agitent pendant les matchs. Eh oui ! C'est moi qui l'ai inventée.

— D'où viennent toutes ces plantes ? lui demandai-je.

— Nous avons notre propre ferme à une demi-heure de Venise, ma femme et moi. Nous l'exploitons nous-mêmes. Elle se trouve près de Padoue. Je viens à Venise tous les jours depuis vingt-huit ans. Seulement à Venise, nulle part ailleurs, parce que Venise est la seule ville qui a vraiment conquis mon cœur. Les Vénitiens sont des gens merveilleux, gentils, courtois. Lundi, j'ai arrangé la terrasse d'un docteur près du marché aux poissons du Rialto. Je lui ai apporté des véroniques. Je vais dans toutes les paroisses, dans toutes les églises. Je les passe toutes en revue, de Sant'Elena à San Giobbe. Je suis le seul à faire ça. J'élève des poulets, aussi.

Il plongea la main tout au fond de l'un de ses sacs et en tira un poulet – décapité, éviscéré, plumé, mais qui avait toujours ses pattes.

— Je viens d'en apporter un au pharmacien du Campo San Pantalon et je dois en livrer un autre au notaire Luigi Candiani.

— Il sera encore frais quand vous frapperez à sa porte ?

— Frais ? Oh là ! Oui, mon ami, il sera frais ! Il ne sentira pas mauvais ! Ce n'est pas de la bidoche commerciale. Nous élevons nos poulets avec des graines, de l'herbe, et des légumes de nos récoltes. Vous pouvez le manger maintenant ou dans deux jours, et même trois mois si vous le stockez au congélateur.

Un vieil homme passa devant lui.

— Eh, frère ! Tu as une maison ?

— Nan, je n'ai pas de maison, répondit le vieil homme en souriant.

— Tu veux acheter un poulet vivant?

— Nan.

— Un demi-poulet vivant, alors? Non? Bah, il faut toujours poser la question.

Puis, se tournant vers moi:

— Et toi? Tu veux quelque chose?

Je lui indiquai un petit pot de bruyère.

— Excellent choix! Elle donne de jolies fleurs roses, et si tu en as assez de l'arroser, tu peux la laisser sécher. De cette façon, tu la garderas pour toujours.

Il me tapota l'épaule.

— Je m'appelle Adriano Delon. Je viens à Venise tous les jours sauf le dimanche, parce que le dimanche j'emmène ma femme dans des concours de danses de salon. Ça passe même à la télé. On danse la valse, le tango, la samba...

Adriano leva les bras et se mit à onduler des hanches.

— Oh là! Les danses de salon, ça ne sera jamais démodé. Bon, je ferais mieux de partir, j'ai encore le poulet de Candiani à livrer.

Adriano Delon reprit ses sacs puis, chantant à tue-tête derrière son buisson ambulant, reprit sa marche le long de Strada Nuova, d'un pas glissant qui, à mes yeux de béotien, se situait quelque part entre la valse et le tango.

Un matin, je me levai de très bonne heure avec l'idée de sortir me promener dans les rues pratiquement désertes. Je mis le cap sur l'église Santa Maria della Salute et, en entrant sur le Campo San Vio, j'aperçus quatre hommes en tenue de travail s'activant près de l'église anglaise. Deux se tenaient accroupis au pied du mur, à une dizaine de mètres l'un de l'autre, chacun à l'extrémité d'une sorte de filet posé en vrac par terre. Ils tapaient avec un marteau sur un clou pour fixer sur le pavé un côté du filet. Puis, toujours accroupis, ils prirent chacun un coin du côté où le filet n'était pas fixé et observèrent un de leurs collègues. Il se plaça au centre du *campo* et, d'un sac en toile, sortit des miettes de pain qu'il se mit à semer autour de lui. En quelques minutes, des pigeons descendirent sur la place pour picorer les miettes – quarante, cinquante pigeons. L'homme jeta d'autres miettes, un peu plus près du filet. Encore plus près. Les pigeons suivaient ce festin en mouvement, sautillant et se bousculant tout en picorant. Quand ils furent à quelques dizaines de centimètres du filet, les deux hommes le rabattirent sur eux. Des battements d'ailes et des soubresauts furieux emplirent le filet pendant que les hommes le faisaient passer avec dextérité autour et en dessous des pigeons pour refermer le piège. Seuls quelques-uns parvinrent à s'échapper. Le quatrième homme jeta alors sur le filet un grand tissu noir. Les oiseaux se calmèrent instantanément. Les quatre hommes soulevèrent ensuite le filet rempli de pigeons et le chargèrent sur un canot.

Ce n'est pas un secret : les Vénitiens détestent les pigeons. Le maire Cacciari les appelait des « rats volants » mais ses propositions pour réduire leur nombre avaient été bruyamment rejetées par des défenseurs des droits des animaux. Cela n'empêchait apparemment pas un programme de contrôle des pigeons d'être appliqué, en toute discrétion, aux petites heures du matin.

Les hommes sautèrent dans le canot, et commençaient à transférer le contenu du filet dans des cages vides quand j'approchai. L'un d'eux me fit signe de rebrousser chemin.

— Pas d'écolos ! Pas d'écolos ! Vous êtes du parti écolo ?

— Non. Je suis juste curieux.

— Bon… Comme vous le voyez, nous n'exerçons aucune brutalité sur ces oiseaux. Nous les emmenons chez le vétérinaire. Il va les examiner et relâcher ceux qui sont en bonne santé. Les malades… il va les endormir.

Je leur demandai combien de pigeons ils comptaient capturer de cette façon, mais le bruit du moteur couvrit ma voix. De toute évidence, les quatre hommes n'avaient aucune envie de bavarder mais, tandis que le canot s'éloignait, l'un d'eux me cria un nom :

— Le Dr Scattolin ! Il vous donnera toutes les infos que vous voulez !

À ma grande surprise, lorsque je téléphonai au Dr Scattolin, il m'invita à lui rendre visite dans l'après-midi. Sa fonction officielle était directeur des affaires animales, et il travaillait au bord du Grand Canal dans un palais du xve siècle qui abritait d'autres bureaux de la municipalité. Je sonnai à sa porte après un périple dans un dédale de couloirs tarabiscotés et exigus.

— En temps normal, je ne fais aucun commentaire sur notre opération de capture de pigeons, m'expliqua aimablement le Dr Scattolin en me faisant entrer. Je préfère carrément la démentir. Mais, puisque vous y avez assisté en direct... Bah !

Il haussa les épaules.

Le Dr Scattolin avait des cheveux ondulés poivre et sel et portait un costume gris clair. Son bureau spacieux était occupé par une grande table et des étagères remplies de dossiers et de rapports. De hautes fenêtres ouvraient sur une cour intérieure étroite et sinistre.

— Écoutez, commença-t-il, il y a 120 000 pigeons à Venise. C'est beaucoup trop ! Quand ils sont trop nombreux, ils deviennent stressés, leur système immunitaire s'affaiblit et ils deviennent vulnérables à des parasites susceptibles de provoquer chez l'homme des pneumonies, des chlamydiae, la toxoplasmose et la salmonelle.

Tout en parlant, le Dr Scattolin dessinait sur un bloc-notes une silhouette de pigeon, sous la queue duquel un nuage de petits points indiqué par une flèche figurait les parasites.

— Tous les touristes veulent être pris en photo en train de nourrir les pigeons de la place Saint-Marc. Alors ils achètent un sachet de maïs pour 4 000 lires (2 euros), lancent par terre quelques grains et ils sont aussitôt assaillis par une nuée de pigeons reconnaissants.

Il imita le pigeon marchant, sa tête tendue en avant, en rythme avec le mouvement des pattes, puis se baissant pour picorer. Tête tendue, tête baissée, tête tendue, tête baissée. Il imitait parfaitement la démarche du pigeon.

— Si un pigeon se pose sur sa main, le touriste est content. S'il en a deux ou trois autres sur les bras et autant sur les épaules, il est ravi. Pourquoi pas, après tout ? J'ai déjà vu des gens entièrement recouverts de pigeons. Seulement, ce que les photos ne disent pas, c'est que ces oiseaux puent atrocement. Même chose pour les pingouins. Les gens adorent les documentaires sur les pingouin**s.**

Cette fois, le Dr Scattolin s'essaya au dandinement rigide du pingouin.

— Mais si vous vous trouviez au milieu d'une colonie de pingouins, vous verriez à quel point ils sentent mauvais ! La raison est très simple : les pingouins et les pigeons ont ceci de commun qu'ils construisent leurs nids avec leurs propres excréments.

Il grimaça.

— Les pigeons se regroupent dans les endroits sombres, notamment les ruelles étroites où le soleil ne pénètre jamais. Il y en a beaucoup, par exemple, dans la petite *calle* qui mène au Campo San Vio, où vous avez assisté à la capture ce matin. Les pigeons avaient rendu cette *calle* totalement impraticable. C'était dégoûtant. Nous avons reçu beaucoup de plaintes, c'est pourquoi j'ai envoyé mes hommes nettoyer l'endroit. Les deux hommes qui tenaient le filet sont père et fils. Cela fait vingt ans qu'ils exercent ce métier. Ils sont devenus des experts. Ils savent à quel moment précis il faut rabattre le filet. Si un seul des pigeons prend peur, il s'envole et donne à tous les autres le signal de s'envoler. En une fraction de seconde, ils sont partis.

— Vous allez vraiment relâcher les pigeons en bonne santé ?

— Non. On va en examiner quelques-uns, mais ils vont tous être euthanasiés. Mes hommes ont sans doute voulu vous rassurer, ils devaient vous prendre pour un écologiste ou un *animalista*. Ces gens-là ne leur font aucun cadeau, vous savez. Mes hommes se sont déjà fait traiter d'assassins, de nazis qui envoient les animaux dans des chambres à gaz... À Venise, il y a tellement de nourriture pour les pigeons qu'ils se reproduisent toute l'année – sept ou huit fois, avec deux œufs à chaque fois. Ce n'est pas leur cycle naturel. À Londres, la reproduction a lieu seulement une fois par an. C'est pourquoi nous devons assurer le contrôle de nos pigeons pendant toute l'année. Nous devons réduire leur population de 20 % jusqu'à atteindre le chiffre de 40 000 pigeons. Nous avons tout essayé. Nous avons mélangé la nourriture avec des contraceptifs, mais le nombre de pigeons n'a pas cessé d'augmenter. En ce moment, nous testons des substances hormonales simulant la gestation, ce qui devrait neutraliser le besoin d'accouplement chez la femelle. Il y a plusieurs années, nous avons même importé des faucons pèlerins, prédateurs des pigeons, mais chaque faucon tuait un seul pigeon par jour et produisait des excréments encore plus nauséabonds. Les *animalisti* y sont aussi allés de leur proposition : selon eux, nous devrions capturer les mâles et les castrer. Vous imaginez un peu ! Ça coûterait 100 000 lires (52 euros) par oiseau !

— J'ai une idée.

Le Dr Scattolin leva les sourcils.

— J'ai compté huit stands de vendeur de maïs sur la place Saint-Marc. Pourquoi vous ne les interdisez pas ?

— Ah ! dit-il. Parce que ce serait une solution intelligente.

— Non mais, vraiment... Pourquoi ?

— Pour deux raisons. La première : Venise veut continuer à distraire ses touristes, et les pigeons sont une grande source de distraction pour les touristes. La seconde : parce que, croyez-le ou non, vendre du maïs à 4 000 lires (2 euros) le sachet est un commerce tellement lucratif que les vendeurs peuvent se permettre de payer à la municipalité une licence annuelle de 300 millions de lires (155 000 euros). Nous avons quand même réussi à imposer une règle : la place Saint-Marc est le seul endroit de Venise où nourrir les pigeons est autorisé. Si vous nourrissez un pigeon ne serait-ce qu'à cinq mètres de la place Saint-Marc, vous risquez une amende de 100 000 lires (52 euros).

— C'est absurde.

— C'est pire qu'absurde : c'est contradictoire, hypocrite, irresponsable, dangereux, malhonnête, injuste, c'est de la corruption et c'est de la folie !

Il s'enfonça dans son fauteuil.

— Bienvenue à Venise !

On a souvent fait remarquer que, sur une carte, Venise ressemble à un poisson nageant d'est en ouest. La queue est représentée par les quartiers excentrés de Castello et Sant'Elena. Le corps est le centre vivant de Venise : San Marco et le Rialto. La tête est formée par la gare et le parking, Piazzale Roma, rattachés au continent par un long pont – pont qui pourrait d'ailleurs être la ligne à laquelle mord le poisson. On pourrait même aller jusqu'à voir dans le Grand Canal, qui traverse la ville en décrivant un S, le tube digestif de l'animal.

Au sud de Venise, juste sous le poisson, se trouve une île tout en longueur et bien plus mince – le plat sur lequel le poisson va être servi. C'est la Giudecca.

Cette langue de terre aujourd'hui bucolique est située à trois cents mètres du centre de Venise, de l'autre côté du canal de la Giudecca. Elle n'offre aucune église importante, aucune attraction touristique notable, et aucune boutique de souvenirs. C'était le dernier quartier de Venise où étaient implantées de véritables usines, il accueillait donc une classe ouvrière assez différente, plus rugueuse, que celle des autres quartiers de la ville. Les habitants de la Giudecca se considèrent comme une race à part – sentiment commun, d'une façon ou d'une autre, aux habitants des autres îles de la lagune.

Pendant longtemps, j'avais espéré pouvoir jeter un coup d'œil à un mystérieux jardin clos de murs sur lequel j'avais déjà lu plusieurs textes. Dessiné et conçu par Frederic Eden, le grand-oncle du Premier ministre anglais Anthony Eden, il avait tout naturellement été surnommé par les gens de la Giudecca le « Jardin d'Eden ». Avec ses deux hectares, c'est le plus grand jardin privé de Venise. Personne parmi mes connaissances n'en avait jamais franchi les murs.

La traversée du canal de la Giudecca ne prend que trois minutes par vaporetto, ce bus fluvial cliquetant et geignard dont la passerelle extérieure surmontée d'un toit plat évoque étrangement le bateau d'Humphrey Bogart dans *African Queen*. À cette occasion, notre vaporetto fut accueilli au débarcadère par un receveur en uniforme qui guida le pilote jusqu'au quai avec une débauche de gestes et d'instructions stridentes : « Avance un peu ! Maintenant recule ! Un peu plus ! Plus près, plus près ! Maintenant lance la corde ! Voilà… » L'homme me rappelait ces policiers milanais réglant la circulation en agitant les bras en tous sens, pirouettant tels les danseurs d'un ballet burlesque. Le receveur – grand, mince, environ cinquante-cinq ans – affichait une expression de joie exubérante et paraissait fou de joie en voyant arriver les passagers.

Pendant que nous débarquions, il se tenait au garde-à-vous et nous saluait. J'entendis quelqu'un l'appeler « capitaine Mario ». J'étais sous le charme, même si tout cela me semblait extrêmement inhabituel, pour ne pas dire bizarre. Je n'avais jamais vu un receveur guider un vaporetto à l'approche du débarcadère. En général, les pilotes se débrouillaient très bien tout seuls. Amarrer un vaporetto ne présentait guère plus de difficulté que s'arrêter à un abribus.

Quoi qu'il en soit, cet après-midi-là, je ne parvins pas à entrer dans le Jardin d'Eden et rentrai chez moi sans autre butin que la vue alléchante des cimes de cyprès, magnolias et saules étêtés par-dessus les murs de six mètres de haut. J'appris du patron d'un bar à vin sur les quais que le jardin appartenait désormais à un peintre autrichien nommé Hundertwasser, qui ne vivait pas à Venise et avait délibérément laissé le jardin revenir à son état sauvage. Cela dit, l'ancien gardien chargé de l'entretien du jardin était un habitué de ce bar et si je revenais le vendredi suivant, dans l'après-midi, je pourrais lui parler. Quand je revins le vendredi suivant, je rencontrai mon homme, mais il m'expliqua qu'il n'était plus en contact avec le nouveau propriétaire et que, pour autant qu'il sache, personne n'avait été autorisé à entrer dans le jardin depuis des années.

Je m'apprêtai à partir quand j'aperçus un *carabiniere* en uniforme en train de boire un verre au comptoir. Quelques jours auparavant, j'avais été surpris de voir deux de ses collègues fumer en montant la garde devant La Fenice, mais… boire dans un bar ? Même compte tenu de la réputation antimilitariste des Italiens, cela semblait dur à admettre. Bientôt, je reconnus dans mon *carabiniere* l'homme qui avait guidé le pilote du vaporetto la semaine précédente.

En l'examinant un peu mieux, je remarquai sa chemise blanche froissée, sa cravate tachée et de travers, son uniforme qui avait besoin de quelques retouches et d'un passage au pressing. Sauf erreur de ma part, les chaussures noires au cuir éraflé étaient déjà celles qu'il portait quand il guidait le pilote. J'y voyais un peu plus clair, et cela se confirma une semaine plus tard quand, en route vers un rendez-vous à la Giudecca, je tombai sur lui, assis en terrasse d'un bar à vin sur les quais. Cette fois, il était sanglé dans l'uniforme blanc de la marine, avec les mêmes chaussures noires. J'avais une demi-heure d'avance, aussi pris-je place à la table voisine en commandant une bière. Quand l'homme se tourna vers moi, je hochai la tête et le saluai.

— *Buongiorno, capitano.*

Il m'adressa un salut militaire puis me tendit la main.

— *Capitano* Mario Moro !

— Enchanté. N'est-ce pas vous que j'ai vu à la station de vaporetto, l'autre jour ?

— À Palanca ? Si, en effet. D'autres fois, je suis à la station Redentore ou à Zitelle…

Il indiquait de son goulot de bouteille les deux stations, un peu plus loin sur le quai.

— Je vous ai aussi vu vendredi, si je m'en souviens bien. Vous étiez dans ce bar, en uniforme de *carabiniere*, n'est-ce pas ?

Il se mit à nouveau au garde-à-vous et effectua un salut militaire.

— Aujourd'hui, je parie que vous êtes un marin.

— Oui ! Mais demain… *demain… !*

— Que se passe-t-il demain ?

Il se pencha vers moi en écarquillant les yeux.

— *Guardia di Finanza !*

La police financière.

— Magnifique ! Et de quelle couleur sera votre tenue ?

Il eut un mouvement de recul, surpris de mon ignorance.

— Grise, bien entendu.

— Oui, bien entendu. Et que faites-vous encore ? Je veux dire, quels sont vos autres uniformes ?

— J'en ai vraiment beaucoup. Beaucoup, beaucoup…

— Soldat ?

— Évidemment !

— Aviateur ?

— Aussi, oui.

— Et pompier ?

Soudain, il bondit de sa chaise, tourna les talons et décampa, disparaissant dans un passage entre deux bâtiments. Un homme assis à une autre table avait assisté à notre discussion.

— Peut-être n'aurais-je pas dû lui poser toutes ces questions, dis-je. J'espère que je ne l'ai pas vexé.

— Je ne crois pas. Mario ne se vexe pas aussi facilement.

— Qu'est-ce qui l'a fait fuir ?

L'homme jeta un coup d'œil dans la direction où Mario était parti.

— Je ne sais pas. Mario vit dans son monde à lui. C'est un électricien, un très bon électricien, d'ailleurs. Il intervient de temps en temps pour dépanner les habitants de la Giudecca. Si vous le voyez travailler, en particulier avant 10 heures, quand il n'a pas encore bu sa bière, vous ne remarquez rien de bizarre chez lui. D'accord, un jour où il devait venir réparer un branchement chez moi, il s'est présenté en tenue de gardien de prison... D'aussi loin que je me rappelle, il a toujours porté des uniformes.

— Où est-ce qu'il les trouve ?

— Les gens lui donnent toujours des affaires. Parfois un uniforme complet, d'autres fois des éléments disparates – un chapeau, une veste mais pas de pantalon, ce genre de choses... Il a des uniformes de l'armée, de la marine, des pompiers et, comme il vous l'a dit, de la Guardia di Finanza. Dernièrement, je l'ai vu dans une combinaison orange fluo. Cadeau d'un employé du gaz, sans doute...

— Ce n'est pas un passe-temps très habituel, hasardai-je.

— Non. Il a la tête dans les nuages. C'est un rêveur éveillé. Comme nous tous, de temps en temps.

— Sauf que lui, c'est tout le temps.

— Exact. Mais vous savez, ce n'est pas le seul. Tenez, le serveur de ce bar... Il rêve de devenir une star du foot. C'est son obsession. Il ne parle que de ça. Chez lui, les murs de sa chambre sont couverts d'affiches de joueurs, de banderoles et de photos de ses héros. Parfois, on le voit donner un coup de pied dans le vide, comme s'il tirait pour marquer un but, et après il serre le poing… S'il était Mario, vous le verriez vêtu d'un short, du maillot réglementaire et de chaussettes montantes.

Je me tournai et regardai dans la salle. Une télévision accrochée derrière le comptoir retransmettait un match de football. Le serveur regardait l'écran chaque fois qu'il passait devant.

— C'est la même chose avec les familles qui vivent dans des palais depuis des générations, reprit l'homme. Elles croient que l'on vit encore comme il y a trois siècles, à une époque où être aristocrate avait vraiment une signification. Tous les artistes que vous croisez sur les quais en train de poser leur chevalet – dans leur tête, ils sont convaincus d'être le prochain Tintoret ou le prochain Chirico. Et vous pouvez me croire, les pêcheurs qui passent toute leur journée dans la lagune ne pensent pas qu'au poisson. Il en va de même avec Mario.

L'homme baissa d'un ton, comme pour me faire une confidence.

— Et comme tout un chacun, il arrive à Mario d'oublier qu'il vit dans un rêve.

Tandis que nous finissions nos bières, Mario réapparut à ma table, dans un cliquetis de talons. Il me salua sèchement. Il s'était changé en pompier : casque noir, bottes noires et un long manteau noir strié de bandes fluorescentes jaunes.

— Bravo, Mario ! s'exclama mon voisin.

Mario se tourna pour que je lise les mots écrits dans son dos : *VIGILI DEL FUOCO*.

— Quand il y a un incendie, m'annonça-t-il fièrement, ils m'appellent.

— Et vous allez donner un coup de main ?

— Parfois.

— Et, dites-moi, la nuit où La Fenice a brûlé, vous avez fait quoi ? Vous êtes allé aider les pompiers ?

— J'étais au Do Mori quand j'ai appris la nouvelle, répondit-il en me montrant le restaurant. Tout le monde est sorti. D'ici, on voyait les flammes.

Il tendit la main et balaya tout le panorama de l'autre côté du canal de la Giudecca : les berges des Zattere, Santa

Maria della Salute, le campanile de la place Saint-Marc et l'île de San Giorgio Maggiore.

— Le ciel était complètement rouge. Des morceaux de bois brûlé flottaient dans l'air. Je suis rentré directement chez moi et je me suis changé.

— Alors vous êtes allé à La Fenice ?

— Non. Cette nuit-là, j'ai laissé mes... mes collègues y aller. Je devais rester ici pour guider l'hélicoptère.

Mario plongea la main dans une poche volumineuse et en sortit un casque antibruit en plastique orange vif. Il l'ajusta sur ses oreilles puis, tenant d'une main un mégaphone et de l'autre une paire de jumelles, il regarda le ciel vers la place Saint-Marc avant d'agiter les bras comme un technicien de piste d'atterrissage guidant l'avion sur le tarmac. Ses gestes étaient tellement outrés qu'on aurait aussi bien pu le prendre pour un naufragé sur une île déserte tentant d'attirer l'attention d'un avion passant au loin.

— Quand l'hélicoptère survolait le Grand Canal pour remplir d'eau son réservoir, c'est moi qui lui donnait le OK !

Mario continuait d'agiter les bras en regardant le ciel d'un air béat.

Les gens marchant sur le quai s'arrêtaient et regardaient à leur tour, se demandant la raison de cette agitation. Tout ce qu'ils voyaient était le ciel d'une journée paisible. Comment auraient-ils pu savoir que le capitano Mario Moro revivait ses exploits de la nuit où La Fenice avait brûlé ?

* * *

J'avais rencontré par hasard Mario Moro tandis que je me rendais chez un homme qui, un peu plus tôt dans la semaine, avait piqué ma curiosité en déclarant dans un journal que la direction de la Mostra, le festival du film de Venise, était composée d'« officiels mesquins et corrompus, qui décident d'aligner des films branchés et nuls face à des films de qualité, d'une importance bien plus considérable ».

Cet homme ne pouvait être simplement taxé de grincheux puisqu'il s'agissait du comte Giovanni Volpi, fils du fondateur de la Mostra – le comte Giuseppe Volpi – et chargé chaque année de remettre le prix Volpi au meilleur acteur et à la meilleure actrice. Le festival du film n'était pas l'unique cible de la colère de Giovanni Volpi : il était en colère contre Venise dans sa totalité.

L'un des griefs majeurs de Volpi était la condamnation posthume de son père, qu'il considérait comme une injustice flagrante. Malgré ce que les gens pensaient de feu Giuseppe Volpi, on lui reconnaissait volontiers le statut de Vénitien le plus influent du xxe siècle – et la Mostra ne comptait pas parmi ses réalisations les plus importantes.

C'est grâce à Giuseppe Volpi que l'électricité avait été installée à Venise, dans l'Italie du Nord-Est et les Balkans en 1903. Il avait conçu et bâti la ville portuaire de Marghera, sur le continent. Il avait élargi le pont ferroviaire traversant la lagune, permettant aux voitures et aux camions de rejoindre la Piazzale Roma. Il avait restauré un vieux palais à l'abandon sur le Grand Canal pour en faire le mondialement célèbre hôtel Gritti ; puis il avait acheté plusieurs hôtels 5 étoiles dans toute l'Italie, créant un monopole qui avait donné naissance à la chaîne d'hôtels de luxe Ciga. Son rôle avait été déterminant dans la fondation du Museo Correr sur la place Saint-Marc. Il avait participé aux négociations du traité de paix entre la Turquie et l'Italie en 1912, qui faisait passer la Libye et l'île de Rhodes sous tutelle italienne – il serait d'ailleurs, plus tard, nommé gouverneur de Libye. Après la Première Guerre mondiale, il avait joué un rôle de médiateur dans le paiement de la dette italienne aux États-Unis et à la Grande-Bretagne, obtenant des conditions très avantageuses pour son pays. Il était membre de la délégation italienne lors de la signature du traité de Versailles en 1919 et devint plus tard ministre des Finances de Mussolini.

Durant quasiment toute sa carrière, Giuseppe Volpi avait reçu le surnom – dans la vie et dans la presse – de « dernier doge de Venise ». Mais, cinquante ans plus tard, c'est le membre haut placé du régime fasciste qu'on montrait du doigt. Les Vénitiens le considéraient, au mieux, comme un être ambigu, et c'est ce qui provoquait la colère de son fils.

Les commentaires de Giovanni Volpi sur le festival du film le placèrent au centre des discussions pendant quelques jours, et c'est à cette occasion que je découvris les grandes lignes de sa vie.

Il était né en 1938, fils de Giuseppe Volpi et de sa maîtresse Nathalie Lacloche, une Française d'Algérie – blonde, éblouissante et splendide. Giuseppe, qui était marié et père de deux grandes filles, officialisa la naissance de Giovanni en obtenant du gouvernement le vote d'une loi qui fut rayée des textes juridiques dès qu'elle eut rempli son unique fonction. Quatre ans plus tard, la femme du comte Volpi mourut et il put épouser Nathalie Lacloche. Ils passaient l'essentiel de leur temps dans le gigantesque palais des Volpi à Rome et montaient chaque été dans leur villa de la Giudecca.

Vers la fin de la guerre, les Allemands capturèrent Volpi et, à l'aide de drogues puissantes, tentèrent de lui arracher ses secrets, mais ils ne parvinrent qu'à détruire sa santé. Il mourut à Rome en 1947 à l'âge de soixante-dix ans, laissant au petit Giovanni, neuf ans, le palais Volpi et ses soixante-quinze pièces sur le Grand Canal, le palais romain et ses trois cents pièces, un ranch de 2 000 hectares en Libye et d'autres propriétés et sociétés qui, à elles seules, allaient permettre à Giovanni de mener grand train dans la villa de la Giudecca, somptueusement aménagée et tenue par une nombreuse domesticité. Il avait à sa disposition une flottille de trois bateaux à moteurs, dont le plus ancien de Venise – le *Celli* fabriqué par son père en 1928, qui attirait les regards partout où il passait. Giovanni Volpi n'emménagea jamais dans son palais sur le Grand Canal – après la mort de sa mère, personne n'y vécut. Ce qui n'empêchait pas Giovanni de le laisser meublé et parfaitement entretenu.

— Ah! Giovanni... me dit une Vénitienne qui le connaissait bien. Il peut être si spirituel et si drôle... Mais, la plupart du temps, il est profondément insatisfait. Il est pour ainsi dire considéré comme un prince à Venise, mais il rejette ce statut. Quand vous l'invitez à une soirée, il ne vous répond ni oui ni non, et il ne vient jamais. Il déteste les Vénitiens!

Avec les Américains, en revanche, Volpi s'entendait bien. Quand j'appris cela, je décidai de lui téléphoner, pensant qu'il pourrait être intéressant d'entendre un point de vue critique sur Venise.

— Aucun problème, répondit-il à ma demande. Passez donc me voir.

La Ca Leone, la villa de Volpi sur la Giudecca, se trouve derrière un haut mur de brique qui borde un petit canal silencieux juste en face du mystérieux Jardin d'Eden caché derrière son propre mur de brique. Une domestique répondit à l'interphone et vint m'ouvrir, me guidant le long d'une allée emplie du parfum des gardénias jusqu'au salon de la villa. Des portes-fenêtres offraient une vue sur la lagune, plein sud – autrement dit, dos tourné à Venise. La pièce n'était pas précisément meublée dans le goût vénitien, et c'était peut-être bien l'impression qu'elle voulait donner. Dans la pièce voisine, j'entendis Volpi achever une conversation téléphonique en français. Il me rejoignit dès qu'il eut raccroché. Après m'avoir proposé à boire, il s'assit face à moi. Il portait une chemise en flanelle noire, un pantalon en velours côtelé et de grosses chaussures tout-temps. Son visage mélancolique s'éclaira d'un sourire imperceptible.

— OK, allez-y ! Que voulez-vous savoir ?

— Pardon d'avance pour être si direct : je voudrais savoir quel est le problème entre vous et Venise ?

Il rit, mais dès qu'il se mit à parler, je compris que l'heure n'était pas à la plaisanterie. Il parlait un anglais parfait, d'une voix grave et sérieuse.

— Je suis le fils d'un autodidacte qui, à lui seul, a propulsé Venise dans le XXe siècle et a assuré son parfait fonctionnement jusqu'à la guerre. Il nous a quittés en 1947, et depuis la ville n'a fait que péricliter.

— Sur quel plan ?

— Voyons, par où commencer... Tenez, par exemple, le port de Marghera. C'est le *grand pollueur*, le *destructeur* de tout l'écosystème de la lagune ! Pas vrai ? Et mon père est censé être le méchant qui l'a fait construire. Quand mon père a conçu Marghera en 1917, les Vénitiens mouraient de faim. Ils étaient vêtus de haillons, vivaient à cinq dans une pièce... Il fallait d'urgence trouver 10 000 emplois. Alors mon père a eu l'idée du port. Il a fait remblayer des marais, il a développé le site pour le gouvernement et a vendu des parcelles de terrain à différentes industries – chantiers navals, usines en tous genres. Ce n'est qu'après la guerre, et après sa mort, que des imbéciles ont occupé deux autres sections de la lagune. Mon père s'y était toujours refusé et, à présent, tout le monde mesure l'étendue du désastre écologique. Mais le pire de tout, c'est qu'ensuite ils ont construit des raffineries à Marghera, et de gigantesques pétroliers ont commencé à naviguer dans la lagune. Le tirant d'eau des pétroliers étant plus important que celui de n'importe quel autre bateau, il a fallu creuser un canal très profond : la profondeur moyenne de la lagune se situe entre 1 mètre 20 et 1 mètre 50, celle du canal des pétroliers atteint 15 mètres ! D'habitude, l'eau venait et se retirait doucement, au rythme des marées. Désormais, ses mouvements sont très brutaux, et, à chaque fois, le fond de la lagune est complètement chamboulé. C'est ça qui provoque vraiment la catastrophe écologique. Mon père n'aurait jamais accepté une telle dégradation. Et pourtant, c'est lui qu'on tient pour responsable... Regardez les pétroliers qui traversent la lagune : ils ne font pas de vagues, mais, en se déplaçant, c'est 80 000 tonnes d'eau qu'ils charrient, et l'eau s'engouffre aussitôt dans le vide qu'ils créent. De nos jours, les pétroliers évitent Venise mais, dans les premières années, ils venaient si près qu'ils drainaient l'eau des petits canaux sur leur passage. J'ai assisté très souvent au phénomène, juste devant ma porte ! Le niveau de l'eau baisse brutalement – vloutch ! – puis remonte à toute allure. Des remous aussi violents déstabilisent les fondations des bâtiments...

Volpi parlait avec énergie, mais sa voix était teintée de désespoir. De temps en temps, ses paroles étaient entrecoupées d'un soupir.

— Après la guerre, mon père a fait l'objet d'une enquête. On l'accusait d'avoir prospéré sous le régime de Mussolini. Il y eut un procès, comme ce fut le cas pour la plupart des personnalités italiennes de premier plan. Il était sur le point de prouver son innocence lorsqu'une amnistie fut déclarée, annulant de fait le procès. Pour mon père, c'était regrettable, car l'amnistie laissait toujours planer des doutes. Aujourd'hui, des gens continuent de dire qu'il s'est enrichi grâce à la dictature, mais ce n'est que de la propagande. Mussolini a pris le pouvoir en 1922. Mon père avait fait fortune avec l'électricité et la Ciga des dizaines d'années plus tôt! Il n'était pas plus fasciste que le sénateur Agnelli, qui a fondé le groupe Fiat. Et puis les gens disent que Mussolini a donné à mon père le titre de comte. Là encore, c'est un mensonge délibéré. Attendez, je reviens tout de suite...

Volpi se leva et se rendit dans une autre pièce. Il en revint avec une photocopie d'une lettre du Premier ministre Giovanni Giolitti déclarant que Sa Majesté le roi d'Italie avait le plaisir de conférer le titre héréditaire de comte à Giuseppe Volpi. La lettre était datée du 23 décembre 1920 – avant l'ère Mussolini.

— À cause de ces erreurs délibérées, les Vénitiens ont effacé jusqu'au souvenir de mon père. Ils prononcent rarement son nom. Quand ça leur arrive, c'est parce qu'ils ne peuvent pas faire autrement. S'ils lui reconnaissaient un rôle positif dans l'évolution de Venise, ça signifierait qu'ils endossent aussi la responsabilité des échecs de la ville car, depuis sa mort, personne ici n'a jamais eu d'action aussi constructive que lui. Son seul crime, c'est d'avoir été un prophète en son pays, et de son vivant.

— Mais votre père est enterré à la Chiesa dei Frari, le Panthéon de Venise. C'est un immense honneur, non?

— Bien sûr, mais ce n'est pas Venise qui l'a mis là. C'est le pape Jean XXIII, à qui personne n'osait rien refuser. Il connaissait mon père, c'est d'ailleurs lui qui a écrit son épitaphe: *INGENIO, LABOR ET FIDE* (« Intelligence, Travail et Foi »), *Johannes XXIII p.p.* De nos jours, ce serait impossible de le faire inhumer aux Frari.

— Et comment réagit le reste de votre famille à cette situation?

— Le « reste de ma famille » n'existe pas. Ou plutôt, il existe sans exister.

Volpi se tut quelques secondes, lâcha un soupir puis se ressaisit.

— Bon, je suppose que le moment est venu de vous raconter comment, ou plutôt pourquoi je suis né. À vrai dire, c'est plutôt une bonne histoire. En 1937, mon père avait presque soixante ans. Il avait deux filles, mariées toutes les deux, un petit-fils et deux petites-filles, mais pas de fils. Alors il va voir le père de son petit-fils, son gendre, un Cicogna – une famille importante à Milan – et il lui dit : « Je commence à penser à ce qui va se passer une fois que je serai mort. J'ai passé toute ma vie à construire ce que j'ai construit, mais je n'ai pas de fils à qui le léguer. Que dirais-tu si j'adoptais ton fils ? Il prendrait le nom de Volpi et le perpétuerait après moi. » Le gendre décida de jouer quitte ou double et répondit, indigné : « Vous ? Un Volpi adoptant un Cicogna ? Vous voulez que mon fils renonce au nom d'une famille qui s'est couverte de gloire depuis des centaines d'années ? Comment *osez-vous* même y penser ? » Il espérait que mon père insisterait en lui proposant une grosse somme d'argent. Au lieu de quoi il a aussitôt répliqué : « Attends un peu ! Arrête ! Je vais te dire : cette conversation n'a jamais eu lieu. Je suis confus de t'avoir parlé de ça. Pour ma part, ce sujet n'a jamais été abordé. » Ainsi, Cicogna a perdu son pari, il n'a rien gagné, et mon père a demandé à ma mère : « Tu veux me faire un garçon ? » Et c'est comme ça que je suis né.

— Vous devez une fière chandelle aux Cicogna !

— Humm… bien sûr. Toujours est-il que, comme vous l'imaginez, ma naissance a ruiné les espoirs que mes sœurs nourrissaient envers l'héritage. C'est pourquoi, en 1946, alors que mon père était très malade, des avocats sont venus le voir avec ces bons à rien de petits-fils et lui ont demandé de leur verser quelque chose comme l'équivalent actuel de 20 millions de dollars ! Mon père a répondu : « Pourquoi ? J'ai tout le temps donné de l'argent à mes filles, mais il est hors de question que je commence à puiser dans mon capital. » Alors les avocats ont dit – et ça, c'est incroyable : « Cette fois, vous allez devoir puiser dans votre capital, sinon nous ferons appliquer les lois raciales et votre mariage sera annulé, car votre épouse est née juive, ce qui est interdit comme vous le savez. Et Giovanni ne sera plus reconnu officiellement comme votre fils. »

— Je croyais que les lois raciales avaient été abrogées à la fin de la guerre ?

— Oui, mais pas aussi rapidement en Italie. Les lois raciales n'ont plus été appliquées, mais ce n'est pas pour autant qu'elles ont été rendues caduques. Mon père, qui était d'un naturel calme, a envoyé un ami parler avec le secrétaire d'État du Vatican, qui lui a dit : « Si absurde que cela paraisse, si j'étais le comte Volpi je paierais, parce que l'affaire pourrait être traitée par un juge antisémite qui pourrait se prononcer en sa défaveur. » Mon père savait que, s'il perdait l'affaire, le jugement serait annulé dès l'abolition des lois raciales, et ce n'était qu'une question de temps. Mais d'ici là, le cheval serait comme qui dirait sorti de l'étable, et mon père ne pourrait plus remettre la main sur son argent, même en partie. Alors il a décidé de prendre son temps et a commencé à payer par mensualités. Quand les lois raciales ont été abolies, il avait payé les trois quarts de la somme demandée, et il a aussitôt arrêté. Mes demi-sœurs ont toujours juré qu'elles ne l'avaient pas fait chanter, mais il reste des traces écrites des sommes qu'il leur a versées. Alors elles accusent leur mari d'avoir joué les maîtres chanteurs.

— Où se trouvent vos demi-sœurs aujourd'hui ?

— Elles avaient trente ans de plus que moi. L'une est morte, l'autre vit près de Salute.

— Elle vit aussi mal que vous le manque de respect des Vénitiens envers votre père ?

— Au contraire ! C'est elle qui l'a attaqué la première ! Dans les années soixante et soixante-dix, elle a multiplié les interviews à la télévision américaine pour dire que son père avait eu « la mauvaise idée » de faire construire Marghera. Quand c'est une de ses filles qui le dit, on finit par réellement croire que Giuseppe Volpi était un criminel.

— Vous lui en avez parlé ?

— Je ne lui ai plus adressé la parole depuis 1947.

— Un sacré bail.

— Mais que voulez-vous, c'est tellement injuste ! Venise était la passion de mon père. Il avait les meilleures intentions du monde pour cette ville. Quelqu'un – je ne vous dirai pas qui – a rédigé un magnifique portrait de lui. Je vais vous le lire.

Volpi prit un livre sur une étagère et chercha un passage précis.

— « Le comte Giuseppe Volpi est peut-être le seul Vénitien qui aime véritablement sa ville natale. Pour lui, Venise est la ville universelle. Si le monde devenait une seule immense Venise, le cœur des plus beaux sentiments humains, alors le comte pourrait s'estimer heureux. Sa mélancolie vient de ce qu'il sait ce rêve inaccessible. »

Volpi referma le livre.

— Bien, dis-je. Qui a écrit ce texte ?

— Mussolini.

— Pourrez-vous jamais aimer Venise ?

— J'aime vraiment Venise. C'est aux Vénitiens que j'en veux. Ils sont dévorés par la jalousie et l'envie – ils sont envieux de tout et de tout le monde ! Ce sont des clowns.

— Qu'est-ce qu'il faudrait pour qu'un jour vous oubliiez votre colère ?

Volpi marqua une pause, réfléchit, puis produisit son soupir le plus déchirant.

— Les comptes entre mon père et Venise ne sont pas encore réglés. Si la municipalité donne son nom à une rue ou à une place – et pas une petite rue ou une petite place – alors, et alors seulement, j'aurais peut-être l'impression qu'on lui accorde enfin la reconnaissance qu'il mérite.

5

Le feu couve

Au moment où Mario Moro revivait la nuit de la destruction de La Fenice, agitant les bras pour guider un hélicoptère de pompiers imaginaire, la commission d'experts enquêtant sur le drame rendait son rapport préliminaire au magistrat en chef. Principale conclusion : il ne s'agissait pas d'un incendie criminel.

Il avait en effet été établi que les derniers ouvriers avaient quitté le site à 19 h 30, et que le feu s'était déclenché au moins une heure plus tard. Selon les experts, les incendies criminels supposent le recours à des produits extrêmement inflammables, provoquant des flammes immenses en quelques minutes. À l'inverse, les incendies accidentels ont tendance à couver pendant un certain temps, et apparemment le feu de La Fenice avait couvé pendant au moins deux heures.

Les lourds madriers en bois supportant le sol du vestibule du troisième étage, le *ridotto del loggione*, où le feu s'était vraisemblablement déclaré, avaient entièrement brûlé, signe d'un départ de feu lent et d'une propagation complète. Selon le rapport préliminaire, l'incendie avait débuté lorsque les résines utilisées pour rénover les parquets avaient pris feu à cause d'une étincelle, d'un court-circuit, d'un mégot de cigarette ou d'une surcharge dans un câble électrique. Plus de mille kilos de résine étaient stockés dans le *ridotto*, et certains barils étaient restés ouverts. Les experts remarquaient également que huit personnes se trouvant à proximité de La Fenice, ce soir-là, leur avaient expliqué qu'elles n'avaient senti aucune odeur de brûlé aux environs de 18 heures. Ces témoignages confirmaient la théorie d'un feu couvant.

S'appuyant sur les informations dont ils disposaient, les experts estimaient que le feu avait couvé pendant deux ou trois heures, donc qu'il avait débuté vers 18 heures.

Dans leur rapport initial, ils avaient déjà évoqué les conditions chaotiques du chantier de La Fenice, rendant presque inévitable un incendie accidentel. Le procureur Felice Casson avait dressé une liste de personnes qu'il jugeait responsables de cette situation, puis les avait convoquées au bureau du magistrat en chef et leur avait annoncé qu'elles faisaient l'objet de poursuites pour négligences criminelles. Il était clair que, si l'enquête aboutissait à des inculpations, le procureur demanderait des peines de prison.

Le maire Massimo Cacciari figurait en tête de la liste des accusés potentiels. De par son titre, qui lui conférait automatiquement celui de président de La Fenice, il était responsable de la sécurité dans les bâtiments de l'opéra. Sur la liste se trouvaient également le directeur général de La Fenice, son secrétaire général, son trésorier en chef, son gardien, le responsable du chantier de rénovation et l'ingénieur en chef de Venise.

La plupart des accusés étaient des hommes d'influence, et ils engagèrent aussitôt les avocats aux appuis politiques les plus solides pour les défendre. Pourtant, même si des éléments de l'enquête plaidaient en leur faveur, un obstacle majeur se dressait devant eux : Felice Casson, un procureur d'un courage et d'une opiniâtreté rares.

Âgé de quarante-deux ans, Casson n'avait pourtant pas le physique de son rôle. Cet homme frêle aux cheveux bruns et à la complexion maladive portait des lunettes, et le trait le plus marquant de son visage adolescent était, paradoxalement, un menton fuyant. Né à Chioggia, un petit village de pêcheurs à la pointe sud du Lido, il n'avait aucun désir de revanche sociale, pas plus qu'il n'était dévoré d'ambition. Sa seule excentricité vestimentaire était les maillots de sport sans col, qu'il portait presque tout le temps, y compris sous sa robe noire de magistrat. Il jouait au football avec ses collègues mais sa véritable passion était le basket, en particulier le basket américain. Quand il partait en voyage aux États-Unis, même en voyage d'affaires, il s'arrangeait toujours pour assister au moins à un match de NBA. Il gardait en mémoire une rencontre exceptionnelle entre les Chicago Bulls et les Knicks, durant laquelle Michael Jordan avait mystifié les deux défenseurs chargés de le marquer pendant toute la partie. L'un dans l'autre, Felice Casson faisait partie de ces gens qui peuvent traverser une pièce remplie de monde sans que personne ne le remarque. Avec une présence aussi impalpable, on pourrait le croire capable de traverser les murs. Cependant, une caractéristique physique trahissait un tumulte intérieur, un feu contenu prêt à se propager : lorsqu'il était en colère, son visage virait au rose, puis au rouge, puis à l'écarlate, du sommet de son front à l'encolure de son maillot de sport. Ni son expression ni sa voix ne révélaient la moindre émotion, mais le tropisme de son visage ne pouvait être dissimulé. Casson était même connu pour ça. Lorsqu'il dirigeait un contre-interrogatoire, l'accusé assis face à lui ajustait ses réponses en fonction des rougeurs du procureur.

La réputation de sérieux et de ténacité de Casson remontait au début de sa carrière. En 1982, il avait relancé une enquête jamais résolue sur un attentat à la bombe ayant causé la mort de trois policiers en 1976, près de Trieste. Les policiers, alertés par un appel anonyme leur signalant une voiture suspecte, avaient ouvert le capot du véhicule, déclenchant l'explosion d'une bombe qui les avait tués instantanément. Les soupçons s'étaient portés sur les Brigades rouges et des centaines de sympathisants gauchistes avaient été entendus, mais aucun n'avait été accusé. Dix ans plus tard, Casson, jeune procureur de vingt-huit ans, avait été chargé de rouvrir le dossier et de régler les derniers détails pour classer définitivement l'affaire.

Au lieu de cela, sans tenir compte de fausses informations livrées par la police et les services secrets, Casson avait repris toute l'affaire à son compte. Il s'était d'abord aperçu que la police n'avait jamais mené d'enquête. En remontant la piste des explosifs, il avait ensuite découvert qu'elle menait à un groupe d'activistes d'extrême droite. Rapidement arrêtés, les coupables étaient passés aux aveux, révélant au passage que, dans les trois semaines qui avaient suivi l'attentat, la police, le ministère de l'Intérieur, la police des taxes et des douanes ainsi que les services secrets civil et militaire avaient découvert la vérité – et avaient décidé de l'étouffer pour des raisons politiques. Casson envoya les coupables derrière les barreaux, mais il ne s'arrêta pas là.

À sa demande, il reçut l'autorisation d'accéder aux archives des services d'espionnage italiens. Il y trouva des documents attestant l'existence d'une faction paramilitaire secrète – nom de code Gladio – montée et financée par la CIA en 1956 pour mener une guérilla au cas où l'Union soviétique envahirait l'Italie. Les soldats de Gladio étaient formés dans un camp d'entraînement clandestin basé en Sardaigne, et pas moins de 139 caches d'armes et de matériel militaire étaient implantées dans le nord de l'Italie. Les 622 membres de Gladio étaient formés à la collecte d'informations, au sabotage, aux techniques de communication radio et à l'organisation de réseaux d'évasion.

Si la création d'une milice de résistance « en sommeil » pouvait être légitime dans un contexte de guerre froide, Casson trouva dans les archives Gladio plusieurs références inquiétantes à des opérations de « subversion intérieure ». Il s'aperçut alors que les militaires aux commandes de l'organisation étaient des proches de l'extrême droite et s'étaient servis des infrastructures et du matériel de Gladio pour préparer des attaques terroristes sur le territoire avec l'intention d'impliquer les partis de la gauche italienne.

Poursuivant discrètement ses recherches dans les années quatre-vingts, Casson mit au jour un faisceau de preuves rattachant Gladio à une vague d'attentats à la bombe qui avaient ensanglanté l'Italie depuis 1970 et avaient tous été attribués aux branches les plus radicales de la gauche. Casson découvrit également que Gladio avait pris part à pas moins de trois tentatives avortées pour renverser le gouvernement – en 1964, 1969 et 1973.

Casson rendit publiques les conclusions de son enquête en 1990, lorsqu'il insista pour interroger le Premier ministre

Giulio Andreotti. Il le contraignit à témoigner devant le Parlement et à donner un rapport détaillé des activités de Gladio, dont il avait nié l'existence pendant trente années. Dans la foulée, Casson assigna à comparaître le président Francesco Cossiga et le força à avouer, sous serment, qu'il avait contribué à l'organisation de Gladio lorsqu'il occupait le poste de ministre de la Défense dans les années soixante. Andreotti ordonna peu après le démantèlement de Gladio.

À la suite des révélations de Casson, de nombreux scandales éclatèrent à propos de l'existence d'armées secrètes calquées sur le modèle de Gladio mises en place par la CIA en France, en Espagne, en Belgique, aux Pays-Bas, en Grèce, en Allemagne, en Suisse, en Autriche, au Danemark, en Suède, en Norvège, en Finlande et en Turquie.

Malgré les dangers évidents qu'il courait, Casson n'avait jamais flanché dans sa quête de vérité. Comme il le reconnut plus tard : « C'était un sentiment terrible de penser que j'étais la seule personne à connaître l'existence de Gladio – à l'exception de ses membres, évidemment – et qu'ils pouvaient me tuer à tout moment. »

En comparaison de l'épreuve surhumaine consistant à traquer tout seul une milice clandestine coupable d'attentats meurtriers, la perspective de poursuivre un groupe de distingués fonctionnaires en col blanc pour négligence envers l'opéra de La Fenice aurait dû paraître à Casson aussi paisible qu'une promenade en gondole.

Sachant que toute tentative d'obtenir un accord à l'amiable était vouée à l'échec, les avocats des accusés s'en prirent à la légitimité de la commission d'experts du procureur. Francesco D'Elia, avocat du gardien de La Fenice, se déchaîna particulièrement contre les nominations d'Alfio Pini, chef de la brigade des pompiers, et de Leonardo Corbo, directeur national de la protection civile.

— Le chef des pompiers, nommé parmi les experts ? Il devrait être sur le banc des accusés ! Quand l'incendie s'est déclaré, il était à cinq minutes de La Fenice, mais il a mis une demi-heure à arriver sur les lieux. Qu'est-ce qui l'a retardé à ce point ? Même moi, j'étais là avant lui. Quant à son patron à Rome, Leonardo Corbo, il devrait aussi figurer parmi les accusés, tant la brigade des pompiers a accumulé les mauvaises décisions. Les bonnes procédures ont-elles été suivies? L'équipement des pompiers était-il adapté à la situation? Le chef de la brigade et son patron nous assurent que oui, mais ils ne vont pas dire autre chose! S'ils avaient dit la vérité, ils auraient reconnu leur propre culpabilité. Les pompiers ignoraient que le canal autour de La Fenice avait été drainé et fermé – or, ils auraient dû le savoir. Ils ont été obligés de rebrousser chemin et de chercher un accès par un autre canal, ce qui leur a fait perdre de précieuses minutes. Ils ne disposaient que de vieilles lances en toile, dont trois ont rompu et ont dû être réparées. Leurs vieilles échelles en bois étaient trop courtes pour atteindre les fenêtres. Leurs uniformes n'étaient même pas ignifugés! Ils n'avaient pas de ces grenades lâchant des substances qui absorbent l'oxygène et permettent littéralement d'étouffer un feu. De nos jours, c'est un équipement de base dans la lutte contre les incendies en milieu urbain. Nos pompiers n'avaient pas l'équipement adéquat et la faute en revient à Pini et Corbo, deux prétendus experts…

En réponse à ces attaques, Casson expliqua qu'Alfio Pini faisait partie de la commission pour garantir à ses membres un accès sécurisé à La Fenice et les aider à obtenir tous les éléments nécessaires pour constituer des preuves. Leonardo Corbo pouvait quant à lui se prévaloir d'une expertise avérée en matière d'incendies et de lutte contre le feu, notamment dans le domaine des feux dans les théâtres. S'il réfuta calmement les objections soulevées par D'Elia, Casson ne put empêcher la rougeur proverbiale de son visage d'atteindre une intensité inquiétante.

Casson était le magistrat de garde la nuit de l'incendie de La Fenice. Autrement dit, c'est lui que la police et les pompiers auraient dû prévenir en premier en cas d'urgence. Dans l'excitation du moment, ils avaient pourtant oublié. Casson vivant avec une femme journaliste de télévision exerçant pour la RAI, c'est elle qui fut avertie lorsque le téléphone sonna dans leur maison de Cannaregio. Ils montèrent sur leur *altana* et virent les flammes. Cinq minutes plus tard, Casson grimpait dans une vedette de la police en route pour La Fenice. Une fois sur place, il assista à une violente dispute territoriale entre la police municipale et la police nationale, les *carabinieri*. Chacune prétendait être arrivée la première sur les lieux du sinistre. Un officier municipal expliquait à un officier des *carabinieri* :

— De toute façon, notre juridiction couvre toute la ville, et pas vous.

— Peut-être, mais nous sommes mieux équipés que vous pour mener ce genre d'enquête.

Le premier acte officiel de Casson, cette nuit-là, fut d'annoncer aux deux hommes que le seul responsable était le procureur public et que c'était donc lui, Casson, qui se chargeait de répartir les tâches de chacun.

Peu avant minuit, Casson se rendit à la Questura, le QG de la police, et donna l'ordre écrit de fermer par scellés le site de l'opéra. Quiconque pénétrait dans cette zone sans y être autorisé encourrait des poursuites judiciaires. Casson prenait cette mesure pour préserver l'intégrité des éventuels indices, ce qui revenait à fermer La Fenice pour plusieurs mois si cela se révélait nécessaire. Il refusait de laisser des équipes désordonnées déplacer le moindre débris tant que les enquêteurs n'avaient pas terminé leur travail. Il interdit même au superviseur, qui se démenait pour organiser un concert de charité au profit de La Fenice, d'aller chercher dans son bureau, situé dans la partie la moins endommagée de l'opéra, les dossiers des principaux membres donateurs.

Casson donna aux membres de sa commission soixante jours pour boucler l'analyse technique des différentes preuves et rendre leur rapport final. Il voulait leurs réponses à onze questions : heure et emplacement où le feu s'est déclaré ; l'incendie est-il d'origine criminelle ou dû à une négligence ; moment du *flashover* ou « saut de feu », quand le feu s'est propagé aux autres parties du bâtiment ; état de l'opéra avant l'incendie ; importance des systèmes anti-incendie à l'intérieur et à l'extérieur de La Fenice ; état des canaux autour du bâtiment ; état des détecteurs de fumée et de chaleur avant l'incendie ; nature des substances stockées sur place au moment de l'incendie ; analyse des cendres du *ridotto* ; description des installations électriques de l'opéra ;

enfin, estimation des dégâts et noms des personnes responsables de tout dysfonctionnement dangereux.

On s'attendait à ce que les ultimes conclusions de la commission confirment leurs découvertes préliminaires qui, comme l'écrivit le *Gazzettino*, excluaient l'hypothèse de l'incendie criminel « avec une certitude quasi mathématique ».

Leonardo Corbo avait été nommé président de la commission. Il déclara que lui et ses collègues analyseraient les décombres avec une précision de médecin légiste, comme si La Fenice était un cadavre étendu sur une table d'autopsie.

— Tous les incendies ont leur ADN, leur boîte noire. Le feu laisse des traces indélébiles. Certaines sont évidentes et peuvent être repérées à l'œil nu. D'autres nécessitent le recours à des technologies et à des outils sophistiqués dont, par chance, nous disposons.

* * *

Deux semaines après l'incendie, des courtisanes et des Casanova en perruque poudrée firent leur apparition dans les rues de Venise, les premières portant des corsages échancrés et des bas de soie, les seconds des hauts-de-chausses. Dès les premières heures du matin au cœur de la nuit, des gens masqués, vêtus de capes, tuniques, redingotes, souliers à boucles, et arborant toutes sortes de chapeaux fantaisistes, se répandirent dans les rues pour fêter carnaval. Au pied du pont de l'Accademia, un mime vêtu et maquillé entièrement en argent se tenait immobile, telle une statue monochrome. Des badauds s'étaient réunis en cercle autour de lui, guettant le moindre clignement d'œil ou le moindre tremblement pour s'assurer qu'ils regardaient bien une personne vivante. Un autre mime, celui-ci doré, prenait des poses sur la place Saint-Marc ; un troisième, en blanc, resta immobile pendant une demi-heure sur le Campo San Bartolomeo, près du Rialto.

Cette fête multicolore et tourbillonnante reprenait depuis peu la tradition multiséculaire de la fête vénitienne, à laquelle Napoléon avait mis un terme lorsqu'il avait vaincu la République de Venise. À l'époque, le carnaval était synonyme de décadence : ces deux semaines de fête s'étaient peu à peu transformées en six mois de soirées, bals, spectacles, jeux et promenades incognito, derrière des masques, dans les rues de la ville. La tradition avait été réactivée à la fin des années soixante-dix, en partie grâce au film surréaliste et exotique de Fellini, *Casanova* (1976). Cette réincarnation du carnaval débuta à petite échelle, sur l'île de Burano et dans les quartiers ouvriers : alors, les places accueillaient des soirées costumées et des pièces de théâtre. Rapidement, les festivités avaient gagné la ville entière, et les touristes n'avaient pas tardé à y prendre part, entraînant avec eux toute une industrie dont le signe le plus notable était les boutiques de masques qui se mirent à proliférer. À chaque coin de rue, une explosion de couleurs et de joie illuminait les rues si sombres tout au long de l'année. Les masques devinrent bientôt l'icône préférée des touristes. Mais, chaque fois qu'une nouvelle boutique de masques ouvrait, les Vénitiens constataient, désespérés, que le nombre d'épiceries, de boulangeries et de boucheries diminuait. Il fallait à présent marcher deux fois plus longtemps pour acheter des tomates ou un pain de mie. Les boutiques de masques devinrent le symbole haï de la capitulation de Venise qui, cédant aux sirènes du tourisme, devenait chaque jour de moins en moins vivable.

Une boutique de masques échappait toutefois à l'opprobre général : Mondonovo, l'atelier de Guerrino Lovato. Ce sculpteur et décorateur de théâtre avait joué un rôle déterminant dans la résurrection du carnaval, à l'époque où seuls les Vénitiens y participaient. Lovato avait commencé à fabriquer des masques dans son atelier de sculpteur, presque comme une activité d'utilité publique. Les masques étaient alors une nouveauté très appréciée, et l'atelier de Lovato devint la première boutique dans tout Venise à en proposer.

Mondonovo se trouve à quelques mètres de l'autre côté du Ponte dei Pugni, le « pont des poings ». L'entrée de la boutique est remplie d'objets sculptés s'entassant sur des étagères, suspendus aux murs, debout ou posés en tas par terre. Les clients ont à peine la place de bouger. Outre les masques, le signor Lovato et ses assistants fabriquent des figurines, des bustes, des chérubins, des écussons et toutes sortes de pièces d'architecture ornementale du style baroque-rococo. Mais les masques prédominent.

Le signor Lovato est un homme musclé avec une épaisse barbe noire qui commence à grisonner. Le jour où je l'ai rencontré, il portait un épais pull gris et un bonnet tricoté. Pendant qu'un de ses apprentis, assis à son établi, appliquait une dorure à un masque de papier mâché, le signor Lovato me montra les masques de carnaval traditionnels. Les plus anciens repreraient les personnages de la *commedia dell'arte* : Polichinelle, Pierrot, Arlequin, le Docteur et Brighella. Le masque de chaque personnage était caractérisé par un trait immédiatement reconnaissable : un nez crochu, un long nez, une verrue sur le front.

— Au xviiie siècle, les gens portaient presque tout le temps un masque en public, et pour une seule raison : l'anonymat. Par conséquent, les masques les plus populaires étaient tout simples, recouvrant tout le visage et ne représentant aucun personnage. Eux aussi sont devenus des classiques.

Lovato m'en montra deux : le *morello*, tout noir et réservé aux femmes, le *bauta*, tout blanc et dévolu aux hommes, avec un long nez protubérant et une mâchoire descendant jusqu'au menton. Le *bauta* était généralement porté avec un tricorne.

Malgré son absence totale d'expression, le *bauta*, par sa pâleur fantomatique et ses traits anguleux, donnait un air malveillant. Pour le bal costumé auquel m'avaient convié les Lauritzen, j'arrêtai donc mon choix sur un masque plus consensuel : un Lone Ranger dans les tons violet foncé.

Au moment de payer, je jetai un coup d'œil dans l'atelier du signor Lovato. Je remarquai de grands livres de photographie ouverts sur des vues de La Fenice – les rangées dorées des balcons, des gros plans de sculptures et de motifs décoratifs.

— Je vois que vous étudiez La Fenice, dis-je.

— Quel désastre !

— Vous pensez qu'on va faire appel à vous pour la reconstruction ?

— Qui sait? Nous ne sommes plus très nombreux dans ce métier.

Il me fit signe d'entrer dans son atelier.

— Les sculptures présentent un nombre incroyable de détails qu'il faudra refaire. Hélas, le feu a tout détruit et les dessins originaux ont disparu. Les seuls documents à notre disposition sont les vieilles gravures et les photographies. Mais ils ne sont qu'en deux dimensions. Mille clichés d'un même sujet paraîtront tous différents en fonction de la lumière, de l'objectif, de l'angle ou de la reproduction des couleurs.

Il prit l'un des livres, ouvert sur la photo d'une sirène d'un blanc crème jaillissant d'un tourbillon de vagues et de fioritures dorées à la feuille.

— Il y avait vingt-deux magnifiques nymphes tout autour du plafond, aux trois quarts grandeur nature. Si une seule avait survécu, même partiellement, j'aurais pu avoir la réponse à des tas de questions, mais elles ont toutes été détruites.

Il me montra la photo d'un chérubin.

— Les *putti*... Dans la loge royale, il y en avait quatre qui jouaient des instruments à vent. Tout l'opéra était décoré de centaines d'autres créatures, parfois à demi cachées dans des motifs végétaux dorés à la feuille. Il faudrait mener un véritable travail de détective pour toutes les retrouver, et beaucoup de patience pour les copier. À supposer, bien sûr, que La Fenice soit reconstruite un jour.

— Pourquoi ne le serait-elle pas?

— Tout le monde veut qu'elle soit reconstruite, mais nous sommes en Italie, vous savez. L'opéra de Gênes, bombardé pendant la Seconde Guerre mondiale, n'a rouvert ses portes que quarante-huit ans plus tard, en 1992. Le Teatro Regio de Turin a brûlé en 1937 et a été reconstruit au bout de trente-sept ans...

— Mais La Fenice n'est-elle pas un symbole plus important pour Venise que ces opéras pour Gênes et Turin?

— Si, à cause de son rôle dans l'histoire de l'opéra. Ne serait-ce que dans son plan, qui est encore plus symbolique de Venise que ce que l'on imagine. Attendez, je vais vous montrer...

Il feuilleta un autre livre jusqu'à trouver le schéma qu'il cherchait.

— Le public passe ici, par l'entrée de l'aile Apolinee, de style néoclassique. Apollon est le dieu du Soleil, de l'Ordre et de la Raison. Les pièces de cette aile sont géométriques et symétriques, et ses décorations abondantes mais sobres. Puis, en quittant les salles Apolinee pour entrer dans la salle de concert proprement dite, le public se retrouve au milieu d'une clairière, dans la forêt, à la décoration fastueuse : fleurs, pampres, visages, masques, satyres, nymphes, chérubins, griffons et autres créatures mythiques. Nous sommes dans le royaume exubérant de Dionysos et de Bacchus, les dieux antiques du Vin et de la Fête. La dichotomie entre ces deux cultes – la sobriété apollinienne et la débauche dionysiaque – est fondamentale dans le théâtre italien, et tout spécialement à Venise. Vous connaissez la différence entre la musique apollinienne et la musique dionysiaque ? La première est la musique de la ville, et elle inclut l'opéra. Sa forme est codifiée selon des principes structurels stricts. La seconde est la musique de la campagne : improvisée, spontanée, sans forme ni structure. De nos jours, on l'appellerait la musique pop. Son seul objectif, c'est le plaisir pur. C'est la musique de l'oubli, de l'alcool, du vin et de l'ivresse... bref, la musique de Dionysos et Bacchus ! L'architecte Giovanni Battista Meduna avait compris que, pour les Italiens, l'opéra ne se résume pas à ce qui se passe sur scène. La sortie à l'opéra est un rituel qui procède par étapes : il y a tout d'abord l'anticipation de la soirée, puis le choix d'une tenue, l'acte de se rendre à l'opéra, enfin l'entrée dans la salle où le grand événement va avoir lieu... Comme pour tout rituel, qu'il se déroule dans un temple, une arène ou une salle de théâtre, le décor joue un rôle capital dans cette expérience. Meduna a imaginé pour le décor de la salle un véritable crescendo ornemental. L'idée était la suivante : depuis l'orchestre, votre œil était guidé le long du feuillage du jardin magique jusqu'à la splendeur du ciel, figurée par les multiples nuances de bleu du plafond et le chandelier central, qui renvoie à Apollon, le dieu du Soleil. Toutes les autres créatures dans l'auditorium appartiennent au culte de

Dionysos et de Bacchus, sous le signe de l'esprit forestier d'Arcadie, car c'est bien l'Arcadie que la salle est censée représenter. Il y avait même un satyre au-dessus de la scène! La salle était comme une clairière paisible dans la forêt, un gigantesque belvédère à ciel ouvert. Immergé dans la nature, le public était détendu, prêt à assister au spectacle, attendant la musique d'Apollon – l'opéra – pour voir et apprendre. Telle est l'image de La Fenice, et c'est ainsi que cet édifice devrait être décrypté.

— Je suppose que vous êtes opposé à l'idée de construire un intérieur moderne dans la coquille ancienne de La Fenice?

— Oui, naturellement, mais pas pour des raisons esthétiques. Je veux avant tout préserver l'expérience dionysiaque voulue par Meduna. Les lumières dans la salle n'étaient jamais complètement éteintes, même pendant la représentation. Elles produisaient une faible lueur afin que les spectateurs puissent toujours voir les images qui les entouraient. Elles leur tenaient compagnie. Si vous alliez seul à l'opéra, elles vous tenaient compagnie. C'est ce genre de rapport que le théâtre moderne a complètement oublié d'entretenir avec le public. De nos jours, toute l'attention est portée vers ce qui se passe sur scène. Le spectacle est sacré. Tout le monde doit être silencieux et regarder. Les théâtres modernes sont des lieux stériles, avec de formidables qualités d'acoustique et de visibilité, mais sans aucune décoration. Vous n'avez plus rien pour vous tenir compagnie. La nouvelle Fenice devrait être équipée de l'air conditionné et d'appareils de haute technologie en coulisses, mais la salle dionysiaque doit à tout prix être maintenue!

— Parce que Venise est une ville dionysiaque?

Lovato éclata de rire.

— Regardez autour de vous! Regardez cette boutique. Regardez les passants dans la rue. Le carnaval célèbre la magie, le mystère et la décadence de Venise. Qui voudrait tirer un trait sur *ça*?

L'accalmie touchait à sa fin pour Venise. Le carnaval avait commencé. Les rues étroites où, depuis plusieurs semaines, on pouvait circuler facilement étaient désormais prises dans une masse compacte de touristes arborant des masques et d'extravagants chapeaux à clochettes. Les Vénitiens n'avaient plus Venise pour eux tout seuls, mais ils pouvaient se réjouir de voir renaître l'esprit de la fête et de la futilité. Le bal masqué traversait tous les quartiers, envahissait les boutiques, les musées, les restaurants, flottait sur les canaux à bord des gondoles, des bateaux-taxis et des vaporetti. Même les papilles gustatives participaient aux réjouissances avec la réapparition de la pâtisserie typique de carnaval : les *frittelle*, petits beignets sucrés piquetés de raisins et de pignons de pin, et éventuellement fourrés au *zabaglione*, une crème à la vanille.

Au milieu de cette vision délirante du XVIIIᵉ siècle, Venise glissa un personnage inattendu, accompagné du maire Cacciari ainsi que d'une escouade de journalistes et de photographes. Woody Allen était venu rendre hommage à cette ville qu'il aimait et où lui et sa formation de jazz auraient dû donner un concert, deux jours plus tard, à l'occasion de la réouverture de La Fenice rénovée. Woody Allen annonça que le concert était maintenu, mais qu'il se déroulerait au Teatro Goldoni, au bénéfice de La Fenice. Le maire Cacciari emmena le cinéaste sur les ruines de l'opéra. Woody Allen contempla le spectacle de cette enceinte de brique en forme de fer à cheval, désormais vide. Des gradins dorés ne restaient plus que cinq rangées de trous dans les murs, là où les poutres supportaient les balcons.

— C'est terrible, dit le cinéaste. Terrifiant. Une dévastation absolue. C'est presque irréel.

Cette sensation d'irréalité s'accrut lorsque le cortège sortit des ruines pour se retrouver emporté dans le tourbillon carnavalesque de la foule costumée. Mais nul n'imaginait que le paroxysme de l'irréalité n'était pas encore atteint. Ce fut bientôt le cas, lorsque Felice Casson lança un mandat contre Woody Allen, accusé de violation d'un site protégé.

6

L'homme aux rats de Trévise

Deux rangées de hautes fenêtres gothiques vibraient à la lueur des bougies tandis que les Lauritzen et moi-même approchions du ponton du Palazzo Pisani-Moretta. Le bal masqué avait déjà commencé. Des hommes et des femmes déguisés se tenaient sur les balcons au-dessus de nos têtes, admirant le Grand Canal et les faibles lumières reflétées sur l'eau noire de nuit.

— La façade gothique date du xve siècle, annonça Peter. Notez la finesse des motifs de trèfle à quatre feuilles au-dessus des fenêtres du premier *piano nobile*. Ils sont directement inspirés, comme vous l'aurez sans doute deviné, du palais des Doges.

Peter portait un masque noir et une longue cape de la même couleur.

— Violation de site protégé ! s'exclama Rose. Vous vous rendez compte ? Woody Allen a dû se sentir mortifié... Mais Casson a eu raison d'agir ainsi, vous savez, s'il veut vraiment découvrir ce qui s'est passé à La Fenice.

Rose avait coiffé ses cheveux tout en hauteur, et un collier de perles les traversait de part en part. Elle portait un masque en satin noir incrusté de pierres et une robe fourreau en mousseline noire.

— C'est l'un de nos derniers procureurs honnêtes et incorruptibles. Un vrai chevalier blanc ! Je prie juste pour qu'il ne s'autodétruise pas brusquement, comme les autres...

— Puis, au xviiie siècle, reprit Peter, Chiara Pisani-Moretta, une femme au caractère inflexible, redécora le palais à grands frais tout en faisant le siège des tribunaux afin que son frère soit déclaré *fils illégitime* et qu'elle puisse dépenser *sa* part du patrimoine familial dans la rénovation du palais.

Rose leva l'ourlet de sa robe en prévision de notre débarquement.

— En même temps, c'est vrai, on a de la peine pour Woody Allen. D'abord son concert de jazz réduit en cendres à La Fenice ; ensuite on l'arrête alors que sa visite est un geste de sympathie...

Soudain, l'attention de Rose se porta sur un homme au masque vert qui venait de sortir de l'un des bateaux-taxis qui nous précédaient.

— Oh, Peter, regarde ! C'est Francesco Smeraldi !

Se tournant vers moi, elle précisa :

— C'est un poète que personne n'a jamais lu car, dès qu'il termine un poème, il l'enferme dans un coffre à la banque. Il donnait des cours d'écriture et de poésie à des enfants jusqu'à ce qu'on découvre qu'il...

— Non, non, Rose, pas du tout, la coupa Peter. Ce n'est pas Francesco Smeraldi, c'est...

— Bah, de toute façon comment savoir, avec ce masque ! Tout ce que je vois, c'est sa bouche et son menton... Bref, je disais que Francesco Smeraldi est tombé en disgrâce le jour où on découvrit qu'il avait emmené des enfants dans les toilettes pour lire les graffitis !

Arrivés à la porte d'eau, nous montâmes sur le tapis du ponton encadré par deux torches et pénétrâmes dans un hall caverneux éclairé de lanternes argentées suspendues à des poutres sombres. Tout au bout de la salle, un escalier monumental menait au premier *piano nobile* et à son vaste salon aux plafonds richement décorés de fresques rococo. La pièce était éclairée par neuf gigantesques lustres en cristal et six appliques, tous embrasés d'un nombre impressionnant de bougies blanches. Ce soir, chaque pièce du palais était exclusivement éclairée à la bougie.

Les invités se comptaient par centaines. Le vacarme de leurs voix montait dans les aigus, traduisant l'excitation de gens savourant le plaisir d'être enfin, grâce aux masques et aux déguisements, débarrassés de toute rigidité formelle, même si la plupart des convives étaient reconnaissables. On s'embrassait sur les deux joues, des bribes de conversations surgissaient dans le brouhaha – «... partis skier à Cortina... », «... venu tout droit de Rome... », «... *bellissimo !* » – et, d'un bout à l'autre du salon, les amis se saluaient d'un geste de la main.

Nous nous tenions au milieu de la pièce, servis par des domestiques slalomant avec des plateaux couverts de verres de vin et de Bellini. Les Bellini étaient authentiques : ce soir, le traiteur était le Harry's Bar, l'établissement qui avait inventé ce cocktail à base de *prosecco* et de jus de pêches blanches fraîches.

— Ce palazzo est resté inoccupé pendant des décennies, continuait de commenter Peter. Il n'avait pas de chauffage central, pas de plomberie, pas d'éclairage au gaz ou d'électricité avant 1974, date de sa magnifique restauration. Le plus remarquable dans ce palais, c'est que la décoration est non seulement d'origine mais aussi intacte – fresques, manteaux de cheminée, ornements en stuc. Nettoyer le sol a pris trois mois, et ce qui a surgi de la saleté était l'exemple splendide d'un granito du XVIIIe siècle en parfait état. Comme je dis toujours : rien ne préserve comme le manque d'entretien !

— Alvise ! appela Rose en apercevant un homme courtaud, au visage rubicond et au crâne dégarni qui avançait dans notre direction d'un pas majestueux.

Il prit la main de Rose et s'inclina, puis serra la main de Peter.

— Eh bien, vous devez à tout prix connaître Alvise Loredan, commença Peter. Le comte Loredan incarne la quintessence du Vénitien. Il appartient à l'une des plus anciennes familles patriciennes de la ville.

Alvise Loredan me fixa d'un regard scrutateur. Il avait ce nez recourbé qu'on dit aristocratique, des bajoues, une couronne de cheveux et une mâchoire solide. J'imaginais très bien son profil orner une pièce de monnaie.

— Nous avons eu trois doges dans la famille. Trois ! dit-il en anglais en me montrant trois doigts.

— En effet, renchérit Peter. Et Alvise est trop modeste pour vous en parler mais l'un des doges Loredan était

Leonardo Loredan, ce doge du XVIᵉ siècle dont Giovanni Bellini a peint ce qui est incontestablement le plus magnifique portrait d'un Vénitien jamais réalisé. Par malheur, il est visible à la National Gallery de Londres et non à Venise…

Loredan acquiesça.

— Ma famille était déjà à Venise au Xᵉ siècle ! Les Loredan ont gagné toutes les guerres auxquelles ils ont participé, c'est-à-dire… toutes. Ceci est très important ! Si les Loredan n'avaient pas battu les Turcs, d'abord en 1400, puis en Albanie, les Turcs auraient traversé l'Adriatique, occupé le Vatican et aboli le christianisme !

Le comte Loredan parlait à présent tantôt en anglais, tantôt en italien.

— Dans les archives d'État, on trouve des lettres échangées entre les papes et les doges Loredan. Ils se parlaient en utilisant la forme familière du « tu » ! Ils étaient sur un même plan, c'étaient des princes. J'ai des copies de ces lettres. Je peux vous les montrer. J'ai une copie d'une lettre de Henry VIII adressée à Leonardo Loredan. Le roi l'appelle « notre très cher ami ». Tout est là. Ceci est très important !

— Quant aux palais des Loredan… intervint Peter.

— Il y en a plusieurs à Venise, poursuivit fièrement le comte. Le Palazzo Loredan, sur le Campo San Stefano, où Napoléon a installé l'Institut des sciences, des lettres et des arts de Venise. Le Palazzo Corner-Loredan, qui fait partie de la mairie de Venise. Le Palazzo Loredan degli Ambasciatori, que le Saint Empire romain a loué pendant plusieurs années à ma famille pour y établir son ambassade dans la République de Venise. Le Palazzo Loredan-Cini, sur le Campo San Vio, résidence de Don Carlos, le prétendant au trône d'Espagne. Et… ai-je mentionné le Palazzo Loredan, sur le Campo San Stefano ? Oui, celui-là je l'ai déjà dit… Napoléon… l'Institut… très important. Le plus célèbre est le Palazzo Loredan-Vendramin-Calergi, où Richard Wagner a composé *Parsifal* et où il est mort. Aujourd'hui, c'est le casino municipal.

— Et c'est un chef-d'œuvre d'architecture Renaissance, précisa Peter. Vous pouvez le visiter, et en profiter pour tenter votre chance. Mais nous n'avons pas le droit de vous y accompagner. Un très vieux texte de loi toujours en vigueur interdit aux habitants de Venise d'entrer dans le casino. Mais nous pouvons passer devant en vaporetto et voir la devise de la famille Loredan gravée dans sa façade, côté canal : *NON NOBIS DOMINE NON NOBIS*, « Ô Seigneur ne chante pas nos louanges ! » C'est une déclaration d'humilité de la part d'une famille extrêmement puissante.

— L'emblème des Loredan se retrouve très souvent dans Venise, reprit le comte. On le voit au Rialto, il est même gravé dans la façade de la basilique Saint-Marc. Ceci est très important ! La basilique est le plus prestigieux de tous les emplacements. Mais la corrosion provoquée par les excréments des pigeons a effacé notre emblème ! C'est un paradoxe. Ces misérables pigeons sont les héros symboliques de la démocratie ! Les chevaliers héroïques de la croisade menée par la démocratie pour détruire tous les vestiges de la grandeur et de la noblesse de notre histoire !

Loredan leva un index.

— J'ai écrit un livre qui traite de la démocratie. Je l'ai intitulé : *La Démocratie : une escroquerie ?* La démocratie me dégoûte. Elle me donne envie de vomir !

Il parlait avec fermeté mais sans jamais cesser d'être affable. Échauffé par le sujet, il abandonna définitivement l'anglais et ne parla plus qu'italien.

— Vous savez sur quoi la démocratie est fondée ? Les nombres ! Mais, comme chacun sait, lorsque la quantité augmente, la qualité décroît. Les démocraties sont un ferment de dégradation, car la qualité ne fait qu'empirer. C'est pour cette raison que les chefs des démocraties sont stupides et élus au hasard. Il serait bien plus profitable pour tous de remettre le pouvoir entre les mains d'une élite aristocratique – des hommes qui ont hérité de leurs nobles ancêtres le sens de la justice et du gouvernement. C'est la vérité. De tout temps, les meilleurs gouvernements ont pris la forme de monarchies où régnait l'élite de l'aristocratie. C'est une vérité historique, génétique et biologique !

— Je suppose, dis-je, que vous faites référence à un gouvernement d'élite tel que l'ancienne République de Venise.

— *Ecco !* Exactement. Le règne des patriarches. Il en reste très peu de nos jours. La famille Barbarigo a disparu.

Les Mocenigo également. Les Pisani, qui ont fait édifier ce palais, se sont éteints eux aussi. Et il en va de même pour les Gritti, les Dandolo, les Falier, les Sagredo et les Contarini... Huit des cent vingt doges étaient des Contarini.

— Quelles sont les familles de doges encore en vie ?

— Les Granedigo sont toujours là... Une vieille famille, mais pas très importante. Et, voyons voir... les Vernier. Et les Marcello. Vous devriez être intéressé par mon livre *Noblesse et Gouvernement*. En ce moment, j'en écris un autre où je tente de prouver l'existence de la réalité ! Il fait déjà deux mille pages...

Un livre écrit par un Vénitien à propos de la réalité, voilà qui ouvrait des perspectives intéressantes. Loredan semblait sur le point de se lancer dans une explication mais son épouse le tira par la manche.

— Eh bien... une autre fois, alors, me dit-il. Mais je vous ferai parvenir un exemplaire de mon livre expliquant pourquoi la démocratie est une escroquerie.

Il s'éloigna de son pas glissant et, pendant que sa femme nous adressait des sourires confus, il leva la main comme pour nous dire au revoir... Mais c'était pour nous montrer à nouveau trois doigts.

— Trois ! s'exclama-t-il. Trois doges !

Nous avançâmes vers les hautes fenêtres donnant sur le Grand Canal. Rose nous indiqua un couple regardant dans notre direction. L'homme, assez replet, avait une furieuse tignasse de fins cheveux roux et un large sourire édenté. La femme, plus jeune, avait les cheveux foncés et une silhouette svelte.

— Alistair et Romilly McAlpine, déclara Rose. Alistair est un intime de Margaret Thatcher. C'était le trésorier du parti conservateur quand elle était Premier ministre. Aujourd'hui, il se passionne pour les collections. Il collectionne des choses sérieuses – des tableaux de Pollock et de Rothko – et d'autres plus futiles : des cannes de berger, des poupées de chiffon et des matraques de policier depuis le temps, il doit avoir quelque chose comme neuf cents matraques. Quant à Romilly, c'est une femme qui a un goût exquis et un dressing rempli de robes Vivienne Westwood. Venise n'est pas exactement le lieu de résidence des McAlpine ; plutôt leur cachette. Depuis que leur maison à Londres a été plastiquée par l'IRA, ils se sont enfuis... Romilly ! Alistair !

Les McAlpine saluèrent gaiement les Lauritzen et se dirent ravis de faire ma connaissance.

— Comment vont les collections ? demanda Peter.

— J'ai tout vendu ! claironna lord McAlpine.

— Ça a dû être un déchirement, non ?

— Pas du tout. J'ai l'âme d'un nomade et je n'accorde pas beaucoup d'importance aux possessions matérielles. Je suis avide dans leur quête mais m'en débarrasse le cœur léger. C'est vrai, je suis un peu nostalgique de la collection d'outils de jardinage, notamment la tondeuse à gazon hippomobile avec ses housses de sabots en cuir, pour que le cheval n'abîme pas la pelouse. J'ai tout mis aux enchères !

— Pourquoi tout ? demanda Peter.

— Pour m'épargner la corvée de faire un choix !

— Mais vous n'avez tout de même pas renoncé au fait de collectionner ? demanda Rose.

— Non, non. J'essaie toujours d'innover. En ce moment, je m'intéresse aux cravates. J'en ai déjà trouvé quelques-unes...

— Oh, Alistair, pourquoi tu ne leur dis pas ? demanda sa femme. Il en a déjà presque quatre mille...

Les McAlpine me fascinaient, pourtant je ne pouvais pas m'empêcher d'entendre, en contrepoint de leur babillage, les explosions de bombes et les hurlements de sirènes. Leurs masques – style Arlequin pour Alistair, chargé de paillettes roses pour Romilly – ajoutaient une touche ironique au fait que Venise était l'endroit où le couple s'était réfugié pour fuir l'IRA. Dès qu'ils furent partis, je demandai à Rose ce qu'elle entendait par « cachette ».

— Après l'attentat de l'IRA contre leur maison londonienne, ils ont décidé de partir vivre en Australie, mais la police criminelle de Londres leur a dit : « Ne soyez pas stupides. L'Australie est la planque des pires assassins de l'IRA ! » Alors, ils ont demandé quel serait l'endroit le plus sûr pour eux, et curieusement la police leur a conseillé Venise. Et c'est vrai : à Venise, on se fait facilement escroquer ou détrousser par un pickpocket, mais il n'y a pour ainsi dire aucun risque de se faire kidnapper ou assassiner.

— Qu'est-ce qui peut empêcher un tueur de vous abattre ? Ou de faire exploser votre maison ? demandai-je.

— Rien. Ce serait même très facile. Mais s'enfuir, *ensuite*, serait autrement plus difficile. En quelques minutes, la police peut bloquer toutes les issues. Elle peut fermer le pont vers le continent, prévenir tous les bateaux-taxis. Et ce serait tout simplement une folie d'essayer de s'enfuir soi-même par bateau : la lagune a l'air paisible, comme ça, mais elle est pleine de pièges. Il faudrait connaître par cœur les courants, les canaux, l'emplacement des bancs de sable, les marées, les limitations de vitesse, la signification des balises et des fanaux... De toute façon, le bateau serait vite repéré par les marins de la lagune : ils connaissent tous les bateaux qui circulent dans les parages. Quelqu'un qui essayerait de vous kidnapper devrait vous tirer hors de chez vous, de la *calle* ou d'ailleurs, et vous jeter dans un bateau sans être vu. Impossible, puisque à Venise il y a des yeux partout. En outre, sauf si votre kidnappeur est un marin vénitien expérimenté, il devrait faire appel à un complice, ce qui compliquerait encore plus son plan... Bref, personne ne se donne tant de mal. Vous savez, le taux de meurtres à Venise est pratiquement nul. C'est pour ça que les Italiens fortunés ont acheté ici quand les Brigades rouges étaient en activité dans les années quatre-vingt.

— Rose lit trop de romans policiers, ironisa Peter.

À cet instant, le comte Girolamo Marcello passa devant nous, en pleine discussion avec un autre homme.

— Un désastre ! disait-il avec un étrange sourire. Mais, en même temps, tout n'est pas sombre : avant l'incendie de La Fenice, je captais très mal les chaînes de télévision. À présent, je les reçois toutes parfaitement !

L'autre raison de la bonne humeur de Marcello était qu'il venait d'obtenir l'autorisation de faire enterrer son ami le poète russe Joseph Brodsky dans l'île-cimetière de San Michele.

En une demi-heure de temps, la foule des convives se déplaça vers les escaliers et le second *piano nobile*, où des serveurs en livrée les attendaient derrière deux longues tables chargées de victuailles : fines tranches de *prosciutto* et de bœuf séché, risotto aux légumes et aux crevettes, *zucchini* braisés, foie de veau aux oignons, seiche à la polenta, *bacalà mantecato* crémeux et autres spécialités de la gastronomie vénitienne.

Nous prîmes place autour d'une grande table ronde pour dix personnes. Les Lauritzen étaient assis juste en face de moi ; à ma gauche, un homme et une femme parlaient de La Fenice.

— C'est le seul opéra au monde qui gardait les partitions originales, signées par les compositeurs, des œuvres qu'il leur avait commandées. Il y en avait des centaines : *La Traviata, Rigoletto, Tancredi...* De nos jours, ces partitions manuscrites valent des millions – si elles existent encore.

— À votre avis ? demanda la femme. Elles sont réduites en cendres ?

— Personne n'en a parlé pour le moment, alors je crains le pire.

Mon voisin de droite arborait une chevelure rousse trop compacte pour ne pas être une perruque. Il se dégageait de lui une impression de confiance à toute épreuve. Il se présenta sous le nom de Massimo Donadon.

— Je suis chef cuisinier, dit-il à mon attention ainsi qu'à celle de la femme assise à côté de lui.

— Vraiment ? dit-elle. Avez-vous une spécialité particulière ?

— Absolument. La mort-aux-rats.

La femme eut un mouvement de recul.

— Vous plaisantez.

— Non, c'est la vérité. Je fabrique la mort-aux-rats la plus vendue dans le monde : la Bocaraton, « la gueule du rat » ou « la gueule de la souris », comme cette ville en Floride. Je n'ai jamais compris comment des gens pouvaient avoir envie de vivre dans une ville avec un nom pareil. Mais, pour ma spécialité, c'est le nom idéal, et je la vends partout : à Dubaï, New York, Paris, Tokyo, Boston, en Amérique du Sud, partout où il y a des rats. Je couvre à moi seul 30 % du marché international de la mort-aux-rats.

— Quel est votre secret ? lui demandai-je.

— Mes adversaires abordent la mort-aux-rats sous le mauvais angle. Ils étudient les rats. Moi, j'étudie les gens.

Le signor Donadon pointa sa fourchette vers mon assiette.

— Les rats mangent ce que les humains mangent.

Je baissai les yeux sur mon *fegato alla veneziana* et vis soudain mon repas sous un jour nouveau.

— Les rats de Venise aimeraient beaucoup ce que vous êtes en train de manger, poursuivit-il, parce qu'ils ont l'habitude de ce genre de nourriture. Les rats allemands, eux, n'en auraient que faire. Ils préfèrent la nourriture de leur pays : wurstel, escalopes viennoises... C'est pourquoi ma mort-aux-rats allemande contient 45 % de graisse de porc. Ma mort-aux-rats française contient du beurre. En Amérique, j'ajoute de la vanille, du muesli, du pop-corn et très peu de margarine car les Américains mangent très peu de beurre. Ma mort-aux-rats new-yorkaise contient des huiles végétales et des huiles essentielles parfumées à l'orange pour rappeler aux rats les hamburgers et le jus d'orange. Pour Bombay, j'ajoute du curry. Pour le Chili, de la farine de poisson. Les rats s'adaptent très vite. Si leurs hôtes décident de se mettre au régime, les rats font de même. J'ai trente bureaux de recherche dans le monde qui sont chargés de mettre à jour les saveurs et les parfums de ma mort-aux-rats pour qu'ils correspondent aux dernières modifications de l'alimentation humaine.

— De quoi est composée votre mort-aux-rats italienne ? demandai-je.

— Huile d'olive, pâtes, miel, expresso, jus de pomme verte et Nutella. Surtout Nutella. J'en achète des tonnes. Les rats adorent ! J'ai demandé à la société Nutella si je pouvais faire sa promotion à la télé et on m'a répondu : par pitié, non ! S'il vous plaît n'en parlez à personne !

La femme assise en face du signor Donadon posa ses deux mains à plat sur la nappe, comme pour se ressaisir.

— Il est *hors de question* que j'assiste à une conversation sur les rats pendant que je mange !

Et, autant par colère que par goût du mélodrame, elle nous tourna le dos.

Le signor Donadon continua, imperturbable :

— Tout le monde est fasciné par les rats. Même ceux qui prétendent le contraire. Leur discours, au fond, c'est : oh ! c'est dégoûtant, je ne supporte pas ça, mais dites-m'en plus...

Je remarquai que le couple à ma gauche avait cessé de parler de La Fenice et écoutait attentivement Donadon.

— Pourtant, demandai-je, quand un rat a faim, il mange à peu près n'importe quoi, n'est-ce pas ?

— Tout à fait. Or, de nos jours, les rats n'ont jamais été aussi bien nourris parce que nous produisons plus de déchets que jamais. Alors, ils sont devenus très exigeants sur leur nourriture. Dans les années cinquante, les gens jetaient 0,5 % de ce qu'ils consommaient. Aujourd'hui, ce pourcentage est monté à 7 %, et c'est un festin ininterrompu pour les rats. Mon défi, c'est de rendre ma mort-aux-rats plus appétissante que les déchets. Car ce sont eux, les déchets, mes principaux concurrents. Les rats sont plus malins et mieux organisés que les humains. Ils ont des rituels instinctifs qui assurent la survie de leur espèce. Par exemple, chaque fois qu'un rat trouve quelque chose qui ressemble à de la nourriture, ce sont les rats les plus vieux qui le mangent en premier. Les autres marques de mort-aux-rats provoquent une douleur immédiate, des sensations de brûlures ou des vertiges. Si les vieux rats manifestent l'un de ces symptômes, les plus jeunes ne toucheront pas à ce qu'ils ont mangé. Seule la mort-aux-rats Bocaraton peut les duper : elle ne provoque aucune douleur. Ses effets se font sentir au bout de quatre jours, ce qui laisse le temps aux rats plus jeunes de la manger aussi.

— Dites-moi, intervint la femme à ma gauche, comment un homme décide-t-il de consacrer sa vie à tuer des rats ?

— Ah ! signora ! s'exclama Donaton. Sur son lit de mort, ma grand-mère m'a fait jurer d'être un bienfaiteur de l'humanité. Depuis tout gosse, je me passionnais pour la chimie et la médecine. J'ai décidé que j'inventerais un traitement pour soigner le cancer. Je savais que la DDT était l'une des causes du cancer. Alors, je suis allé voir plusieurs bouchers et je leur ai dit que je représentais la société américaine Max

Don Brasileira – nom que je venais d'inventer –, spécialisée dans les insecticides sans DDT. Je leur ai dit : « Nous allons vous débarrasser de toutes ces mouches. » Le premier boucher m'a répondu : « Si vous y arrivez, votre prix sera le mien. » Les mouches pondaient partout sur sa viande, une vraie catastrophe. Je lui ai donné un prix au hasard : « Cela vous coûtera 30 000 lires (15 euros) » et il m'a donné carte blanche. À la fin de la journée, j'avais obtenu des commandes pour 150 000 lires (75 euros), ce qui représentait une belle somme à l'époque. J'étais fou de joie. Mais je n'avais pas le produit ! Et puis, j'étais fauché. Alors je me suis arrêté dans un bar à Trévise – c'est là que j'habite, à une trentaine de kilomètres de Venise – et j'ai proposé à deux amis de monter une affaire avec moi. Je me suis très vite installé à l'hôtel Carlton de Trévise et, avec l'aide du standardiste et du portier, j'ai fait croire à mes clients que c'était le bureau italien de ma société américaine ! Comment nous y prenions-nous pour tuer les mouches ? Nous utilisions un composé du phosphore fabriqué par Montedison. Si on s'en servait encore aujourd'hui, ça nous vaudrait sans doute la prison, car c'est une substance très toxique. Mais ça marchait. Notre affaire a prospéré. Nous avons commencé à nous faire connaître. J'ai reçu un coup de fil du comte Borletti, le roi de la machine à coudre. Il voulait qu'on s'occupe de son écurie. Un jour, il m'a dit : « Massimo, qu'allez-vous faire quand ce sera l'hiver ? Il n'y a pas de mouches, en hiver. Tuer les mouches, c'est une activité saisonnière. Mais les rats sévissent toute l'année. Vous devriez vous tourner vers la mort-aux-rats. » Quelle révélation ! Le soir même, j'ai pétri à mains nues dans le lavabo de ma chambre d'hôtel dix livres de graisse de porc et de coumarine et, le lendemain matin, j'ai tout changé : ma société, son nom et sa mission. C'était en 1970. Le succès a été immédiat, et nous n'avons pas cessé de nous développer depuis. Je reconnais que tuer des rats n'est peut-être pas aussi noble que soigner le cancer, mais à ma façon je suis un bienfaiteur de l'humanité, et ma grand-mère peut reposer en paix.

Donadon nous distribua sa carte professionnelle. Sa société était la « Braün Mayer Deutschland ».

— Je vous croyais italien, fis-je remarquer.

— C'est le cas, mais si ma société avait un nom italien, les gens penseraient : « Ce produit a été fabriqué en Italie ? Ça ne me dit rien qui vaille. » Quand on pense « Italie », on pense mafia, tailleurs et cordonniers. À l'inverse, l'Allemagne symbolise la fiabilité, la rigueur scientifique, l'efficacité. Si on devait compter sur quelqu'un pour tuer des rats, ce serait forcément un Allemand. C'est pourquoi j'ai choisi un nom qui sonne germanique : « Mayer » est l'équivalent allemand de « Smith » chez les Anglais ; « Braün » renvoie à Wernher von Braun, l'inventeur de la fusée qui a envoyé l'homme sur la Lune, c'est un nom qui inspire confiance. L'*umlaut* sur le « u » n'a rien à faire là, mais il renforce le caractère allemand du nom ; enfin, « Deutschland » est suffisamment explicite.

— Très habile, dis-je.

— Ma petite entreprise a participé au boom économique de l'Italie du Nord. Vous savez, l'Italie du Nord détient le taux de concentration d'entreprises le plus élevé au monde. C'est vrai ! Une entreprise pour huit habitants. Généralement, il s'agit de petites affaires familiales, comme la mienne ou comme Benetton, que dirige mon vieil ami Luciano Benetton. Comme moi, Luciano est né et a grandi à Trévise, et c'est là que se trouvent nos deux sièges sociaux.

— Les deux Titans de Trévise, dis-je.

— Eh bien…

Le signor Donadon rougit.

— Luciano a le génie pour gagner de l'argent, et il est très doué aussi pour le garder ! Je le connais depuis plus de trente ans, et je l'aime. Mais, tout riche qu'il soit, il ne m'a jamais invité au restaurant ! Comme il adore ma cuisine, il vient régulièrement dîner chez moi. Je cuisine pour les rats et pour Luciano Benetton.

— Vous avez déjà travaillé ensemble ?

— Non, mais nous avons fait appel au même photographe pour nos publicités : Oliviero Toscani, l'homme qui a lancé la campagne « United Colors of Benetton » et la revue *Colors*. Il a aussi fait une publicité pour ma mort-aux-rats. Elle reprenait le motif de la *Cène* : tous les apôtres avaient une tête de rat, et le Christ aussi. Mais on m'a déconseillé de m'en servir...

Au moment où le signor Donadon décida de s'intéresser à ce qui se trouvait dans son assiette, un brouhaha se fit entendre à l'autre extrémité du salon. Un groupe de convives, d'où se détachaient une écharpe en soie blanche et beaucoup de paillettes, venait de faire une entrée remarquée. L'écharpe appartenait à un homme grand et maigre vêtu d'un smoking et portant des lunettes d'aviateur à monture d'écaille. Il salua plusieurs personnes à différentes tables. Les paillettes venaient de son entourage : un trio de belles femmes dont l'une avait enfilé un justaucorps étincelant.

— Des mannequins ou des actrices, sans doute, commenta ma voisine de gauche en surprenant mon regard. Lui, c'est Vittorio Sgarbi, critique d'art et l'un des grands séducteurs de l'Italie, selon ses propres termes. Il a déjà écrit son autobiographie alors qu'il n'a que quarante-cinq ans. Il se voit comme un nouveau Casanova. Très élégant, très désinvolte. Il tient une chronique à la télévision, c'est donc une personnalité célèbre dans tout le pays.

— Ah ! l'admirable Sgarbi ! renchérit l'homme à côté d'elle. Je me demande s'il est toujours exclu du Courtauld Institute, à Londres. Il a été surpris, il n'y a pas si longtemps, alors qu'il sortait de l'institut en emportant deux livres anciens de grande valeur. Les journaux en ont beaucoup parlé, non seulement parce qu'il est critique d'art mais aussi parce qu'il est membre du Parlement italien : il siège à la Chambre des députés comme président du Comité pour la culture, pas moins. Il était au Courtauld, ce jour-là, pour donner une conférence lors d'un séminaire sur les peintres de l'École de Ferrare. Quand il a été arrêté, il a juste expliqué qu'il voulait étudier ces livres puis les photocopier. Dans son autobiographie, il prétend qu'un autre critique d'art, jaloux de son succès, lui a tendu un piège.

Sgarbi passa devant nous, une main plongée dans sa crinière, l'autre posée sur la taille d'une de ses amies.

Sans le quitter des yeux, mon voisin reprit :

— Et puis, il y a eu cette histoire entre Sgarbi et cette vieille dame vivant dans une maison de retraite. Sgarbi l'avait persuadée de vendre un tableau de grande qualité à un ami marchand d'art pour la somme de 8 millions de lires (4 100 euros). Trois ans plus tard, cet ami a revendu le tableau aux enchères pour 700 millions de lires (362 000 euros). Puis on a appris que ce tableau était en réalité réservé à un musée de Trévise, qui avait posé une option pour l'acheter à la vieille dame. Sgarbi, qui travaillait à l'époque à la Commission des beaux-arts, avait l'obligation d'informer le musée de ses démarches, mais il ne l'avait pas fait. Quand la vente fut rendue publique, il fut accusé d'escroquerie et d'avoir organisé une tractation à titre privé en se servant de son titre officiel. Bien sûr, la plainte fut rapidement retirée.

— Je suppose que sa carrière en avait déjà souffert de toute façon, non?

— Pas précisément. On parle de lui pour être notre prochain ministre de la Culture.

Mon autre oreille capta le mot « rat » – plus exactement, *pantegana*, qui signifie « rat » en dialecte vénitien.

— Les rats ne vomissent pas, disait Donadon. Ils sont l'une des rares espèces qui ne savent pas vomir. Alors, une fois qu'ils ont mangé mon poison, ils ne peuvent pas le recracher. Et mon poison est sans danger pour les autres espèces : si un homme, un chat ou un chien en avale ne serait-ce qu'un gramme, il le vomira immédiatement avant d'en subir les effets nocifs.

La femme qui avait juré qu'elle n'écouterait pas une conversation au sujet des rats s'était retournée et, à présent, buvait les paroles de Donadon.

— Imaginez que des centaines de rats meurent en même temps, observa-t-elle. Leur décomposition ne risque-t-elle pas de provoquer la peste?

— Mon poison les déshydrate, répondit Donadon en lui tapotant la main d'un geste rassurant. Les rats sont desséchés, momifiés. Ainsi, ils ne pourrissent pas, et il n'y a aucun risque de peste.

— Ils mordent les gens, n'est-ce pas? dit-elle en fronçant le nez. Rien que l'idée me dégoûte...

— Si un rat vous mordait, vous ne le sentiriez même pas.

— Parce que je serais sous le choc!

— Non. Vous ne sentiriez rien parce que la salive du rat contient un anesthésiant. L'un des ministres du gouvernement, Riccardo Misasi, m'a raconté qu'une nuit, au lit, il a senti que son orteil le démangeait. La démangeaison s'est accentuée et quand, enfin, il a allumé sa lampe de chevet, il s'est aperçu qu'un rat lui avait mangé l'orteil !

Le signor Donadon aurait pu continuer dans ce registre pendant des heures, mais les autres convives s'étaient mis à quitter la table.

— Je voudrais vous poser une dernière question, dis-je en me levant à mon tour. Si votre poison est aussi efficace que vous le prétendez, pourquoi reste-t-il encore des rats à Venise ?

— Pour une raison très simple : Venise n'utilise pas ma mort-aux-rats. Le conseil municipal retient toujours l'offre la moins chère, alors je ne prends même pas la peine de proposer mes services. Agir pour le bien de l'humanité, d'accord, mais...

Il m'adressa un clin d'œil.

— ... l'humanité doit aussi agir pour mon bien !

Le café et le tiramisu donnèrent l'occasion de changer de place, de se promener ou de descendre les deux étages pour rejoindre le hall d'entrée, où un orchestre commençait à faire danser les invités. Je m'aperçus, en regardant l'assistance, que personne n'avait gardé son masque. Il n'avait pas seulement été retiré pour permettre de manger, il avait été fourré dans les sacs à main, ou carrément abandonné bien avant de passer à table. Je remarquai aussi que les hommes se retrouvaient en tenue assez stricte, à l'exception ici ou là d'un petit ruban décoratif ou d'une cravate fantaisie. Les femmes n'avaient pas davantage poussé l'audace vestimentaire, se contentant d'accessoiriser leur tenue de soirée : plumes d'autruche, bijoux exotiques, nouvelle coupe de cheveux ou autre fioriture cosmétique. Quiconque serait arrivé au palais à cette heure aurait eu du mal à croire qu'il s'agissait d'une soirée de carnaval, *a fortiori* d'un bal costumé.

— Où est passé l'esprit du carnaval ? demandai-je à Peter Lauritzen tandis que nous descendions les escaliers.

— Eh bien, les choses ont bien changé depuis le XVIIIe siècle décadent. À l'époque, le carnaval était une institution puissante. Lorsque le doge Paolo Renier est mort pendant le carnaval de 1789, la nouvelle a été étouffée pour ne pas gâcher la fête.

Le carnaval du XXe siècle n'en était apparemment qu'un pâle ersatz. Placé hors d'un contexte de décadence, voire de dépravation, le carnaval n'était guère plus qu'une pudique célébration d'un phénomène historique depuis longtemps disparu.

— Toutes les soirées de carnaval ne sont pas aussi guindées que celle-ci, précisa Rose. Je veux dire, même de nos jours, les gens peuvent vivre la fête de façon plus primitive.

— Où ça, par exemple ?

— Au Festival de poésie érotique, notamment. Il se déroule la plupart du temps au Campo San Maurizio, là où vivait Giorgio Baffo, le poète du XVIIIe siècle. La poésie de Baffo est d'ordinaire décrite comme « licencieuse ». En d'autres termes, c'est carrément pornographique !

L'orchestre jouait maintenant suffisamment fort pour faire fuir tous ceux qui n'aimaient pas danser, et nous nous retrouvâmes bientôt sur le ponton, à attendre le bateau-taxi.

Une gondole approcha. Elle glissait lentement sur l'eau en direction de la place Saint-Marc et transportait deux passagers – deux hommes. L'un était affublé d'une énorme perruque noire et broussailleuse, d'une veste en fourrure noire, de collants noirs et d'un masque rouge vif avec un long nez. Le costume de l'autre était plus étrange encore : sa perruque – ou sa coiffe – était en caoutchouc rouge brillant et formait un long cône arrondi qui partait du sommet de son crâne et descendait jusqu'aux épaules en les recouvrant. Ses bras et son torse étaient enveloppés d'une sorte de fourreau de caoutchouc rose plissé, et ses jambes se distinguaient par deux énormes genouillères roses. La signification de son costume devint évidente lorsque l'homme se redressa : totalement érigé, le fourreau s'était tendu, et je distinguai au sommet du cône une goutte de plastique blanc, comme une perle suspendue.

Une femme à côté de moi retint un cri de surprise, puis gloussa. Derrière, un homme murmura : « *Fantastico...* »

À cet instant, l'autre homme se leva à son tour. Derrière le masque rouge vif et le long nez, son regard s'attarda sur chacun des convives alignés sur le ponton. Soudain, tel un exhibitionniste, il ouvrit en grand sa veste en fourrure noire et révéla deux grandes lèvres en soie roses et palpitantes...

— Eh bien... *voilà* ce que j'appelle le carnaval, dit Rose.

7

La guerre du verre

— Mon père a toujours été un homme taiseux, me confia Gino Seguso. Mais il ne s'est jamais autant tu que ces derniers temps – même avec nous.

Nous étions en juin. Archimede Seguso passait ses journées à la verrerie, fabriquant cette série de coupes et de vases qui lui rappelaient la nuit où, quatre mois plus tôt, campé à la fenêtre de sa chambre, il avait assisté à l'incendie de La Fenice. Gino m'avait invité à venir à Murano, dans la verrerie familiale, pour voir la collection « La Fenice », qui comptait alors quatre-vingts pièces. Elle était devenue l'obsession d'Archimede Seguso.

La frénésie qui avait marqué les jours suivant l'incendie s'était considérablement apaisée. Fin février, le procureur Felice Casson avait renoncé à poursuivre Woody Allen. (Quelques mois plus tard, le maire Cacciari célébrerait le mariage du réalisateur avec Soon-Yi lors d'une cérémonie civile privée au Palazzo Cavalli, la mairie de Venise.) L'orchestre de La Fenice avait donné son premier concert après l'incendie à la basilique Saint-Marc : un programme marqué par la passion, l'espoir et l'optimisme, puisqu'il s'agissait de la *Symphonie n° 2 « Résurrection »*, de Mahler. Concernant la reconstruction de l'opéra, Cacciari avait décidé de lancer un appel d'offres. Ce choix avait l'avantage de mettre le maire à l'abri de tout soupçon de favoritisme ou de pots-de-vin, mais il avait aussi ses inconvénients : l'envoi des dossiers, leur examen et le verdict prendraient au moins un an.

En attendant, la compagnie d'opéra avait réussi à trouver un hébergement temporaire qui lui permettrait de commencer la saison à temps sans avoir à rembourser des milliers de billets. Le nouveau théâtre était en réalité une gigantesque tente de cirque plantée sur un parking de l'île de Tronchetto, au pied du pont reliant Venise au continent. Avec ses six pointes blanches, la tente, baptisée « Palafenice », allait devenir un point de repère au bord de l'horizon vénitien – et le signe visible que la véritable Fenice était toujours en ruine.

À la verrerie Seguso, le théâtre était toujours dévoré par les flammes. Elles vacillaient et chatoyaient, tournoyaient et tourbillonnaient dans les pièces conçues par Archimede. En route vers l'atelier principal, Gino me montra la salle d'exposition. Il était de bonne humeur, chaleureux et respectueux. La cinquantaine finissante, chauve à l'exception d'une frange de cheveux sombres, il portait un costume d'homme d'affaires. Nous nous arrêtâmes devant une étagère remplie de vases de la série « La Fenice ».

— Les gens pensent que les couleurs de l'incendie étaient orange vif et jaune, parce que c'est ce qu'ils ont vu dans les photos des journaux et des magazines. Ils n'imaginent pas à quel point c'était un spectacle coloré. Il y avait des verts, des bleus, des violets... Les couleurs ont changé tout au long de la nuit, en fonction de ce qui brûlait dans le théâtre. Mon père était plus près de l'incendie que quiconque, et ces vases sont un peu ses photos personnelles du drame. Des images plus précises que tout ce qu'ont pu voir les photographes sur place. Mon père n'a jamais rien réalisé de semblable auparavant. Vous comprendrez ce que je veux dire quand vous aurez vu le reste de l'exposition.

La salle constituait un musée des objets en verre fabriqués par Archimede Seguso depuis les années trente. Je vis notamment une table en verre ainsi que plusieurs échantillons de sa fameuse série des années cinquante, « Merletti » (dentelle), coupes et vases striés de filaments de verre coloré. Je déambulais dans la salle en enfonçant mes mains dans mes poches et en gardant les bras serrés le long du corps, de peur de faire tomber de leur piédestal l'une des grandes pièces et de l'envoyer se fracasser par terre.

Gino me raconta une anecdote à propos du caractère taciturne de son père, sans doute pour me mettre à l'aise au cas où le *Maestro* ne me ferait pas la conversation. Dans les années cinquante, un riche prince sicilien apporta au signor Seguso un taureau en verre censé provenir d'un tombeau étrusque. Le prince demanda à Seguso s'il pouvait l'authentifier. Le signor Seguso posa le taureau sur sa table de travail et se lança dans la fabrication d'une copie parfaite, dans les plus petits détails, jusqu'à la patine qu'il parvint à vieillir par des applications de poudres, minéraux, cendre et sable. Le résultat final était tel que le prince était incapable de voir la moindre différence entre le nouveau taureau et l'ancien. C'était là la réponse d'Archimede Seguso. Il était parvenu à copier le taureau si précisément qu'il prouvait par là même au prince que sa statuette pouvait être un faux. Des tests scientifiques seraient nécessaires pour le déterminer, mais le signor Seguso avait répondu en fonction de son degré d'expertise. Par conséquent, sa réponse était : je ne sais pas.

J'assurai Gino que je ne me formaliserais pas si le *Maestro* préférait travailler plutôt que bavarder avec moi. Précaution inutile : quand nous ouvrîmes la porte de l'atelier, le rugissement des fours me fit comprendre que toute conversation serait impossible.

Le vieil homme, pantalon foncé et chemise blanche, était assis à son établi, devant une fournaise ardente. Il tournait une canne d'acier à l'extrémité de laquelle se trouvait un grand vase cylindrique aux motifs bleus et blancs délicats et bigarrés. Tout en tournant le tube, il façonnait le col du vase avec une paire de pinces, puis il donna la canne à son assistant qui la plongea dans le four pour réchauffer le verre et l'amollir. Gino avança vers son père et lui glissa quelques mots à l'oreille. Archimede se tourna vers moi. D'un sourire et d'un signe de tête, il me fit signe de les rejoindre. J'obéis et vins le saluer, il me répondit en hochant la tête. Au même moment, l'assistant retira la canne du four et la déposa à l'extrémité de l'établi sans cesser de la tourner. Archimede leva les yeux vers moi et, désignant le vase avec ses pinces :

— L'aube. C'est l'aube.

Puis il se remit au travail, tournant la canne et modelant le vase.

Trois mots avaient suffi à Archimede Seguso pour me faire comprendre que cette nouvelle pièce représentait La Fenice telle qu'il l'avait vue en se levant à 5 heures du matin, après l'incendie : une fumée blanche se détachant sur un ciel bleu pâle, juste avant le lever du soleil.

Nous l'observâmes pendant encore dix minutes puis Gino me proposa d'aller boire un café dans son bureau. Le fils de Gino, Antonio, fit une brève apparition. C'était un jeune homme fin et timide, d'un peu moins de trente ans. Il ressemblait à son grand-père davantage qu'à son père, et se comportait avec la déférence d'un fils et d'un petit-fils dévoué. Antonio travaillait à la verrerie, m'expliqua Gino, s'essayant à tous les départements pour enrichir son expérience. C'est lui qui succéderait à son père pour diriger l'entreprise. Son grand-père lui avait déjà donné quelques leçons pour l'initier à l'art du souffleur de verre.

— Je me posais une question, dis-je à Gino : les Seguso sont souffleurs de verre depuis plusieurs générations, mais ce métier nécessite de commencer si jeune qu'il ne laisse pas de temps pour recevoir une éducation classique. Ni vous ni votre fils n'êtes maîtres verriers. Que se passera-t-il après Archimede ?

— Il y aura toujours des maîtres verriers, qu'ils soient ou non des Seguso. Mais on a également besoin d'artistes. Il y a les maîtres verriers et il y a les artistes. L'artiste a l'idée, le maître verrier traduit l'idée à l'aide du verre. Très peu de maîtres verriers sont aussi des artistes. Mon père est l'une des rares exceptions. Quand il nous quittera, nos artisans continueront de reproduire ses créations, et de nouveaux artistes verront le jour avec de nouvelles idées que les souffleurs de verre exécuteront.

— Donc, vous et votre famille continuerez de faire vivre l'affaire familiale.

— Eh bien, oui.

124

Il parut hésiter, déplaça quelques objets sur son bureau.

— En réalité, c'est plus compliqué que ça. Je ne suis pas fils unique. J'ai un frère, Giampaolo. Il a quatre ans de moins que moi. Pendant trente ans, il a travaillé avec mon père et moi, et nous étions très soudés. Notre famille était solide comme de l'acier : mon père, mon frère, moi – et Dieu. Giampaolo et moi, nous étions des alter ego. Et puis... les premières disputes ont éclaté. Il y a trois ans, il est parti. Il ne nous a plus parlé depuis.

— Vous ne vous parlez plus du tout ?

— Seulement par avocats interposés.

— Et la nuit où La Fenice a brûlé ? Vous n'avez pas eu de ses nouvelles ?

— Non. Il n'a pas téléphoné et il n'est pas venu. Pourtant, cette nuit-là, mon beau-frère a fait près de cinquante kilomètres en bateau avec une cargaison d'extincteurs industriels, qu'il a livrés au Campo Sant'Angelo puis chez nous. Mais mon frère ne nous a donné aucune nouvelle.

— À propos de quoi vous êtes-vous disputés ?

— Giampaolo voulait changer les choses, les moderniser. Mais, à mon avis, le principal point de discorde est que nous avons chacun quatre grands enfants : trois filles et un garçon pour moi, trois garçons et une fille pour lui. Les huit enfants étaient sur le point de commencer leur vie d'adulte. J'avais toujours dit que, s'ils voulaient travailler dans l'entreprise, ils devaient le mériter, faire leurs preuves. Je n'avais pas envie que la verrerie Seguso devienne le refuge de fils et de filles à papa. J'ai insisté pour établir des règles strictes, mais mon frère s'y est opposé. Il était certain que les enfants se comporteraient comme il faudrait. Ç'a été la première difficulté. La seconde venait du rapport entre mon frère et mon père. Giampaolo disait souvent que notre père, à cause de sa forte personnalité, nous avait castrés. Il se sentait relégué dans son ombre. Ça n'a jamais été mon cas.

— Votre frère s'est peut-être vu refuser quelque chose qu'il voulait faire dans l'entreprise ?

— Il a eu tous les postes qu'il voulait : à la production, aux ventes, dans nos magasins...

— Il n'avait pas envie de concevoir de nouvelles pièces ?

— Il a fait ça, aussi. Il aurait même pu continuer, s'il avait voulu.

— Dans ce cas pourquoi est-il parti ?

— Giampaolo a dit qu'il voulait mener sa barque tout seul. Alors, il y a trois ans, il a brutalement annoncé son départ, sans oublier de demander une compensation en échange de sa participation dans l'entreprise familiale. Mon père nous avait donné à chacun 30 % des parts. En apprenant la nouvelle, mon père est entré dans une colère noire. « Quoi ! a-t-il dit, je t'ai offert une participation dans l'entreprise, et maintenant tu veux me la revendre ? » Il a refusé, mais a quand même donné de l'argent à mon frère pour l'aider dans ses nouveaux projets. Giampaolo nous a expliqué qu'il voulait écrire des livres sur l'histoire du verre à Venise. Mais il nous réservait une surprise : il a ouvert une verrerie concurrente, ici à Murano. « Seguso Viro ». Et il a emmené avec lui quelques-uns de nos collaborateurs les plus précieux : un dessinateur, notre gérant d'entrepôts et notre chef de production. Il a même essayé de débaucher l'homme qui conçoit nos lustres. Il a aussi engagé certains de nos anciens employés. Puis il a ouvert des boutiques à côté des nôtres – une place Saint-Marc, une autre à la Frezzeria, la troisième à Milan...

— Vous avez retrouvé certaines de vos pièces chez Seguso Viro ?

— Oui, beaucoup. Et seulement les plus belles.

— Je commence à comprendre pourquoi vous ne vous parlez plus.

— Mais il y a pire : après avoir quitté la verrerie Seguso, mon frère nous a attaqués, en tant qu'associé, pour obtenir que mon père soit déclaré inapte intellectuellement et démis de ses fonctions directoriales !

— Quoi ?

— C'est la vérité ! Je peux vous montrer les documents. Si mon père avait été destitué, c'est moi qui lui aurais succédé. L'étape suivante du plan de Giampaolo a donc consisté à m'intenter un procès pour que *je* sois renvoyé à mon tour de l'entreprise, en m'accusant d'avoir écrit des lettres et signé des documents à la place de mon père. Bien sûr, nous avons contre-attaqué et gagné le procès.

— Mais pourquoi a-t-il fait tout ça ?

— Nous ne savions pas, jusqu'à ce que nous découvrîmes quelque chose de plus bizarre encore, quelques mois après son départ. Sans avertir personne, Giampaolo avait déposé le nom « Archimede Seguso » au registre du commerce comme une marque – sous son propre nom !

— Comment votre père a-t-il réagi ?

— Il s'est frappé la poitrine en disant : « C'est *mon* nom ! Comment est-ce possible ? Comment la loi peut-elle autoriser cela ? » Là encore, nous avons contre-attaqué pour bloquer l'enregistrement. Giampaolo prétendait qu'il avait déposé le nom en tant que marque pour la *protéger* et protéger ses 30 % de parts dans l'entreprise.

— Protéger le nom d'Archimede Seguso ? Comment ça ?

— À mon avis, mon frère avait un plan très simple. S'il était parvenu à nous éliminer mon père et moi, la Vetreria Artistica Archimede Seguso se serait retrouvée sans direction. Elle aurait périclité, elle serait morte, et Giampaolo aurait été dans la position idéale pour la racheter. Il avait déjà réussi à monter une copie conforme de notre entreprise, avec nombre de nos anciens employés. Il connaissait tous nos clients, il maîtrisait tous les aspects de notre métier et il avait même eu accès aux secrets de fabrication de mon père... Il n'aurait même plus eu besoin d'acheter le nom, puisqu'il le possédait déjà ! Sans dépenser un centime, il serait devenu Archimede Seguso.

Lorsque je suis monté à bord du vaporetto qui me ramènerait en dix minutes de Murano à Venise, je brûlais d'impatience de rencontrer Giampaolo Seguso. Dans mon esprit, son portrait s'était assombri à chaque nouvelle révélation sur son comportement. Du peu de détails donnés par Gino, je savais seulement qu'il avait un peu d'embonpoint, les cheveux grisonnants, une calvitie naissante et cinquante-quatre ans. Je me demandais quel genre d'homme tente de faire passer son père pour sénile puis de lui voler son identité – si c'était bien ce qu'il avait fait. Cet homme avait-il des crocs à la place des dents ?

Je téléphonai à Seguso Viro et mon appel fut aussitôt transmis à Giampaolo. Je me présentai et lui expliquai que je désirais le rencontrer.

— Avec plaisir, répondit-il.

Nous prîmes un rendez-vous pour la semaine suivante.

En attendant, je menais ma petite enquête, et ma première découverte fut que les familles de Murano avaient la réputation d'être querelleuses. Les souffleurs de verre s'étaient installés dans cette île en 1291, sur ordre du doge Pietro Gradenigo qui préférait éviter tout risque d'incendie à Venise et souhaitait aussi les confiner dans une sorte de ghetto protecteur où les secrets de leur art resteraient à l'abri des concurrents du monde extérieur. La nature chicaneuse des habitants de Murano plongeait sans doute ses racines dans sept cents ans de vie en étroite communauté.

— Les gens de Murano sont très intelligents, m'expliquait Anna Venini, mais ils sont un peu fous.

La signora Venini parlait d'expérience, quoique avec un certain détachement : elle avait travaillé pendant vingt ans à la verrerie Venini de Murano, écrit des livres sur l'histoire du verre, et son père était Paolo Venini, l'un des grands maîtres verriers du XXe siècle, qui présentait la particularité de ne *pas* être natif de Murano : il avait d'abord été avocat à Milan.

— Ils sont aussi généreux : quand ils vous acceptent, ils vous acceptent *vraiment*.

Ce regard ambivalent et bienveillant était partagé par Laura de Santillana, fille de la signora Venini.

— Les familles de Murano se disputent sans arrêt, confirma cette artiste vivant à Venise et travaillant à Murano, où sont fabriquées ses sculptures modernes en verre. Ce sont des gens terribles ! Effrayants ! Ils se sont barricadés dans leur culture insulaire, et se considèrent comme totalement indépendants de Venise. Ils ont leur Grand Canal, leur basilique, et leurs familles patriciennes.

Selon l'historienne Rosa Barovier, elle-même membre d'une des plus anciennes familles de verriers de Murano, le départ de Giampaolo Seguso n'a pas été la première scission dans la dynastie Seguso.

— Archimede lui-même a rompu avec ses frères. Il s'est aussi opposé à *son* père, qui s'était lui-même opposé, par le passé, à son propre père. Pour les Seguso, les affaires sont extrêmement importantes ; parfois, elles passent même avant la famille. Les gens de Murano ont le verre dans le sang. Ils puisent leur force dans l'excitation qu'il leur procure. On a remarqué qu'en août, quand les verreries ferment, ils tombent souvent malades. Gino et Giampaolo Seguso partagent la même passion pour le verre, mais ils sont aux antipodes l'un de l'autre. Gino est un tenant de la tradition : il se sent plus à son aise avec des modèles classiques. Giampaolo est plus créatif, plus inventif. Il se sert des modèles de son père comme d'un point de départ pour explorer de nouvelles directions.

Je repris le vaporetto pour Murano. Cette fois, au lieu de tourner à gauche en débarquant, je pris à droite. Seguso Viro, la verrerie de Giampaolo, est située à l'autre extrémité de l'île, à l'opposé de la Vetreria Artistica Archimede Seguso.

Je suivis la réceptionniste le long d'un couloir, puis dans une cour où s'alignaient des caisses d'objets artisanaux en verre, jusqu'à une vaste salle lumineuse équipée de fourneaux modernes. Deux volées de marches menaient de l'atelier au bureau du directeur. Deux longues tables étaient couvertes de coupes, bouteilles et vases, chacun se caractérisant par un motif ou un procédé de fabrication différent.

Giampaolo Seguso me regarda par-dessus ses bésicles et me fit signe de m'asseoir à son bureau, à côté d'une fenêtre. Il indiqua d'un geste ses cheveux gris et, avec un sourire, me dit :

— J'ai l'air gris à l'extérieur, mais à l'intérieur je suis le mouton noir de la famille.

Je pris cette remarque liminaire comme le signe de sa franchise. Avant que j'aie eu le temps de poser une question, il reprit, d'un ton mesuré et en pesant chaque mot :

— Je suis le fils d'Archimede Seguso, le plus grand maître verrier du siècle dernier. La plus grande difficulté dans ma vie aura été d'être son fils. C'est un grand homme. Et un homme silencieux. Il nous a appris non pas à *dire* mais à *faire*, toujours. Il a vécu à une époque où un garçon

129

comme lui ne pouvait pas recevoir une bonne éducation. Je pense que nos difficultés à communiquer viennent de là. Je n'ai pas pu lui faire comprendre qui j'étais, c'est pourquoi, à un certain moment de ma vie, j'ai préféré couper le cordon ombilical.

— Comment en êtes-vous arrivé là ?

— J'ai commencé à m'opposer à mon frère dans la façon de conduire l'entreprise. Et puis, voilà trois ans, j'ai organisé pour mes cinquante ans une grande fête sur le Lido, où je vis. Il y avait là mes parents, ma famille, mes amis. J'ai accueilli chaque invité en lui offrant un petit œuf en verre et en lui disant : « Cet œuf symbolise la vie, l'infini, la renaissance. C'est aussi le symbole de la surprise. » Puis, j'ai annoncé à mes parents : « Je vous ai donné les cinquante premières années de ma vie. La surprise, c'est qu'à compter de ce jour le reste de ma vie m'appartient. Je veux commencer à être l'unique possesseur de ma vie. » Je l'admets, j'ai manqué de tact en leur parlant ainsi. Ils ont été très choqués.

— J'ai entendu dire que vous aviez transformé le nom de votre père en marque déposée, sans même le prévenir. C'est la vérité ?

Giampaolo acquiesça.

— Oui. Mais... si j'ai un couteau dans la main, cela ne signifie pas forcément que je suis un tueur. J'ai déposé le nom de mon père afin de préserver son héritage. Je voulais qu'après sa mort les seules pièces en verre vendues sous son nom soient celles qu'il avait effectivement réalisées. Au départ, j'avais d'abord proposé de lancer une nouvelle collection sous un nom différent – « Archimede Seguso II », ou bien « Successeurs d'Archimede Seguso », ou autre chose... Mais mon frère tenait à garder toute la production sous le seul nom d'Archimede Seguso, même les pièces dessinées et réalisées par d'autres après sa mort. Autrement dit, la signature d'un grand artiste serait devenue une marque commerciale, et sa signification se serait peu à peu amoindrie. J'ai déposé le nom afin de nous mettre à l'abri d'une telle dérive.

Je voyais bien la logique de sa démarche, mais je restais toujours perplexe en songeant que Giampaolo avait tenté de faire reconnaître son père irresponsable intellectuellement pour le démettre de ses fonctions. Je l'interrogeai à ce sujet.

— C'était une manœuvre purement légale. Quand je suis parti après trente années d'activité, j'ai demandé une compensation financière, sous la forme d'un rachat de mes parts dans l'entreprise. Mon père a refusé. Alors je lui ai dit : « Laisse-moi au moins quelques boutiques, que je puisse gagner un peu d'argent avant de mettre ma vie sur de nouveaux rails. » Je voulais écrire des livres sur l'histoire du verre mais, pour y parvenir, je devais trouver un moyen de gagner ma vie. Comme nous n'avons pas réussi à trouver un arrangement, j'ai compris que je devrais lancer une procédure juridique contre l'entreprise. Mais ça aurait signifié attaquer mon père en justice, et j'en étais incapable. Alors que, si j'arrivais à le faire reconnaître intellectuellement incompétent, mon frère prendrait sa place et ce serait lui que j'attaquerais en attaquant l'entreprise.

Je ne comprenais pas bien dans quelle mesure il valait mieux déclarer son père trop diminué mentalement pour diriger son entreprise qu'intenter une action en justice contre lui, mais ne le relevai pas.

— Avez-vous tenté de renouer le contact avec vos parents depuis votre départ ?

— La première année, j'ai envoyé des fleurs à ma mère avec une petite carte pour leur anniversaire de mariage. Elle m'a renvoyé les fleurs et, deux jours plus tard, j'ai reçu une lettre. Ma carte était dans l'enveloppe, elle n'avait pas été ouverte. La lettre disait simplement : « Tu sais pourquoi. »

— Est-ce que vos enfants ont eux aussi été affectés par la rupture avec votre famille ?

— Oh, oui. Mes parents ont refusé de les voir. Il les ont rejetés de différentes façons.

Il s'agissait donc d'une scission familiale de grande ampleur. Giampaolo ne laissait transparaître aucune émotion en parlant, mais il y avait dans sa voix une pesanteur qui révélait une douleur profonde.

— Où étiez-vous la nuit où La Fenice a brûlé ?

— Chez moi, sur le Lido. Un de mes fils m'a appelé de New York pour savoir ce qui se passait. Je ne savais pas. Je suis sorti sur la lagune et j'ai vu le ciel complètement rouge. Aussitôt, je suis retourné chez moi pour allumer la télé. Et j'ai pleuré. Je n'ai pas téléphoné à mes parents : ma ligne était en dérangement.

— Et votre projet d'écrire des livres sur l'histoire du verre ?

— Sans revenu fixe, c'était impossible. J'ai décidé de lancer ma propre affaire, Seguso Viro. J'ai dû vendre plusieurs biens immobiliers pour réunir les fonds, ce qui vous donne une idée de l'intensité de ma passion pour le verre. J'ai trois fils : ils travaillent tous les trois avec moi. La société leur appartient. Deux sont à Murano avec moi, le troisième s'occupe de notre show-room à New York. Depuis longtemps, j'avais le sentiment que la verrerie de Murano s'était encroûtée. Entre 1930 et 1950, nous avions de grands maîtres verriers, de vrais novateurs : Ercole Barovier, Alfredo Barbini, Napoleone Martinuzzi, Paolo Venini, mon père. C'était l'époque des semaisons. Et puis, des années soixante aux années quatre-vingt-dix, nous avons récolté, mais sans rien planter de nouveau. Aujourd'hui, Murano est un paysage de champs gris et sombres à perte de vue, et ils se demandent pourquoi ! Notre défi, c'est de trouver de nouvelles façons d'utiliser des techniques anciennes. C'est ce que nous essayons de faire, ici.

— Vous pouvez me montrer quelques exemples ?

— Je peux vous montrer beaucoup d'exemples.

Giampaolo se leva et désigna du doigt les tables couvertes d'objets en verre.

— Ce que vous voyez sur cette table représente toutes les techniques que j'ai apprises de mon père, de mes oncles, et par moi-même. C'est une recréation de ce que la dynastie Seguso de Murano a inventé pendant cinquante ans. Vous avez ici 150 motifs, et j'ai réalisé pour chaque motif une édition limitée de 99 exemplaires. Mon idée, c'est de trouver des mécènes qui achèteront une collection complète de 150 pièces pour les donner à des musées et, ce faisant, préserver et entretenir la légende du verre de Murano.

Le paradoxe me frappa.

— C'est assez ironique, dis-je. Vous commencez par vous opposer violemment à votre père, puis vous lui rendez hommage de toutes vos forces !

— Parce que mon père est un grand homme. Voici trois exemples qui vous montreront comment nous avons illustré son art tout en le projetant dans l'avenir.

Il souleva un vase en verre incolore, dont la forme de perle se terminait par un col très long et très fin. À l'intérieur du vase, une membrane de verre légèrement tordue le divisait en deux parties. Une toile d'araignée composée de filaments de verre blanc était enclose dans la membrane.

— Voici un exemple de la technique du filigrane, inventée à Murano en 1572. Dans les années cinquante, mon père a eu l'idée de lui appliquer un nouveau traitement, et les historiens de la verrerie s'accordent à dire qu'il s'agissait de la première contribution vraiment originale d'un artiste depuis la Renaissance. Ce vase nous parle donc du passé, mais il présente aussi deux innovations : l'effet de division en deux compartiments, et le filigrane enchâssé à l'intérieur de la pièce de verre plutôt qu'à la surface du vase. Cette pièce a été dessinée par mon fils Gianluca, vingt-troisième génération de la dynastie Seguso.

Giampaolo me montra ensuite un bol dont la moitié inférieure était décorée d'un filigrane noir et la moitié supérieure d'un filigrane blanc.

— Cette technique est appelée l'*incalmo* : c'est l'assemblage de deux pièces de verre soufflé hémisphériques strictement de même diamètre. Il nécessite deux souffleurs de verre, car il doit être réalisé quand le verre est chauffé à blanc. Durant toute l'histoire de la verrerie, la ligne de jonction des deux parties de l'*incalmo* a toujours été horizontale. Ici, elle est irrégulière, comme une vaguelette. Ainsi ce bol conjugue-t-il un peu de passé et un peu de futur. Et maintenant, cette pièce...

Il me tendit un vase décoré de fines lignes de filigrane noir formant un ruban évoquant des lignes de partition musicale sinueuses et chantournées. Dans ces lignes se mêlaient, tels des fils de la Vierge, des filets d'un orange transparent. Giampaolo avait baptisé ce vase « Vivaldi », du nom du compositeur vénitien aux cheveux roux.

— Ce vase symbolise notre orientation vers l'avenir. Le filigrane orange est constitué de seize nuances de rouge transparent et d'orange. Personne n'avait jamais réalisé de filigrane transparent. L'effet est extrêmement original, et très contemporain.

— Vous avez soufflé ce vase vous-même ?

— Je suis un très mauvais soliste, répondit-il en souriant, mais un assez bon chef d'orchestre. J'ai un accord avec mes fils : s'ils veulent que leur père travaille avec eux, ils doivent le laisser travailler au four un jour par semaine, pour qu'il puisse un peu jouer. Alors cinq jours par semaine je porte ma casquette de patron, et un jour par semaine je suis au four, à côté du maître verrier, et je dirige.

Il retourna à son bureau et regarda par la fenêtre. Puis il se tourna vers moi, affichant une expression apparemment satisfaite.

— J'ai quatre buts dans la vie. Le premier : je voudrais que les gens qui regardent nos pièces reconnaissent au premier coup d'œil le verre vénitien. Le deuxième : j'aimerais les entendre dire : « C'est une création Seguso. » Puis : « C'est une création Seguso Viro. » Et mon quatrième, c'est qu'ils disent un jour, peut-être : « C'est une création de Giampaolo Seguso. »

J'eus le sentiment que ce quatrième but était celui dont il rêvait le plus souvent.

— Votre ambition, c'est de devenir célèbre pour vos créations ?

— J'ai l'impression de participer à une grande course de relais entre verriers de Murano. Et, selon moi, le coureur de la dernière ligne droite n'existe pas. La seule course possible s'inscrit dans un effort plus global. Le défi, c'est d'être reconnu comme quelqu'un qui a apporté quelque chose à une tradition qui se perpétue.

Giampaolo s'assit.

— Et ça, c'est l'une des différences majeures entre mon père et moi. Mon père se voit comme le coureur de la dernière ligne droite.

8

Expatriés : la première famille

Plusieurs fois par semaine, je traversais le Ponte dell'Accademia et, à chaque fois, je regardais, le long du Grand Canal, les grandes coupoles de Santa Maria della Salute, certainement la vue la plus célèbre de Venise, présente sur toutes les cartes postales.

Un jour, en fin d'après-midi, traversant le pont et regardant une nouvelle fois dans cette direction, j'aperçus à une soixantaine de mètres un élégant bateau à moteur flottant paresseusement devant un palais gothique – le second depuis le pont du côté de San Marco. Le bateau était une vénérable vedette Riva, le doge des canots à moteur de luxe. Il avait une bonne quarantaine d'années, et ses six mètres de coque étaient habillés d'acajou et de chrome. Un grand homme aux cheveux gris se tenait aux commandes. Il tendait la main à une femme sur le ponton pour l'aider à monter à bord. Elle était entièrement vêtue de blanc, du serre-tête aux chaussures. Ses lunettes avaient une monture blanche, et ses cheveux étaient eux aussi blancs. Après que la femme eut pris place, l'homme engagea le bateau sur le Grand Canal, poupe la première, aussi tranquillement que s'il avait sorti sa voiture de son garage. Puis il manœuvra pour mettre le cap sur la Salute et San Marco.

Je me rendis compte que cette sortie en bateau sur le Grand Canal représentait pour ce couple une habitude quotidienne, quand j'aurais donné cher pour être à leur place. Ils sortaient peut-être pour faire des courses, aller au restaurant ou rendre visite à des amis. Non seulement ils se déplaçaient dans Venise avec élégance, mais aussi au plus près de l'eau, comme les Vénitiens l'avaient fait pendant des siècles – en tout cas, plus près de l'eau que s'ils se trouvaient sur le pont d'un vaporetto asthmatique.

Environ une semaine plus tard, je revis ce couple dans son bateau. Ils retournaient à leur palais depuis le Rialto. Comme la première fois, la femme était habillée tout en blanc, mais elle portait un pantalon plutôt qu'une jupe et un pull plutôt qu'une veste.

— C'était certainement Patricia Curtis, m'expliqua plus tard Rose Lauritzen. Elle porte toujours des vêtements blancs.

— Toujours ? Pourquoi donc ?

— Je ne sais pas exactement. Depuis que je la connais, je l'ai toujours vue habillée ainsi. Peter, pourquoi Patricia ne se vêt-elle qu'en blanc ?

— Je n'en ai pas la moindre idée.

— C'est sans doute sa couleur préférée, reprit Rose. Oui, ça doit être aussi simple que cela.

— Maintenant, puisque vous en parlez, poursuivit Peter, je dois dire que cette Patricia Curtis est une femme intéressante sur bien des plans, et pas seulement sur celui des manies vestimentaires.

— L'homme avec qui vous l'avez vue est son mari, Carlo Viganò. Un homme absolument adorable. Tous les deux sont adorables... je veux dire, vraiment... adorables.

— Patricia Curtis est une expatriée américaine de la quatrième génération. Ses arrière-grands-parents, Daniel Sargent Curtis et Ariana Wormeley Curtis, ont quitté Boston pour s'établir à Venise au début des années 1880 avec leur fils Ralph, le grand-père de Patricia.

— Pas seulement adorables, très appréciés aussi.

— Les Curtis étaient une vieille famille fortunée de Boston, dont les ancêtres remontaient au *Mayflower*. Ils ont acheté le Palazzo Barbaro, où leurs descendants ont toujours vécu depuis.

— Carlo a une affaire en Malaisie. Une usine de... j'ai oublié.

— En termes d'ancienneté, les Curtis sont bien loin devant les autres expatriés anglophones de Venise. À eux seuls, ils forment une classe à part entière.

— De serviettes et de nappes! s'exclama Rose. C'est ça qu'ils fabriquent. Dans l'usine de Carlo, je veux dire.

— Mais pourquoi un Bostonien riche et occupant une position sociale enviable quitterait-il définitivement l'Amérique en emmenant toute sa famille?

— Ah, ça! répondit Peter. C'est la partie étonnante de l'histoire…

Il m'expliqua qu'un jour, à bord d'un train reliant Boston à la banlieue, Daniel Curtis eut une altercation avec un homme à propos d'un siège réservé à un autre passager. L'homme ayant déclaré que Curtis se conduisait d'une façon « indigne d'un gentleman », ce dernier, en guise de réponse, lui tordit le nez. Malheureusement, la victime se révéla être un juge, qui porta plainte contre Curtis. Un procès s'ensuivit, et Daniel Curtis fut condamné pour agression physique à une peine de deux mois de prison. L'histoire veut qu'à sa libération il réunit sa famille et, indigné, partit s'installer en Europe, sans jamais revenir.

— Il faut préciser, ajouta Peter, que durant toutes ces années passées à Venise, Daniel Curtis s'est toujours comporté comme un parfait gentleman. Du jour où lui et Ariana ont ouvert les portes du Palazzo Barbaro, ils en ont fait un lieu de rendez-vous pour les artistes, écrivains et musiciens les plus célèbres et les plus appréciés de leur temps. Robert Browning lisait à haute voix ses poèmes pour les Curtis et leurs convives; Henry James, un de leurs invités réguliers, s'est servi du Barbaro comme modèle du Palazzo Leporelli qu'il a inventé pour son chef-d'œuvre *Les Ailes de la colombe*; John Singer Sargent était un lointain cousin et, lorsqu'il séjournait au Barbaro, il installait ses pinceaux et ses toiles dans l'atelier de son cousin Ralph Curtis, lui aussi peintre renommé. C'est depuis la porte d'eau du Barbaro que Monet a peint ses vues de Santa Maria della Salute. Vous voyez ce que je veux dire?

— Je vois.

— La famille Curtis occupe une place inamovible dans l'histoire culturelle de la Venise du XIXe siècle. Leur salon est devenu célèbre sous le nom de « Cercle Barbaro », et il accueillait James McNeill Whistler, William Merritt Chase, Edith Wharton et Bernard Berenson.

— Et la folle de Boston, Mme Gardner ! ajouta Rose.

— Isabella Stewart Gardner, compléta Peter, l'excentrique collectionneuse d'art de Boston. Elle a loué pendant plusieurs étés aux Curtis le *piano nobile* du palais, à l'époque où elle venait d'acquérir des tableaux pour le musée qu'elle voulait faire construire à Boston.

— Elle n'a pas seulement loué le Barbaro : elle l'a copié !

— Exact. Son musée à Boston s'inspire de l'architecture d'un palais vénitien. Sa façade, par exemple, n'est pas sans rappeler celle du Palazzo Barbaro. Et un tel emprunt se comprend aisément : le Barbaro est l'un des plus importants palais gothiques du XVe siècle à Venise. En réalité, il s'agit de deux palais : la famille Barbaro a acheté le palais voisin à la fin du XVIIe siècle pour le transformer en salle de bal. On pourrait parler à l'infini des splendeurs architecturales et décoratives du Palazzo Barbaro, mais ce que je voulais vous dire, c'est que Patricia Curtis est, d'abord et avant tout, l'héritière et la gardienne d'un patrimoine littéraire, architectural et artistique considérable. D'autre part, et tout à fait entre parenthèses, c'est aussi une femme qui s'habille en blanc.

Au téléphone, Patricia Curtis accueillit ma requête d'un ton réservé mais cordial. Elle me dit qu'elle devait partir le lendemain pour la Malaisie, où son mari était copropriétaire d'une usine de textile. Si je pouvais donc attendre son retour dans un mois, elle serait heureuse de me faire visiter le Palazzo Barbaro.

Dans les semaines qui suivirent, je me documentais au sujet du Barbaro. Je trouvai une vidéocassette de *Brideshead Revisited* et visionnai l'épisode se déroulant à Venise, où Laurence Olivier joue le rôle de lord Marchmain, vieillard vivant reclus dans un superbe palais vénitien. C'est le Palazzo Barbaro qui servait de décor à ces scènes. On voit Jeremy Irons et Anthony Andrews (dans les rôles de Charles Ryder et Sebastian Flyte) accéder par un escalier extérieur au *piano nobile*, traverser le *portego* au sol en granit poli et trouver Olivier devant une fenêtre de la salle de bal, contemplant le Grand Canal.

Je relus également *Les Ailes de la colombe*, en me rappelant qu'Henry James décrivait les mêmes lieux lorsqu'il parlait de l'angélique Milly Theale, finissant sa vie dans les « somptueuses pièces » de son « immense coquille dorée ».

Quant à l'agression du juge Churchill par Daniel Curtis, il en était fait mention dans de nombreux ouvrages, y compris *The Proper Bostonians* de Cleveland Amory, mais avec des variantes notables. Selon Amory, Daniel Curtis avait tordu si violemment le nez de sa victime que le pauvre juge en était resté défiguré jusqu'à la fin de ses jours. Selon un autre témoignage, Curtis avait mordu le nez d'un conducteur de tramway ; selon un autre, il avait mis KO un policier qui avait insulté son épouse ; ailleurs, il était question d'une dispute autour d'un siège qu'il aurait fallu céder à une femme enceinte. L'incident avait pris les proportions d'un conte folklorique, se modifiant à chaque nouveau récit. Peut-être aussi Mrs Curtis l'avait-elle modifié pour montrer son mari sous un jour plus flatteur. Quoi qu'il en soit, le récit détaillé et véridique figurait dans les journaux de Boston, qui avaient repris à la virgule près les témoignages produits pendant le procès.

La querelle avait commencé lorsque le juge Churchill s'était assis à une place réservée à un autre passager, puis s'était amplifiée à propos des bagages encombrants – un sac de voyage et un petit chariot – que Churchill avait posés dans l'espace étroit entre lui et Daniel Curtis. Gêné, Curtis lui avait brusquement demandé de les ranger autrement. Quelques instants plus tard, le troisième passager était arrivé et avait insisté pour reprendre sa place. Churchill s'était rapidement levé pour lui céder le siège. Mais, avant de partir, il s'était penché vers Curtis et lui avait dit à voix basse : « Si vous êtes un gentleman, alors je n'en ai jamais vu de ma vie. »

Piqué par la remarque, Curtis avait bondi, demandé à Churchill de lui donner son nom puis lui avait tordu le nez (« d'un geste mesuré et calme », déclarerait-il plus tard). Churchill avait alors rétorqué : « Seul un gredin aurait le front de se battre devant des dames ! », et Curtis lui avait envoyé son poing dans la figure, cassant au passage ses lunettes.

Curtis fut traîné devant un tribunal, accusé et reconnu coupable d'agression, condamné à deux mois de prison.

Le plus extraordinaire est ce qui se déroula ensuite : plus de trois cents des citoyens les plus influents du Massachusetts signèrent une pétition réclamant au gouverneur le pardon pour Daniel Curtis. On trouvait parmi les signataires le président de Harvard, Charles Eliot ; le futur président de Harvard, A. Lawrence Lowell ; le président de la Cour suprême du Massachusetts ; le secrétaire d'État du Massachusetts ; le président de l'Union Pacific Railroad ; le naturaliste Louis Agassiz ; Charles Eliot Norton, le premier professeur d'esthétique qu'ait eu l'Amérique, à Harvard ; l'historien Francis Parkman ; le peintre William Holman Hunt ; l'architecte H. H. Richardson ; John L. Gardner, l'époux d'Isabella Stewart Gardner ; et une brochette éblouissante de tout ce que Boston comptait d'aristocrates : les Lowell, les Saltonstall, les Adams, les Weld, les Lawrence, les Otis, les Endicott, les Pierce, les Parker, les Cushing, les Minot, les Appleton et les Crowninshield, pour n'en citer que quelques-uns.

L'histoire prit un tour étrange lorsque Daniel Curtis nia toute légitimité à cette pétition en refusant de la signer. De la même façon, il repoussa la proposition du juge Churchill, prêt à retirer sa plainte en échange d'excuses sincères. Curtis répondit que son comportement était justifié, compte tenu des provocations du juge, et qu'il n'était pas question de présenter ses excuses. Aussi Daniel Sargent Curtis passa-t-il les deux mois suivants dans une cellule.

Fou de rage, il ne quitta pas l'Amérique dès sa libération. Il partit huit ans plus tard. En réalité, son incarcération ne pesa d'aucun poids dans sa décision de partir. Il avait exprimé son désir d'émigrer bien avant l'incident du nez tordu. À cause – ô ironie – du déclin des bonnes manières en Amérique. Dans une lettre à sa sœur datant de 1863, six ans avant sa rencontre avec le juge Churchill, il se plaignait que « les gentlemen américains ne sont plus exactement des gentlemen. [...] Ils n'ont plus cette discrète estime de soi qui n'appartient qu'aux hommes nés gentlemen, avec de dignes ancêtres, une bonne éducation et une fortune conséquente, et qui savent exactement où est leur place et où est celle des autres [...]. Je rêve de pouvoir quitter ce pays avec mes enfants, pour toujours. »

La déception éprouvée par Daniel Curtis envers l'Amérique était un sentiment partagé à l'époque par bien des membres de sa caste. Elle trouvait sa source en partie dans les soulèvements sociaux engendrés par la guerre de Sécession, et en partie dans l'arrivée de la première vague d'immigrants en provenance d'Irlande, qui présentaient peu de points communs avec les Américains établis de longue date. En tout cas, Daniel Curtis avait été choqué par le manque de considération dont avait fait preuve le juge Churchill en coinçant ses bagages entre eux, et le fait que ce même malotru lui ait reproché son manque de courtoisie avait dû lui sembler intolérable.

Quand Daniel et Ariana emménagèrent au Barbaro, ils prirent possession d'un palais célèbre pour avoir abrité les échanges entre intellectuels humanistes pendant quatre siècles. Les membres de la famille Barbaro étaient d'authentiques esprits de la Renaissance : professeurs, philosophes, mathématiciens, diplomates, scientifiques, politiciens, chefs militaires, patriarches de l'Église et mécènes des arts. Celui qui a laissé le plus de traces fut, au XVIe siècle, Daniele Barbaro, diplomate, philosophe, architecte et traducteur de Vitruve. Il avait engagé Andreo Palladio pour édifier sa résidence d'été – la Villa Barbaro, à Maser – et confia la peinture de ses fresques à Véronèse. Quant à son portrait, c'est le Titien qui l'a réalisé.

Le palais resta la propriété exclusive de la famille Barbaro jusqu'à ce que Venise tombe aux mains de Napoléon et entre dans sa période de déchéance. Leur fortune périclitant, les Barbaro se retirèrent dans une aile du palais et divisèrent tout le reste en appartements. Quand le dernier des Barbaro mourut, au milieu du XIXe siècle, le palais fut acheté par une série de spéculateurs qui le vidèrent de la plupart de ses tableaux, descellèrent ses ornements de marbre sculpté, pillèrent son mobilier et ses objets décoratifs et les vendirent aux enchères.

C'est Daniel et Ariana Curtis qui sauvèrent le palais. Ils remplacèrent ses poutres pourrissantes, réparèrent le stuc abîmé, restaurèrent les fresques et les tableaux. En établissant leur propre salon culturel dans le Palazzo Barbaro, ils renouèrent même avec sa tradition humaniste. En accueillant de nouveau les artistes, les écrivains et les musiciens, le palais fut bientôt considéré comme l'avant-poste culturel américain le plus important de Venise, sinon de toute l'Italie. Cet aboutissement était dû à l'influence profonde d'une éminence grise : Charles Eliot Norton, l'un des camarades de Daniel Curtis à Harvard. Amateur d'art italien, Norton était l'ami et l'exécuteur testamentaire littéraire de John Ruskin et de Thomas Carlyle, le traducteur de *La Divine Comédie*, l'un des fondateurs de *The Nation*, l'ami du professeur Bernard Berenson et de Ralph Curtis, enfin l'ami et le mentor d'Henry James, d'Isabella Stewart Gardner et d'autres membres du Cercle Barbaro. (C'est durant l'une des conférences du professeur Norton en janvier 1876 que Ralph Curtis glissa un mot à un camarade, lui donnant rendez-vous après le cours dans la chambre d'un ami ; ils allaient lancer une gazette d'étudiants, dans la même veine humoristique que *Punch*. Quelques semaines plus tard, Ralph Curtis et six de ses camarades publiaient le premier numéro du *Harvard Lampoon*.)

Leur dévouement manifeste au Palazzo Barbaro et le soutien énergique qu'ils prodiguaient aux artistes et aux arts valurent aux Curtis la bienveillance de tout Venise – un sentiment tellement débordant qu'il s'appliqua aussi aux générations suivantes. Alberto Franchetti, dont la famille posséda un temps le palais voisin du Barbaro, se rappelle que, dans son enfance, longtemps après la disparition de Daniel et Ariana, la famille Curtis était encore considérée avec admiration et gratitude.

— Il faut bien comprendre, me dit-il, qu'ils sont arrivés à Venise à une époque où la ville traversait la période la plus sombre de son histoire. La population était très pauvre, désespérée... Les Curtis ont été l'unique source de lumière en ces temps obscurs. Ils ont fait plus que restaurer le Palazzo Barbaro : ils lui ont rendu hommage, et Venise leur en sera à jamais reconnaissante. Aujourd'hui, les Curtis font partie de notre histoire, ce qui est une distinction très rare pour des étrangers. Ce ne sont pas des Vénitiens, mais nous ne les voyons pas non plus comme des expatriés. Pour nous, les Curtis sont uniques.

Il y avait toutes les raisons de croire que les prochaines générations de Curtis continueraient à vivre et à protéger le Palazzo Barbaro, recueillant en héritage la même bienveillance. Mais un problème survint bientôt.

Pour la première fois en plus d'un siècle, la famille Curtis fut menacée de perdre son palais.

L'origine du problème venait d'une clause du Code Napoléon, toujours en vigueur en Italie. Cette clause indiquait que les enfants devaient hériter d'une part égale des biens mobiliers de leurs parents. Cette loi – censément plus équitable que la loi anglaise de la primogéniture, accordant l'ensemble de l'héritage mobilier au seul aîné – fut à l'origine de terribles querelles entre héritiers, et du morcellement de grandes propriétés familiales.

Patricia, Ralph et Lisa avaient hérité du Palazzo Barbaro au milieu des années 1880. Comme le Code Napoléon l'exige, leur mère leur avait laissé le palais à parts égales, sans pour autant spécifier dans son testament à quel enfant revenait chaque part. Cette question, les trois héritiers durent y répondre eux-mêmes.

Patricia, l'aînée, était la seule des trois à vivre à plein temps au Barbaro. Lisa, qui avait épousé un Français, vivait à Paris et portait désormais le titre de comtesse de Beaumont. Ralph, divorcé d'une épouse française, vivait également à Paris.

— Nous avons tout essayé, m'expliqua Lisa. Toutes les formules possibles. Nous avons même envisagé de diviser le palais en trois verticalement, chacun ayant un appartement à l'étage et au *piano nobile*. Mais cela nous aurait amenés à séparer le *salone* du *portego*, et le responsable de la Commission des beaux-arts nous l'aurait interdit. Au bout du compte, nous nous sommes accordé la propriété conjointe du *piano nobile* et avons chacun pris un appartement dans une autre partie du palais.

Comme chacun sait, dans un palais, le *piano nobile* est l'étage ayant la superficie la plus importante, les plus hauts plafonds, les fenêtres les plus hautes et les balcons les plus imposants. C'est à cet étage qu'au fil des siècles des sommes considérables ont été dépensées pour les fresques des plafonds, les tableaux recouvrant les murs, les lustres gigantesques et les déferlements de stuc au-dessus des portes, autour des tableaux et vers les plafonds. Dans l'**es**prit de certaines personnes, le *piano nobile* n'est pas seulement le seul étage remarquable d'un palais, c'est à lui seul *le* palais. Autrement dit, s'il était revenu à une seule personne, ç'aurait été comme si elle possédait le palais. Daniel Curtis avait acheté les trois derniers étages du Barbaro. Même si les deux étages inférieurs avaient été achetés par d'autres personnes, qui y vivaient, on ne remit jamais en question le fait que le Palazzo appartenait aux Curtis, car ils possédaient le *piano nobile*. Dans certains quartiers, on l'appelait même le « Palazzo Barbaro-Curtis ».

La primauté du *piano nobile* sur les autres étages du Palazzo était d'autant mieux établie qu'il était le seul étage à s'étendre sur les deux palais. Les autres se trouvaient tous à des niveaux différents, confinés soit dans la partie gothique, soit dans la partie baroque. Avec ses 10 000 m², le *piano nobile* était non seulement plus étendu que les autres étages, mais il abritait aussi un joyau : la grande salle de réception, avec ses peintures monumentales et ses somptueux tourbillons de stuc, une salle si élégante et si majestueuse de proportion qu'elle se trouve dans presque tous les livres de photographies consacrés aux palais vénitiens.

Patricia étant la seule des trois enfants Curtis à vivre en permanence au Palazzo Barbaro, elle était aussi la seule à faire un usage régulier du *piano nobile* – pour y donner des réceptions, organiser des soirées ou y héberger des invités. Elle s'en occupait donc avec un soin plein de tendresse, s'empressant de satisfaire ses moindres exigences, tandis que sa sœur et son frère ne s'y intéressaient pour ainsi dire pas. Toutefois, en tant que copropriétaires du *piano nobile*, tous trois participaient financièrement à son entretien.

— Quand les fenêtres à l'arrière ont eu besoin d'être remplacées, se rappelait Lisa, nous avons dû suivre à la lettre les directives du responsable de la Commission de préservation des monuments, et cela nous a coûté 100 millions de lires (52 000 dollars). Quand il a fallu faire retapisser les sièges, nous n'avons pas eu le droit d'utiliser n'importe quel tissu. Ça devait être du Fortuny. Et les sols doivent être nettoyés et lustrés selon des standards établis par un conservateur – car, après tout, le Barbaro est un musée.

Au fil des ans, tandis que la valeur du *piano nobile* atteignait plus de 6 millions de dollars, Lisa et Ralph en vinrent à le considérer comme un luxe pesant. Ils voulurent le vendre, et cette question prit une tournure émotionnelle forte. Patricia résista farouchement. Ils essayèrent alors de rendre le *piano nobile* rentable, en le louant pour des soirées privées à partir de 10 000 dollars. Mais ces soirées devinrent des sources de complications pour les Curtis, et ils durent y mettre un terme.

La perspective de transmettre le *piano nobile* à la prochaine génération de Curtis se profilait comme un problème plus épineux encore, renforçant chez Lisa le désir de vendre sa part. Ralph était divorcé et sans enfants, mais Patricia avait un fils et un petit-enfant, et Lisa deux fils et six petits-enfants. Selon la rumeur, à présent que toutes les solutions alternatives avaient été épuisées, Patricia s'était finalement résignée, à contrecœur, à accepter le vote de deux voix contre une concernant la mise en vente du *piano nobile*. Les acheteurs potentiels se pressaient déjà pour visiter. Ce n'était qu'une question de temps.

Je me rendis compte que la vente du Palazzo Barbaro allait peut-être se dérouler plus rapidement que prévu et que ma visite risquait d'être une complication indésirable. Pour occuper le temps, j'ai cherché dans l'annuaire les numéros de tous les autres Curtis et suis tombé sur le téléphone de Ralph. Après tout, j'avais l'intention de le rencontrer à un moment ou à un autre... Quel mal y aurait-il à l'appeler?

À la troisième sonnerie, un répondeur se mit en marche. Un homme à l'accent américain disait en anglais : « Vous êtes en contact avec le poste de liaison sur Terre de la République démocratique de la planète Mars... »

Je raccrochai, vérifiai le numéro et rappelai.

La même voix débita le même message, poursuivant : « Les chercheurs ont accès aux archives sur rendez-vous uniquement. Si vous nous laissez vos coordonnées, le bibliothécaire se fera un plaisir de vous rappeler. »

Je laissai mon nom et mon numéro de téléphone en ajoutant que je voulais joindre Ralph Curtis au Palazzo Barbaro. Deux heures plus tard, Ralph Curtis m'appelait.

— Je pensais avoir composé un mauvais numéro, dis-je.

— Eh bien, vous savez, nous sommes submergés d'appels d'étudiants travaillant sur Henry James, John Singer Sargent ou Tiepolo. Ça devient lassant... Ils posent des questions ridicules. Je me contrefiche de savoir si Henry James portait un nœud papillon ou une cravate quand il écrivait *Les Papiers de Jeffrey Aspern*...

— Je veux bien le croire, oui. Alors, cette histoire de République démocratique de la planète Mars, c'est juste une ruse pour tenir à distance les universitaires...

— Eh bien, non. Il se trouve que c'est tout à fait réel.

— Ah... répondis-je, méfiant.

— Quelle est votre position sur la paix et le désarmement nucléaire ?

— Je suis pour, dis-je en pesant mes mots.

— Tant mieux, parce que c'est la mission du Projet Barbaro.

— Le Projet Barbaro ?

— La paix dans le monde et le désarmement nucléaire. Nous sommes en relation avec les gouvernants de toutes les puissances nucléaires terrestres. Notre but est de les convaincre de nous confier leurs codes de mise à feu afin que nous les mettions dans un vaisseau spatial qui partira sur Mars – là où plus personne ne pourra les retrouver. Qu'est-ce que vous en pensez ?

— C'est une noble cause. Mais vous avez dit « nous ». Qui d'autre vous aide dans ce projet ?

— Eh bien, à vrai dire... il n'y a que moi. Mais j'en ai parlé à beaucoup de personnes, comme vous, qui pensent que c'est une bonne idée.

Je profitai d'un silence dans la discussion pour lui expliquer pourquoi je l'avais appelé. Je lui fis part de mon intérêt pour le Palazzo Barbaro, le Cercle Barbaro et la vie que cinq générations de Curtis avaient menée dans ce palais.

— Serait-il possible de visiter le Palazzo Barbaro ?

— C'est envisageable. Je vais vous envoyer un formulaire de demande. Quelle est votre adresse ?

Trois jours plus tard, je reçus une grande enveloppe contenant un formulaire d'admission à la bibliothèque et au centre de documentation R. D. Curtis. Je le remplis, répondant « non » à la question « êtes-vous en relation avec des intelligences ou des groupes extraterrestres ? ». À côté de la signature, on me demandait une empreinte de l'orteil de mon pied droit. Tandis que je pressais mon orteil dans une boîte de cirage marron, je me demandai si je ne faisais pas les frais d'un canular. Je renvoyai tout de même le formulaire et, quelques jours plus tard, Ralph Curtis me téléphonait à nouveau pour me demander si je pouvais venir au Palazzo Barbaro à 15 heures le lendemain. Je pouvais.

— Parfait. Nous procéderons à un lancement.

Il ne précisa pas de quoi il s'agissait.

Comme convenu, je le retrouvai dans un café du Campo San Stefano, juste derrière le Barbaro. Assis à une table, il fumait une longue cigarette verte, de celles qui contiennent généralement de l'herbe séchée. C'était un homme d'environ cinquante-cinq ans, assez frêle et extrêmement bronzé, portant un jean bien repassé, un pull ras du cou bleu et une veste en daim marron. Des lunettes d'aviateur aux verres bleus complétaient la panoplie. Il éteignit sa cigarette et se leva.

— Tout va bien ?

À l'arrière du palais, une lourde porte en bois s'ouvrit sur une cour intérieure enchanteresse, avec des murs de vieille brique et de stuc, troués de fenêtres disposées apparemment au hasard. À notre gauche, un long escalier étroit en marbre, à la rambarde couverte de vigne vierge, montait deux étages pour aboutir au *piano nobile*. Au centre de la cour, un rhododendron luxuriant surgissait d'une source couverte par le grand chapiteau en marbre d'une ancienne colonne. Face à nous, un passage sombre sous une arcade menait au Grand Canal, dont l'eau jetait des étincelles ensoleillées. Une vieille gondole amarrée à des pilotis semblait attendre le départ. Sa *felze*, une petite cabine noire réservée aux passagers qui n'était plus en usage à Venise depuis des décennies, était toujours en place. Je demandai à mon hôte l'âge de sa gondole.

— Plus d'une centaine d'années.

Autrement dit, Robert Browning, John Singer Sargent et Henry James l'avaient probablement utilisée dans leurs promenades.

Arrivés en haut des escaliers, nous entrâmes dans une antichambre obscure quoique haute de plafond. À droite, une double porte en bois poli donnait sur le *portego* et les salles des étages avec vue sur le Grand Canal, mais elle resta fermée : Ralph tourna tout de suite à gauche, ouvrit une porte plus petite ouvrant sur son appartement. Il était constitué de plusieurs pièces, vastes mais peu ostentatoires, situées à l'arrière du palais. Elles étaient toutes peintes en blanc, et le peu de mobilier – quelques chaises, une petite table en bois, des étagères – renforçait l'aspect désolé de l'endroit. Les lustres et les appliques avaient été remplacés par des ampoules au cobalt bleues telles qu'on en voit le long des pistes d'atterrissage dans les aéroports. Chaque pièce avait un nom, peint proprement au pochoir sur les murs : CENTRE DE CONTRÔLE DE VOL – SALLE DE LA LUNE – SALLE DE MARS – SALLE DE LA PAIX – SALLE DE RECHERCHES EXTRATERRESTRES.

— Bienvenue à bord du vaisseau *Barbaro*! m'annonça Ralph en me faisant rapidement visiter les lieux, qu'il avait baptisés « l'aile O. C. du Palazzo Barbaro » en hommage à son ex-femme Odile Curtis.

Dans une pièce, trois combinaisons spatiales étaient suspendues à des patères. Une photo d'un animal en peluche – un singe – était scotchée à côté de l'une d'elles, avec une légende : « Monkeyface, Commandant de vol, Vaisseau

Barbaro. » Dans une autre pièce, une poupée gonflable vêtue d'un bikini en dentelle noire était posée par terre, adossée à une cloison. Apparemment, Ralph ne jugeait pas nécessaire de faire des commentaires. Dans la « Salle de Crise », une machine portait le nom de « Réacteur à Anti-matière ». Ralph y prit une pile de cassettes audio et revint dans la Salle de la Lune.

— Bien. Paré au lancement ?

Ralph était assis par terre, en tailleur, près d'un radiocassette, passant en revue les cassettes qu'il avait rapportées.

— Voyons, que choisissons-nous... *Apollo 11* ? Le premier vol habité vers la Lune. Vous savez, Neil Armstrong, « C'est un petit pas pour l'Homme mais un grand pas pour l'humanité »... Sinon, *Apollo 12*, pas mal du tout... *Apollo 13*... celui-là je le saute, ils ont été obligés d'annuler l'alunissage et sont rentrés sur Terre. Or nous voulons un lancement *et* un alunissage, n'est-ce pas ?

— Exact, répondis-je en m'asseyant moi aussi par terre.

— *Apollo 14*, quand Alan Shepard a tapé quelques balles de golf une fois arrivé sur la Lune. Pour *Apollo 15*, Shepard était présent dans le centre de contrôle de Houston. Prenons celui-là...

Ralph inséra la cassette dans le lecteur, pressa la touche « play » puis s'appuya contre le mur. L'enregistrement commençait par la voix ultra-calme du responsable de la salle de contrôle entamant son célèbre mantra : « T moins 2 minutes... » Nous étions assis, écoutant en silence le staccato des échanges entre Houston et les astronautes. Puis ce fut le compte à rebours : « Dix... neuf... huit... début de l'allumage des moteurs... cinq... quatre... trois... deux... un... zéro... mise à feu des boulons d'ancrage, mise à feu des propulseurs... Lancement ! »

— Bon sang ! s'exclama Ralph.

Le rugissement des réacteurs traversa les haut-parleurs avec une telle violence qu'ils semblèrent sur le point d'exploser. Ce qui n'empêcha pas Ralph de monter le volume. Des vagues sonores vinrent se fracasser en rythme contre mes tympans, tandis que les murs et les sols tremblaient. Quand le bruit des réacteurs commença à s'atténuer, Ralph leva les yeux du radiocassette. Mes tympans se débouchè-rent instantanément.

— Vous faites ça souvent ? lui demandai-je.

— Oh, parfois je m'offre des lancements à 3 heures du matin. Le téléphone sonne, les voisins se plaignent. De temps en temps ma sœur Pat pique une crise...

— C'est pour cette raison que vous continuez ?

— Non. Je continue parce que ça me donne de l'espoir. J'imagine le vaisseau *Barbaro* s'envolant vers l'atmosphère et emportant vers Mars les codes de mise à feu nucléaire. J'ai écrit à Bill Clinton pour lui proposer d'être le premier homme à partir sur Mars avec les codes pour ne plus jamais en revenir. Ça m'a demandé beaucoup de courage, vous savez, parce que les gens pourraient me croire fou.

— Clinton vous a répondu ?

— Pas encore. Et j'ai envoyé à Boris Eltsine une œuvre d'art intitulée *Les Douze Apôtres de la planète Mars*, mais là non plus je n'ai pas encore reçu de réponse. Certains jours, je me sens découragé. C'est dans ces moments-là que je viens ici pour me faire un lancement...

Sur la cassette, *Apollo 15* continuait de s'éloigner de la Terre. Nimbés par le halo bleuâtre et blanchâtre de la Salle de la Lune, nous écoutions les conversations entre la fusée et Houston, entrecoupées de petits bips. *Apollo 15* n'allait pas tarder à entrer dans son orbite terrestre. Ralph pressa le bouton « avance rapide ».

— Restez encore avec moi quelques secondes... nous allons directement à l'alunissage.

Quand la cassette repartit, la voix du responsable de la salle de contrôle annonçait : « 1 500 mètres de la surface lunaire... »

Avance rapide.

« ... 360 mètres... »

Avance rapide.

« ... 25 mètres... 12... 6... 3... 2... 1... Contact ! »

— Bon sang ! s'exclama Ralph.

Il resta assis un moment, sans dire un mot, savourant tout le plaisir qu'il pouvait éprouver de l'enregistrement de ce voyage dans la Lune. Puis il ramassa les cassettes et, pendant qu'il allait les ranger, je refis un tour de l'appartement. Les pièces étaient encore plus désertes que je l'avais d'abord cru. Il n'y avait aucun vêtement en vue, aucun ustensile de cuisine, pas de serviettes, pas d'articles de toilette.

— Où se trouvent toutes vos affaires ? lui demandai-je. Où dormez-vous ?

— Oh ! Je ne vis pas ici. Je n'ai pas de maison, pas d'adresse fixe. Je préfère vivre comme ça.

— Vous plaisantez ?

— Du tout. Je dors chez des amis. Je laisse mes valises pleines de vêtements dans plusieurs appartements.

Il fouilla dans sa poche et en sortit un porte-clés surchargé.

— J'ai les clés de l'appartement d'une dizaine d'amis. Ce sont « les clés de chez moi ».

Les pièces de Ralph Curtis auraient pu faire un appartement très confortable. Je me hasardai à lui avouer que choisir de vivre chez les autres, avec quelques valises, alors que l'on possède un appartement sur le Grand Canal me laissait perplexe.

— Je n'aime pas l'idée de posséder. Je ne veux rien posséder.

— Mais vous possédez en partie le Palazzo Barbaro.

— Je préfère me considérer comme le « gardien spirituel » du Barbaro.

— C'est-à-dire ?

— Pendant quatre cents ans, la famille Barbaro a vécu ici. C'étaient des érudits, des philosophes, des diplomates, tout ce que vous voulez – des personnes en quête de sagesse et d'harmonie. Tel est l'héritage représenté par ce palais, et il faut le protéger.

— De quoi ?

— Eh bien, de tout ce qui serait déplacé, insultant, dégradant. À une époque, nous avons loué le *piano nobile* pour des soirées privées, en espérant que ce serait un moyen inoffensif de nous aider à payer les frais d'entretien du palais. Nous avons signé un contrat avec Jim Sherwood, le propriétaire du Club 21 à New York et de l'hôtel Cipriani ici, pour s'occuper de la partie gastronomique. Il a engagé des dépenses conséquentes, allant même jusqu'à installer dans le palais une cuisine industrielle, mais c'est devenu beaucoup trop important. Il a conçu un menu en baptisant certains plats de noms problématiques, par exemple le tournedos Barbaro, et il a commandé tout un assortiment de vaisselle et de verres frappés de l'emblème des Barbaro – un cercle rouge sur fond blanc. Je lui ai dit : « Jim, tu connais l'origine de cet emblème ? » Il ne la connaissait pas. « Il provient d'une bataille durant les Croisades, lorsqu'un commandant Barbaro a tranché le bras d'un infidèle sarrasin et a dessiné avec un cercle de sang sur un tissu blanc pour en faire un étendard. Ce que je vois là est scandaleux ! » Il avait dépensé 80 000 dollars pour la vaisselle et les verres, et je l'ai obligé à tout jeter. Je lui ai dit : « Tu as de la chance que je ne les aie pas cassés ! » Ensuite, je l'ai obligé à retirer tout le matériel de la cuisine. Aujourd'hui, elle a une fonction bien plus noble : c'est la Salle de la Paix.

— Et le *piano nobile* est à vendre.

— Je voudrais ne pas le vendre. Je préférerais le donner à la National Art Gallery de Washington, comme un symbole. Je leur ai écrit pour le leur proposer mais ils m'ont répondu que l'entretien leur coûterait trop cher.

— Donc il va être vendu, n'est-ce pas ?

— Probablement. Ça ne fait pas plaisir à Pat. Elle a écrit à ma sœur Lisa, en l'accusant de vouloir *smembrare* – littéralement, « démembrer » – le patrimoine artistique et culturel de la famille. Sa lettre était rédigée en italien. Elle a une fibre très italienne, ce qui parfois m'agace un peu. Son dévouement à cette maison a quelque chose de pathologique. Le portrait de Patricia a été peint au Barbaro quand elle avait dans les vingt ans. Le style imite celui de Sargent et de Boldini, et je crois qu'il a eu un effet profond sur elle. Il lui a donné l'impression qu'elle devait être fidèle non seulement au palais et à la famille mais aussi au tableau. Je l'ai déjà prévenue : « Ce portrait te détruira. »

Ralph revint ensuite sur son sujet de prédilection, pendant que nous enfilions nos manteaux et retournions vers l'antichambre.

— Si vous voulez, je vous enverrai des photocopies des lettres que j'ai écrites aux chefs d'État. Elles sont archivées dans la Salle de la Paix.

À mi-chemin dans les escaliers, je m'aperçus qu'il ne m'avait pas montré le reste du *piano nobile*, mais je n'insistai pas.

— Je peux aussi vous envoyer d'autres documents, mais seulement si vous êtes vraiment intéressé. J'ai écrit les paroles de l'hymne national martien en alphabet cyrillique.

Nous nous quittâmes là où nous nous étions retrouvés, sur le Campo San Stefano.

— Vous savez, me confia-t-il, celui qui achètera le *piano nobile* deviendra le gardien spirituel du Barbaro. J'espère juste qu'il prendra toute la mesure de ce que cela signifie. Le temps nous le dira...

Il jeta un coup d'œil sur la place, comme pour vérifier que personne ne nous espionnait.

— De toute façon, j'ai un plan. Une fois que les nouveaux gardiens seront bien installés, lorsqu'ils auront pris leurs marques, je viendrai les voir et je leur parlerai du projet Barbaro. On ne sait jamais.

Un mois après son départ pour la Malaisie, Patricia Curtis m'envoya un fax manuscrit pour m'annoncer qu'elle était de retour à Venise et que, comme promis, elle serait heureuse de me faire visiter le Palazzo Barbaro.

Ce que j'avais appris pendant son absence – la vente imminente du *piano nobile* – avait placé le palais et Patricia Curtis sous une lumière tout à fait différente, et pas seulement pour moi. Au fil des ans, c'était Patricia, et non son frère, sa sœur ou les trois ensemble, qui avait fini par être considérée comme la propriétaire du Barbaro. Elle était sa *castellana*, et aux yeux des Vénitiens, elle était désormais au cœur d'un triste mélodrame familial. La vente du *piano nobile* symboliserait sa perte, et sa perte ne signifierait pas autre chose que la perte du Palazzo Barbaro lui-même. La population lui manifestait toute sa sympathie, mais à des degrés variables. Les uns disaient : « Patricia doit se battre pour le Barbaro ! Sans lui, qui serait-elle ? », les autres comprenaient que sa passion pour le palais n'était pas liée à un quelconque besoin d'asseoir sa position sociale, mais au contraire au besoin impérieux de préserver l'héritage de la famille Barbaro et l'histoire culturelle du lieu.

Patricia m'accueillit en haut de l'escalier de la cour et me guida jusqu'au *piano nobile*. Elle se montrait cordiale, détendue, pas du tout tourmentée.

Comme d'habitude, elle était vêtue de blanc, mais je me rendis compte que ce n'était pas un blanc uniforme : sa tenue balayait toute la gamme des blancs, blanc crémeux, blanc laiteux, blanc de lin, blanc osseux, blanc de la colombe... Son chemisier, son pantalon, ses chaussures et ses bijoux offraient un assortiment désinvolte et étonnamment libérateur de blancs. Après tout, le blanc n'est-il pas le résultat de la combinaison de toutes les couleurs ? Ses lunettes surdimensionnées à monture blanche se détachaient sur son visage bronzé.

— J'ai appris que vous aviez parlé avec mon frère.

— En effet, oui.

J'espérais qu'elle n'y verrait rien de rédhibitoire.

— Pas de problème, dit-elle, confirmant par ces trois mots l'essentiel de ce que j'avais appris à propos de sa lutte pour préserver le palais, tout en me laissant entendre qu'elle ne s'inquiétait plus de ce que son frère pouvait m'avoir raconté.

Elle m'emmena dans une pièce où trônait un secrétaire chinois laqué. Les fenêtres donnaient sur la cour.

— Nous sommes ici dans la petite salle à manger, que nous appelons aussi le salon Henry James, car c'est sur ce secrétaire qu'il écrivait.

Dans la préface d'un de ses livres, le romancier décrivait cette pièce avec « son plafond prétentieux décoré par Tiepolo et ses murs tapissés d'un vieux damas vert pâle, quelque peu élimé et taché ». Les murs semblaient toujours couverts du même damas abîmé mais, apparemment, James s'était trompé à propos du plafond.

— C'est ça qu'il regardait, intervint Patricia en levant les yeux vers une scène céleste peinte au plafond. Il s'agit d'une copie de la fresque originale peinte par Giambattista

Tiepolo au XVIIIe siècle. Elle a été retirée et vendue bien avant l'arrivée de mes arrière-grands-parents au Barbaro. Elle se trouve aujourd'hui à New York, au Metropolitan Museum.

Son accent américain était relevé d'une pointe européenne. Elle prononçait « Barbaro » à l'italienne, en roulant doucement les *r*.

Nous entrâmes dans le grand salon, dont le sol en granito était décoré d'une mosaïque aux incrustations de nacre. Au mur, dans un lourd cadre doré, était accroché le portrait grandeur nature d'une jeune fille aux épaules dénudées vêtue d'une robe d'un rose argenté.

— C'est le portrait de ma grand-mère par Sargent.

Lisa Colt Curtis était l'une des héritières de la fortune du fabricant d'armes à feu Colt. Sargent l'a représentée debout, les mains posées doucement sur la table, derrière elle, une pose qui évoque irrésistiblement celle de sa très controversée – et nettement moins discrète – *Madame X*.

Nous marchions à présent le long du *portego*. À l'autre extrémité, la lumière tombant des quatre fenêtres gothiques baignait les tableaux et les ornements en stuc sur les murs. Arrivés aux fenêtres, qui ouvraient sur des balcons surplombant le Grand Canal, Patricia prit à droite et ouvrit la porte d'une petite bibliothèque avec une cheminée et des murs tapissés d'un damas rouge aussi élimé et taché que celui de la pièce où travaillait Henry James. Les meubles, les tableaux et les cadres dorés à la feuille portaient tous la marque d'une patine vieille de deux siècles, sinon plus. Un élégant bureau marqueté à motifs de feuilles de vigne et d'oiseaux était usé sur les bords, douci et poli au fil des générations. Des bibliothèques sculptées ployaient sous le poids d'antiques volumes. Une théorie de statuettes de lions défilait sur le manteau en marbre de la cheminée, sous un bas-relief d'enfants et de musiciens jouant de la flûte et du tambourin.

— Nous sommes ici dans le *salotto rosso*, également nommé le salon Browning, car c'est là que le poète Robert Browning déclamait ses œuvres à haute voix. Lorsque Browning était à Venise, lui et mon arrière-grand-père se voyaient presque chaque jour, parfois deux fois par jour, pendant trois ou quatre heures. Ils partaient se promener longuement sur le Lido, et Browning parlait tout le temps. Dès que mon arrière-grand-père rentrait chez lui, il s'asseyait à son bureau et retranscrivait tout ce que lui avait dit Browning.

Le journal de Daniel Curtis avait été donné à la bibliothèque Marciana et, ces dernières semaines, j'en avais lu plusieurs passages. Il avait pris de très nombreuses notes sur ses conversations avec le poète – peut-être avec l'intention d'écrire un livre sur lui, ce qu'il n'a jamais fait. Browning abordait tous les sujets, importants ou anodins. « Je me lève toujours à 6 heures, et je m'habille à la lumière d'un gros bec de gaz dans la rue. Je fais ma toilette et quelques exercices pendant une heure et demie. J'enfile mes bas dès que je me lève, *in uno pede stans*. À 8 heures je prends mon petit déjeuner et à 9 heures je m'installe à mon écritoire. »

La dernière lecture publique de Browning se déroula dans le *salotto rosso*, devant les Curtis et vingt-cinq de leurs convives, le 19 novembre 1889, un mois avant sa mort. Il lut des extraits d'*Asolando*, un nouveau recueil de poèmes qui devait être prochainement publié. Les jours qui suivirent, Daniel Curtis écrivit dans son journal les notes constituant la chronique des derniers jours du poète. Browning séjournait au Palazzo Rezzonico, un gigantesque palais baroque sur l'autre rive du Grand Canal dont le propriétaire, à l'époque, n'était autre que son fils Pen.

1er décembre : Toute cette semaine, M. Browning était souffrant et n'est pas allé se promener au Lido. A dîné dehors, est allé à l'Opéra, a pris sa pilule bleue et suivi un régime strict sans vin.

3 décembre : M. Browning va mieux. Sa bronchite et ses difficultés respiratoires s'atténuent, mais il reste sans forces, par moments agité voire pris de divagations.

8 décembre : [les médecins de Browning disent qu'il souffre d'une] « faiblesse musculaire de la vessie » – pas de maladie, pas de douleur, mais une faiblesse qui nous fait tous craindre pour son avenir.

9 décembre : Allé au Pal [azzo] Rezzonico. [Pen Browning] m'a dit que son père était très faible – activité cardiaque très faible. A eu envie de se lever, de marcher, de lire un peu : interdit par les médecins. A dit à son fils : « Cette fois je ne vais pas m'en sortir. »

11 décembre : Le domestique anglais m'a expliqué qu'ils étaient restés éveillés toute la nuit. Ils s'attendent au pire ! Le Dr Munich a appelé. Tension artérielle : 160/130.

12 décembre : Ce matin, Fernando a vu [Pen Browning] – dit que les médecins ont bon espoir ! Mon fils vient de rentrer du Palazzo Rezzonico. Apparemment, M. Browning va beaucoup mieux. Il a dit à son fils : « Je me sens bien mieux à présent, j'ai envie de me lever et de marcher mais je sais que je suis encore trop faible. » Il n'éprouvait aucune espèce de douleur. Mais à 20 h 30 nous avons reçu un message de Mlle Barclays (qui reste au Rezzonico) : « Notre cher M. Browning est en train de mourir. Il respire encore – mais c'est fini. » Elle demandait à mon fils de faire le nécessaire pour faire réaliser un moulage du visage et des mains de M. Browning. Son fils considère qu'il le doit au public. Pen a dit que [...] un télégramme de Londres avait été lu à Browning, faisant état de l'accueil réservé à son nouveau recueil, publié aujourd'hui. Browning a déclaré : « Eh bien, voilà une bonne nouvelle ! Je vous en suis très reconnaissant... » Et voilà qu'il est sur le point de mourir – dans cette Italie dont il disait que le nom était écrit dans son cœur...

Comme l'avait demandé Pen Browning, Ralph Curtis – grand-père de Patricia et de Ralph – trouva quelqu'un pour réaliser un moulage du visage et des mains du poète, et une autre personne pour prendre en photo le défunt sur son lit. Daniel Curtis, lui, ramassait des branches de laurier dans le jardin des Curtis et Ariana les arrangeait pour former une couronne qui serait déposée dans le cercueil, sur la tête de Browning.

— Et maintenant, passons donc au *salone*...

Nous quittâmes le refuge intime du salon Browning pour entrer dans la grandiloquence de la gigantesque salle de bal. Un généreux glaçage rococo de feuilles en stuc et de *putti* encadrait les immenses tableaux de Sebastiano Ricci et de Piazzetta, deux maîtres du XVIIIe siècle. Cette salle occupe une place centrale dans la description mémorable du « Palazzo Leporelli » dans *Les Ailes de la colombe* d'Henry James. C'est une véritable forteresse louée par Milly Theale, une « résidence d'une fantaisie savamment entretenue » qui l'enclosait et la protégeait de toute agression.

Jamais encore ne s'était-elle, autant que ce matin, abandonnée à la jouissance de ce qu'elle possédait; heureuse et reconnaissante que la chaleur du soleil méridional s'attardât dans les hautes salles ornées, les salons grandioses dont le dallage dur et frais reflétait les images dans son lustre éternel et où le soleil, au moindre mouvement de la mer, scintillant par les fenêtres ouvertes, jouait sur les sujets peints des superbes plafonds – médaillons de pourpre et d'or, de couleur mélancolique et vieillotte; médailles comme de vieil or rouge, ciselées et enrubannées, patinées par le temps, toutes fleuries, dentelées et dorées, serties dans un vaste creux moulé et décoré (un nid de chérubins blancs, aimables créatures ailées) mis en valeur par une seconde rangée de fenêtres plus petites, ouvrant directement sur la façade, qui contribuaient grandement [...] à faire de cet endroit un appartement d'apparat.

Ce passage typiquement jamesien est devenu la description littéraire archétypale des intérieurs vénitiens vieux de plusieurs siècles et des vies qu'ils ont abritées.

C'est aussi dans cette salle qu'en 1898 Sargent avait peint son *Intérieur vénitien*, magnifique portrait de groupe des quatre Curtis – Daniel, Ariana, Ralph et Lisa – que le soleil nimbe d'une magnifique lumière. En quelques touches souveraines, Sargent capture l'esprit du lieu aussi efficacement qu'Henry James.

À l'origine, ce tableau était un cadeau pour Ariana Curtis, en remerciement de son hospitalité. Mais cette dernière craignait de paraître trop âgée, et n'appréciait guère la pose négligée de son fils, main sur la hanche et à moitié assis sur une table dorée à l'arrière-plan. Elle refusa donc le tableau. Henry James lui écrivit pour la supplier de l'accepter : « Son salon du Barbaro [...] je l'ai positivement adoré ! Je ne peux pas m'empêcher de penser que vous vous faites une idée quelque peu fallacieuse de l'impression laissée par votre (votre, chère madame Curtis) tête et votre visage. [...] Rares sont les tableaux de S[argent] que j'ai désiré si ardemment posséder ! J'espère que vous n'y avez pas définitivement renoncé. »

C'était pourtant le cas. Sargent présenta donc son tableau pour obtenir son diplôme à la Royal Academy de Londres, et c'est là qu'il se trouve encore aujourd'hui. L'ironie veut que l'*Intérieur vénitien* ait finalement été reconnu comme l'un des petits chefs-d'œuvre de Sargent, et que sa valeur équivaut aujourd'hui – si elle ne la dépasse pas – à celle de tout le *piano nobile* du Palazzo Barbaro. Si seulement Mme Curtis l'avait accepté...

La préciosité sociale d'Ariana Curtis était un phénomène très connu à Venise et suscitait parfois des commentaires. Après avoir été conviée à prendre le thé au Barbaro en 1908 avec son mari Claude Monet, Alice parlait dans une lettre des « grands airs de la maîtresse de maison ». Matilda Gay, épouse d'un autre peintre, Walter Gay, écrivit d'Ariana : « Cette vieille dame de quatre-vingts ans est extraordinaire : une telle vivacité d'esprit, un tel sang-froid... » Les Curtis étaient particulièrement fiers d'accueillir autant d'aristocrates. Les comtes et les comtesses venaient en nombre. Don Carlos, prétendant au trône d'Espagne, était un invité régulier tout comme Olga du Monténégro et l'impératrice Victoria, épouse de Frédéric d'Allemagne et fille de la reine Victoria. La reine de Suède et sa fille, la princesse héritière, venaient prendre le thé au Barbaro.

Mais jamais la sincérité de l'intérêt porté par les Curtis envers l'art et la littérature ne fut remise en question. Les dîners qu'ils organisaient l'étaient toujours autour d'un événement culturel : lectures de poèmes, récitals, spectacles théâtraux, expositions et tableaux vivants où les invités se déguisaient et prenaient des poses pour reproduire les œuvres célèbres du Titien, de Romney, de Van Dyck, de Watteau et d'autres encore...

Un temps, Ariana Curtis elle-même avait envisagé d'être écrivain. Deux de ses sœurs publiaient déjà : Elizabeth

W. Latimer écrivait des contes et des romans, Katharine Prescott s'était fait une réputation comme traductrice en anglais des œuvres de Balzac.

Ariana, pour sa part, s'était essayée à l'écriture théâtrale. En 1868, avant de venir s'installer à Venise, elle avait terminé une pièce en un acte, *La Femme à venir ou L'Esprit de 1776*, une comédie de salon qui, pendant une trentaine d'années, avait remporté un grand succès à Boston.

Malgré les intellectuels qui composaient leur cercle, les Curtis étonnaient certaines personnes par leur côté provincial et leur étroitesse d'esprit. Henry James, qui les admirait et les considérait comme ses amis, avait remarqué que Daniel Curtis comparait un peu trop souvent Venise à Boston et « le Grand Canal à Beacon Street ». Assez vite, James se lassa même des histoires ennuyeuses et des calembours maladroits de son hôte. « On calcule le temps que l'on mettra avant de voir la fin de ses anecdotes. Peut-être ne la voit-on jamais. »

Patricia remarqua que je regardais la grande fresque du plafond du *salone*.

— Croyez-le ou non, l'une des précédentes propriétaires a recouvert cette peinture de goudron parce qu'elle n'aimait pas sentir des regards au-dessus d'elle. Mes arrière-grands-parents ont fait retirer le goudron. Quelques années plus tôt, il avait même été question de retirer toutes les décorations en stuc des murs et du plafond pour les envoyer au Victoria and Albert Museum, mais cela risquait de trop les abîmer.

Un service à thé nous attendait sur une table au centre de la pièce. Nous prîmes place dans des fauteuils. En regardant autour de nous, j'essayai d'imaginer ce que ç'aurait pu être de grandir dans un décor pareil.

— C'était magique. Quand nous étions enfants, nous allions à l'école en gondole. Il y avait en permanence deux gondoliers en bas, dans la *stanza di gondolieri*, une petite salle à côté de la cour. Ils portaient une tenue blanche et marron, les couleurs des Barbaro, et un brassard aux armes des Curtis. Tous les matins, à la même heure, ils habillaient la gondole : c'est-à-dire qu'ils polissaient tous les cuivres puis remettaient les housses et les coussins blancs et marron. Quand mon père voulait sortir, il tapait dans un gong à l'étage pour prévenir les gondoliers. Le soir, quand ils savaient qu'on ne ferait plus appel à eux, ils déshabillaient la gondole.

Pendant l'enfance de Patricia Curtis, la vie au Barbaro ne ressemblait guère à la vie qu'on menait à Venise à cette époque, même dans les autres palais.

— C'était les années cinquante, se rappelait Patricia, et en ce temps-là les gondoles n'étaient plus utilisées que par une dizaine de familles vénitiennes, pas plus : les Cini, les Decazes, les Berlingieri, les Volpi et Peggy Guggenheim.

Le Barbaro était alors peuplé d'une dizaine ou plus de domestiques. Outre les gondoliers, on comptait deux maîtres d'hôtel, un majordome, un cuisinier, un cuisinier adjoint, deux femmes de chambre, une infirmière, un homme à tout faire et une blanchisseuse. Les femmes de chambre portaient des uniformes noir et blanc et des *friulane*, ces chaussures semblables à des espadrilles qui ne font aucun bruit lorsqu'on marche.

— Les domestiques étaient tout dévoués à mes parents. Rosa voulait toujours attendre leur retour lorsqu'ils sortaient dîner. Elle gardait les clés du palais, au prétexte qu'elles étaient bien trop lourdes et encombrantes pour être glissées dans la poche d'une veste de smoking. Et lorsque mes parents rentraient enfin, elle insistait toujours pour leur servir un verre de limonade chaude. Pendant la Seconde Guerre mondiale, le gouvernement italien a réquisitionné le Palazzo Barbaro et nous a interdit d'y vivre car nous étions des « ennemis étrangers ». Mais Rosa et Angelo sont restés sur place et ont veillé fidèlement sur le palais. Nous étions à Paris quand la guerre a éclaté, et notre père a décidé de nous emmener directement à New York. Nous ne savions pas si nous reverrions un jour le Barbaro. Heureusement, des officiels vénitiens sont venus pour mettre toutes les œuvres d'art dans des caisses et les faire transporter au palais des Doges, où elles seraient en sûreté. L'attaché militaire du Japon a établi son quartier général dans le *piano nobile*, couvrant les murs du salon de photographies encadrées d'avions japonais – notamment des kamikazes. Rosa a eu la présence d'esprit de cacher l'argenterie et tout ce qui avait de la valeur ; Angelo, lui, a si bien camouflé l'entrée de la bibliothèque au dernier étage que les habitants du Barbaro, pendant la guerre, n'ont jamais deviné son existence. À la fin des hostilités, quand mes parents sont revenus à Venise, Rosa leur a fait visiter le palais, fière de leur montrer que tout avait retrouvé son emplacement d'avant la guerre. Elle avait même retiré les photos d'avions japonais et s'en était débarrassée.

Nous quittâmes la salle de bal, et une enfilade de couloirs nous amena jusqu'à la suite principale. Là se trouvaient les chambres les plus majestueuses du palais, par leurs proportions comme par le panorama qu'elles offraient : deux hautes fenêtres avec balcon s'ouvraient sur le Grand Canal ; sur le côté, d'autres surplombaient un étroit rio longeant l'aile du palais. Les murs étaient tapissés de brocart et le mobilier datait de l'époque des Barbaro.

Avant mon départ, Patricia tint à me montrer son propre appartement, à l'étage supérieur – cet appartement qui lui appartiendrait toujours après la vente du *piano nobile*. La salle de bal en moins, il reprenait d'ailleurs le même plan que le *piano nobile*, avec un grand hall ensoleillé au centre desservant de chaque côté des pièces spacieuses, avec vue sur le Grand Canal depuis huit fenêtres. Les plafonds étaient plus bas, les moulures décoratives plus sobres mais élégantes. Quels que soient les critères, même pour Venise, cela restait un appartement superbe.

À un moment, alors que nous entrions dans une des chambres d'invité, je sentis que Patricia guettait ma réaction, plus encore qu'auparavant. Je compris tout de suite pourquoi.

Devant nous se trouvait le portrait en pied d'une jeune femme vêtue d'une robe blanche découvrant ses épaules. Sa pose fut la première chose qui arrêta mon regard ; elle était presque identique à l'étonnante pose d'Isabella Stewart Gardner dans le fameux portrait peint au Barbaro par Anders Zorn : bras étendus sur les côtés tandis qu'elle ouvre une porte-fenêtre et quitte l'un des balcons sur le Grand

Canal pour pénétrer dans le *salone*. La touche rappelait le style de Sargent. J'étais à peu près sûr qu'il s'agissait du portrait dont Ralph m'avait parlé.

— C'est vous ?

— Oui. Avec ma grande robe de débutante.

— Qui est le peintre ?

— Il s'appelle Charles Merrill Mount. Vous le connaissez ?

Le nom de Charles Merrill Mount ne m'était pas étranger. Pendant des années, ç'avait été l'un des plus grands spécialistes de Sargent. Il était l'auteur d'une biographie du peintre, et on faisait souvent appel à son expertise pour authentifier une toile attribuable à l'artiste. Jusqu'au jour où l'on s'est rendu compte qu'il authentifiait des Sargent qu'il avait lui-même peints...

— C'est le Charles Merrill Mount qui est allé en prison ?

— Oui.

Je dis à Patricia que c'était certainement impressionnant d'avoir son propre portrait signé par un faussaire expert de Sargent, qui s'était inspiré d'un portrait d'Anders Zorn et avait peint son tableau à l'endroit même où Zorn avait exécuté le sien. En examinant de plus près le tableau, je me fis la réflexion que Charles Merrill Mount avait su représenter Patricia Curtis avec beaucoup de subtilité. Il l'avait transplantée au cœur de l'histoire artistique du palais, à la fin du XIXe siècle, à l'époque de Sargent, d'Henry James et d'Isabella Stewart Gardner. Je commençai d'entrevoir à quel point elle s'identifiait, à travers ce portrait, à ce glorieux passé. Et je me demandai si cette robe blanche avait eu une influence dans sa décision de ne plus s'habiller qu'en blanc.

— Il y a une autre pièce à cet étage qui devrait aussi vous intéresser.

Elle ouvrit la porte sur une pièce longue et étroite au plafond bas et voûté. Des bibliothèques couvraient les murs, laissant juste filtrer sur trois côtés des rayons de soleil qui transformaient le sol de granito en mare aux reflets ambrés. Cette pièce, bien plus ancienne et bien plus décorée que le reste de l'appartement de Patricia, était comme une portion de *piano nobile* déplacée à l'étage pour être préservée. C'était cette bibliothèque qu'Angelo avait condamnée pendant la

Seconde Guerre mondiale pour que personne n'en soupçonne l'existence. Et c'était un véritable joyau, qui appartiendrait toujours à Patricia quand elle ne posséderait plus le *piano nobile*. Aucun vote à deux voix contre une ne pourrait le lui retirer.

— Un été où Isabella Stewart Granger avait loué le palais à mes arrière-grands-parents, elle s'est retrouvée avec trop d'invités – notamment Henry James – et pas assez de chambres. Alors, elle a installé un lit pour James dans cette bibliothèque. Il a beaucoup aimé être allongé dans cette pièce, à regarder les stucs et les peintures au plafond. Il a même écrit une lettre à mon arrière-grand-mère pour lui dire qu'elle manquait quelque chose si elle, propriétaire du palais, n'avait jamais dormi dans la bibliothèque !

Elle prit un livre et en sortit une lettre, qu'elle lut : « Avez-vous déjà vécu dans cette pièce ? Si ce n'est pas le cas, si, allongée sur votre lit, dans la roseur de l'aube ou durant une sieste postprandiale (c'est-à-dire après déjeuner), vous n'avez jamais levé les yeux vers les médaillons et les arabesques du plafond, alors permettez-moi de vous dire que vous ne connaissez pas le Barbaro. »

Elle remit la lettre dans le livre.

— Quand j'avais quatorze ans, mon père nous a convoqués ici le jour de la fin de l'année scolaire. Il était assis à ce bureau, là, et nous a donné des livres que nous devions lire pendant l'été. J'ai eu droit aux *Ailes de la colombe*.

— À quatorze ans ?

— Je reconnais que j'ai eu du mal à le lire mais, une fois terminé, j'ai compris pourquoi, pour certaines personnes, quels que soient les propriétaires du Palazzo Barbaro, il appartiendrait à jamais à Milly Theale.

Nous repartîmes par les escaliers.

— D'ailleurs, reprit Patricia, Milly Theale va revenir au Barbaro dans quelques mois.

— Pardon ?

— Une équipe de cinéma anglaise va venir tourner l'adaptation des *Ailes de la colombe*.

L'humeur de Patricia parut s'éclaircir à cette perspective légitime. Les Curtis avaient accepté que le Barbaro serve de décor à des dizaines de films qui n'entretenaient aucune espèce de lien avec le palais. Il semblait logique que celui-ci, qui était entièrement lié au Barbaro et aux Curtis, soit le dernier tourné durant le règne de la famille Curtis.

Je me rappelai un dialogue du roman qui rendait la situation plus poignante encore, et je me demandai si Patricia y avait elle aussi pensé. Milly a emménagé dans le « Palazzo Leporelli » et en est tombée amoureuse. Elle s'y raccroche, ne le quitte jamais. Et elle déclare à lord Mark :

« Je circule dans le palais sans m'en lasser. Comment le pourrais-je ? Il me convient si bien. Je l'adore, et je n'ai absolument aucune envie de l'abandonner.

— [...] Toute une vie ici ! Est-ce vraiment ce que vous aimeriez ?

— Je crois, répondit un instant la pauvre Milly, que j'aimerais surtout mourir ici. »

— J'ai vu beaucoup d'acteurs, de réalisateurs et de techniciens venir ici pour tourner des films, et, chaque fois, c'était comme, peut-être pas un coup de poignard dans le dos, mais... disons, une violente écorchure.

Ainsi parlait Daniel Curtis, fils de Patricia et arrière-arrière-petit-fils de Daniel Sargent Curtis qui avait acheté le Palazzo Barbaro en 1885. Je l'avais rencontré pour la première fois à l'extérieur du Barbaro pendant le tournage des *Ailes de la colombe*. Ce quadragénaire assez grand et mince avait des cheveux aux boucles foncées et dégageait un charme et une séduction qui l'avaient rendu célèbre à Venise.

— Tantôt c'est un morceau de ce scotch très résistant qu'ils appellent « gaffeur » – quand ils le retirent, il en reste toujours et il faut passer de la cire pendant au moins vingt ans pour que ça parte –, tantôt c'est quelque chose d'encore plus calamiteux ! Tenez, l'an dernier, pour le tournage de *Le Temps d'aimer*, un technicien est entré dans le *salone* en portant sur l'épaule une échelle qui a percuté un lustre du XVIIIe siècle. En entendant le bruit du lustre se fracassant sur le parquet, le technicien s'est retourné brusquement, percutant un second lustre. Je vous le dis du fond du cœur :

165

quand une catastrophe pareille se produit, c'est comme si tout le palais subissait un viol.

Les acteurs et l'équipe technique des *Ailes de la colombe* vinrent au Palazzo Barbaro, tournèrent leur film puis repartirent. Les badauds amassés sur le pont de l'Accademia et le Campo San Via regardèrent, fascinés, deux souffleries montées sur des bateaux projeter une épaisse brume sur le Grand Canal, transformant une journée printanière et ensoleillée en froid après-midi hivernal ; ou un cameraman s'élever dans les airs, porté par une nacelle hydraulique, pour filmer Milly Theale et Kate Croy (jouées par Alison Elliott et Helena Bonham Carter) sur un des balcons du *piano nobile*. Le chef opérateur utilisait des filtres couleur corail pour donner aux scènes vénitiennes une teinte chaude et dorée, par opposition aux scènes londoniennes, tournées avec un filtre bleu et froid. Dans les salles du Barbaro, les assistants décorateurs drapèrent les meubles dans du velours noir tissé d'or pour recréer l'effet de *chiaroscuro* des tableaux de Sargent. Durant les deux mois de tournage, aucun dégât ne fut à déplorer, sinon les accrocs et l'usure habituels. On prétendait même que le film était excellent.

Une fois l'équipe repartie, les acheteurs potentiels firent à nouveau le siège du palais, arpentant le *piano nobile* pour en prendre les mesures. Parmi eux, Jim Sherwood. Non content de posséder le Club 21 et l'hôtel Cipriani, Sherwood comptait dans son empire une trentaine d'hôtels de luxe et un train mythique entre tous, l'Orient-Express.

— Patricia m'a demandé si j'étais intéressé par l'achat du *piano nobile*, m'expliqua Sherwood un après-midi, tandis que nous bavardions sur la terrasse du Cipriani. J'ai voulu aller voir ça de plus près, mais Patricia n'était plus à Venise à ce moment-là. J'ai donc dû demander à Ralph de me faire visiter. Patricia m'avait prévenu qu'il risquait de refuser. J'ai fini par recevoir chez moi un formulaire à remplir et à signer avec une empreinte de l'orteil droit ! L'adresse de retour était : « CENTRE DE CONTRÔLE DES MISSIONS. VAISSEAU BARBARO. » Je n'en ai pas tenu compte. Quelques jours plus tard, j'ai reçu une nouvelle lettre dans une enveloppe couverte de sang. Le message était : « Eh bien, même si nous n'avons pas d'empreinte de votre orteil, vous pouvez venir voir le palais. » Il m'a reçu de façon assez cordiale. J'avais dans l'idée de créer plusieurs appartements à partir du *piano nobile* et d'en faire la publicité avec un slogan comme : « Une nuit dans un palais vénitien sur le Grand Canal ». Un type d'hébergement sans équivalent dans tout Venise ! J'ai commandé une étude, et ses conclusions étaient que l'on pouvait créer six appartements, mais que l'opération n'était pas rentable compte tenu du prix de vente et des coûts de restauration et de rénovation.

En fin de compte, un acheteur emporta le marché : Ivano Beggio, fondateur d'Aprilia, le deuxième plus important fabricant de motocyclettes en Europe.

— Ivano Beggio est le nouveau gardien spirituel du Palazzo Barbaro ! coassa Ralph Curtis.

La nouvelle déprima Patricia et indigna Daniel.

Après la vente, je rencontrai Daniel à nouveau, tandis qu'il traversait le pont de l'Accademia avec sa compagne. Il me proposa de venir boire un verre dans leur appartement du Barbaro.

Situé tout en haut de l'aile baroque du palais, l'appartement était réchauffé par un brillant soleil d'après-midi traversant les fenêtres qui couraient sur toute la longueur de son mur ouest. Daniel nous servit deux verres de vin blanc pendant que son amie se préparait un thé.

— Quand le *piano nobile* a été vendu, je vous assure, je me suis senti très malheureux. Parce que j'ai grandi dans cette maison. C'était une époque où nous avions encore des gondoliers à notre service, une époque où mon grand-père était encore en vie. Je rêve encore des câlins de mon grand-père, et de tout l'amour dont ils m'ont entouré quand j'avais six, sept, huit ans. Je les porte toujours en moi, et avec eux le souvenir de l'odeur de whisky qui accompagnait toujours les paroles de mon grand-père quand il me racontait, le soir, des histoires fabuleuses de marins et de pêcheurs...

Daniel parlait couramment anglais, avec un accent à couper au couteau. Son père, le Vénitien Gianni Pelligrini, était le premier mari de Patricia. Au moment de leur divorce, Daniel avait quatre ans. Daniel utilisait souvent le nom de Curtis.

— Quand j'étais jeune, j'avais l'habitude de m'étendre sur le sol du *salone* pour regarder les personnages en plâtre au plafond, les *stucchi*. Si je les fixais suffisamment longtemps, des visages et des masques ne tardaient pas à se détacher, certains très laids, d'autres souriants, mais toujours fantastiques – et toujours dans le même coin du plafond, surtout quand la lumière changeait, car le *salone* était toujours très lumineux. Mais mon plus grand souvenir, ç'a été quand, à dix-huit ans, j'ai eu le palais pour moi tout seul. Mon beau-père était en Malaisie, très occupé à monter une nouvelle affaire, et ma mère s'y rendait souvent. Dans ces occasions-là, j'étais chargé de m'occuper tout seul du palais. Les domestiques préparaient mes repas, le majordome qui vivait en bas étant toujours saoul. Il s'appelait Giovanni, et il avait installé une véritable cave sous son lit ! Comme vous l'imaginez, j'avais beaucoup de petites amies qui étaient très intéressées par cette grande maison, alors... je suis un peu devenu un play-boy, à cette époque.

Sa mère avait été considérée par les Vénitiens comme la propriétaire du Barbaro ; Daniel Curtis avait à son tour été perçu comme son héritier. Il partageait ce point de vue, dans une certaine mesure.

— Vendre la maison – vendre le *piano nobile* – a été un vrai traumatisme pour ma mère. Elle est de ces personnes qui, comme moi, sont désespérées si elles cassent un verre, alors qu'elles vivent entourées de millions de choses magnifiques. Vous comprenez ? Pour nous, vendre le *piano nobile* c'était comme si nous avions cassé toutes ces choses magnifiques dans la maison.

Il alluma une cigarette et se pencha en avant, coudes appuyés sur les genoux, tout en parlant avec intensité du Barbaro.

— Mais ma tante Lisa et mon oncle Ralph ont remporté le vote contre ma mère, et ça signifie la fin du *piano nobile* pour les Curtis. Ensuite, il a fallu se répartir tous les *sopramobili* – motifs ornementaux, boîtes anciennes, coupes en verre, cendriers, toutes ces belles petites choses. Et, croyez-moi, quand il s'agit d'un *piano nobile* de 10 000 m², il y a beaucoup de *sopramobili*! En plus, il a fallu procéder rapidement, et personne n'a pu faire appel à un antiquaire pour évaluer l'ensemble des pièces. Alors ils ont réuni tous les objets dans la grande salle à manger et ils les ont posés par terre, en trois rangées, en essayant de faire des rangées à peu près équivalentes. Ensuite, quand ils sont tombés d'accord sur le résultat, ils ont tiré au sort pour voir qui héritait de quelle rangée. Et là, pendant que chacun regardait sa rangée en pensant « voyons, qu'est-ce que je récupère ? », j'ai vu ma tante aller d'une rangée à l'autre, prendre un objet pour le mettre dans la sienne ou en retirer un de la sienne pour le poser dans une autre... Je n'ai rien dit. Je suis resté immobile, silencieux, et j'ai pensé : « Quelle drôle de tante j'ai... » Je vous le dis, si j'avais eu le pouvoir que j'aurais dû avoir, cette maison n'aurait jamais été vendue. Mais je ne pouvais rien dire. *Non ho voce in capitolo*, je n'ai pas voix au chapitre. Parce que dans cette famille, chez les Curtis, les décisions doivent être prises par le chef, pas par les membres. Et le chef, c'est ma mère et son mari, ma tante Lisa et son mari – *la comtesse et le comte* –, et mon oncle Ralph avec ses putains d'astronautes et de Monkeyface ! Pourtant...

Il se leva brusquement, comme pour donner plus de poids à ses paroles.

— Il y a une différence entre moi et tous les autres Curtis, ceux des cinq générations de Curtis à Venise, qui ont débuté avec mon arrière-arrière-grand-père, Daniel Sargent Curtis. Vous savez ce que c'est ? Je suis le *seul* Vénitien ! En cinq générations, je suis le seul Curtis à avoir dans les veines du sang vénitien ! Mon père était un vrai Vénitien, il est né à Venise, il a grandi à Venise.

Il marcha jusqu'à la fenêtre et regarda dans la cour. Puis il se retourna et s'adossa au rebord.

— Vous savez ce que c'est, que d'être un Vénitien ? Les Vénitiens sont des durs à cuire, des bagarreurs. Ils se battent pour défendre leur honneur, et le vocabulaire de leur ancien dialecte est très truculent. Les Vénitiens s'apostrophent avec des formules si incroyablement vulgaires qu'on ne peut pas les prendre au pied de la lettre, sans quoi on devrait tout simplement tuer la personne qui vous a insulté. Mais le bon côté des Vénitiens, c'est qu'ils ne s'embarrassent pas de savoir si vous êtes un roi, une reine, un président ou *la comtesse et le comte*. Les Vénitiens sont très démocratiques : ils s'entraident. Et c'est aussi mon cas, car je suis vénitien. Pour moi, le boulanger est comme un frère. Alors que pour ma mère, mon oncle et ma tante, le boulanger est le boulanger. Cette maison, je l'aime comme un Vénitien, pas comme un Curtis. Elle fait partie de moi. Si un morceau se casse, je le mets de côté. Je garde *tout* de cette maison. Regardez !

Il alla devant une commode entre deux fenêtres et commença à ouvrir les tiroirs un par un. Ils étaient remplis de fragments de marbre et de pierre d'Istrie, de briques, de tessons de verre ancien et de morceaux de fer ouvragés.

Il prit un petit morceau irrégulier de pierre rougeâtre.

— Ce fragment provient d'une marche en haut de l'escalier devant la porte de ma chambre.

Il prit une brique.

— Celle-ci est tombée d'une cheminée pendant un orage, et ce morceau de fer provient d'une grille qui protégeait une fenêtre. Tout ce qui touche à cette maison est sacré à mes yeux. Un jour, je vous en fais le serment, je rachèterai le Palazzo Barbaro à Ivano Beggio. Je récupèrerai le moindre morceau de palais qui lui aura été vendu. C'est un homme d'affaires très habile. Il vient de faire un excellent achat, et il le sait. Il me proposera sans doute de racheter le palais au double de son prix. Parfait. Je rassemblerai la somme, je trouverai de l'argent, j'en emprunterai à des amis riches. Pourquoi pas ? Après tout, ce ne sera pas la première fois qu'un Daniel Curtis achète le Palazzo Barbaro.

9

Le dernier *Canto*

En arrivant pour la première fois au Palazzo Barbaro en juin 1887, Henry James fut accueilli à la porte d'eau par des serviteurs en gants blancs qui l'aidèrent à sortir de sa gondole pour gravir les marches du ponton tapissées de velours et le conduisirent jusqu'au *piano nobile*. Tout ce qu'il vit l'enchanta : le luxe, l'éclat, les souvenirs d'un lointain passé « scintillant dans les innombrables lustres ». Toutefois, en admirant les murs peints et les plafonds sculptés du Barbaro, James avait en tête un autre palais, bien différent celui-là.

À cette époque, ses pensées étaient tout entières tournées vers une ruine oubliée au bord d'un canal solitaire, dans un quartier mélancolique et peu fréquenté de Venise. L'intérieur autrefois majestueux de ce palais était miteux, terne et poussiéreux. Son jardin clos de murs s'était transformé en un enchevêtrement de lierre et de mauvaises herbes. Deux vieilles filles sans le sou y vivaient, en sortant rarement, ne voyant personne.

James n'avait parlé à personne de cet autre palais et de ses deux occupantes solitaires car ils étaient fictifs. C'étaient les protagonistes du nouveau texte auquel il travaillait, *Les Papiers de Jeffrey Aspern*, le second de ses romans magistraux ayant pour cadre Venise. Le matin, il descendait dans la salle à manger du Barbaro, s'asseyait derrière le secrétaire chinois laqué, sous le « plafond prétentieux décoré par Tiepolo », et écrivait quelques pages. Durant les cinq semaines qu'il passa au Barbaro, il mit la touche finale à son manuscrit et l'envoya à son éditeur.

L'idée de ce roman était venue à James pendant un séjour à Florence, au début de l'année. Un ami lui avait raconté la dernière histoire en date : Claire Clairmont – demi-sœur de Mary Shelley, ancienne maîtresse de lord Byron et mère de sa fille illégitime Allegra – vivait recluse à Florence. Elle avait alors plus de quatre-vingts ans et seule une nièce d'une cinquantaine d'années s'occupait d'elle. Un critique d'art de Boston et grand admirateur de Shelley nommé Silsbee la soupçonnait de posséder toute une correspondance entre Byron et Shelley, et vint la voir dans sa retraite. Il loua une chambre dans son palais, espérant, comme le note James dans ses carnets, « que la vieille dame, compte tenu de son âge et de sa santé chancelante, disparaîtrait pendant qu'il se trouvait chez elle, de sorte qu'il pourrait mettre la main sur ces documents ». C'est de fait ce qui se produisit. Silsbee s'ouvrit alors à la nièce, lui révélant son désir de récupérer les lettres. Elle lui répondit : « Je vous les donnerai toutes si vous m'épousez. » Silsbee s'enfuit.

Cette histoire fascinait James. Il y voyait un excellent matériau de départ pour un roman. « À l'évidence, écrit-il dans son journal, il y a là un sujet à développer : le portrait de deux vieilles Anglaises fanées et ruinées, au comportement étrange, à la réputation douteuse, vivant dans le quartier décrépit d'une ville étrangère, et dont l'unique richesse est constituée de ces précieuses lettres. Et puis toute l'intrigue autour du fanatique de Shelley – ses manœuvres d'approche et d'espionnage... »

Transposant cette histoire dans le registre de la fiction, James la situa à Venise pour « brouiller les pistes » et y ajouter l'aura mystérieuse de la ville et sa dimension passéiste. Il modifia également les personnages, imaginant un Byron américain (Jeffrey Aspern) et une Claire Clairmont américaine (Juliana Bordereau). L'avide Silsbee devint le narrateur anonyme du récit, un éditeur américain qui idolâtre feu Jeffrey Aspern et vient à Venise dans l'espoir de mettre la main sur les lettres d'amour de l'écrivain.

Dans la version de James, le narrateur vient voir Juliana Bordereau dans son palais à l'abandon situé dans un coin oublié de Venise, et lui demande s'il peut lui louer une chambre car, prétendument passionné par les fleurs, il a besoin de vivre près d'un jardin. Mais les jardins étant rares à Venise, il se propose, si elle accepte de l'héberger, d'engager un jardinier pour nettoyer la cour envahie par les mauvaises herbes et remplir de fleurs le palais. La vieille dame accepte. Il emménage, fait nettoyer le jardin, offre des fleurs fraîches aux deux femmes, et emmène même un soir la jeune Mlle Bordereau pour une chaste promenade sur la place Saint-Marc. À la mort de la vieille dame, il demande à sa nièce les lettres de la défunte et elle répond nerveusement qu'il pourrait peut-être les avoir s'ils étaient « parents ». Choqué, il refuse la proposition, mais le lendemain matin il lui annonce qu'il est revenu sur sa décision : il est prêt à accepter. Hélas, elle aussi a changé d'avis : « La grande chose est faite : j'ai détruit les papiers […] Je les ai brûlés, la nuit dernière. […] Cela a pris longtemps, il y en avait tellement ! »

Thriller psychologique, *Les Papiers de Jeffrey Aspern* est, par sa longueur, une *novella* plus qu'un roman, bien plus court que *Les Ailes de la colombe* et beaucoup plus facile à lire. Si différentes soient-elles, ces deux histoires ont toutefois en commun un thème important : comment feindre l'amour pour obtenir autre chose – dans *Les Ailes de la colombe*, de l'argent, dans *Les Papiers de Jeffrey Aspern*, les lettres d'un célèbre poète.

Les Papiers de Jeffrey Aspern est l'un de mes textes favoris. Lors d'un précédent séjour à Venise, j'étais allé me promener vers le Rio Marin pour voir le Palazzo Capello, le palais d'un rose fané dont James avait fait la demeure délabrée de Juliana Bordereau. Le bâtiment était lugubre et inoccupé. Il semblait également avoir été pillé. D'après ce que je réussis à voir à travers le carreau crasseux d'une fenêtre, l'intérieur avait été vidé de ses manteaux de cheminée et de ses corniches. Tandis que je continuais mon inspection, une porte s'ouvrit dans le mur d'enceinte du jardin et une femme au visage renfrogné apparut. Je lui demandai s'il était possible de jeter un coup d'œil au jardin.

— *Giardino privato*, me répondit-elle avant de fermer brutalement la porte derrière elle et de partir le long du canal.

Je repensai aux *Papiers de Jeffrey Aspern*, un mois environ après l'incendie de La Fenice, en lisant dans le *Gazzettino* qu'Olga Rudge venait de mourir à l'âge de cent un ans. À l'instar de la Julia Bordereau du roman, Olga Rudge était une Américaine qui avait vécu à Venise jusqu'à un âge avancé et avait été la maîtresse d'un poète américain mort depuis longtemps, en l'occurrence Ezra Pound. Comme Claire Clairmont et Byron, elle et Pound avaient également eu une fille illégitime. Mais les similitudes s'arrêtaient là.

La relation exceptionnelle entre Olga Rudge et Ezra Pound avait duré cinquante ans, en dépit d'innombrables obstacles : son mariage avec une autre femme, le chaos de la Seconde Guerre mondiale, la condamnation de Pound pour trahison et les treize ans qu'il avait passés enfermé dans un asile de fous après avoir été déclaré inapte à comparaître devant un tribunal. Le lien entre Olga Rudge et Ezra Pound allait au-delà de ces brèves liaisons sans lendemain comme celle de Clairmont et de Byron.

Et puis, là aussi, contrairement à Claire Clairmont et Juliana Bordereau, Olga Rudge avait une vie bien à elle. Au moment de sa rencontre avec Ezra Pound, elle était déjà une célèbre violoniste concertiste. Plus tard, tandis qu'elle dirigeait des recherches musicologiques sur Antonio Vivaldi, elle découvrit 309 concertos de sa plume qui n'avaient plus été joués depuis des siècles – s'ils avaient jamais été joués. Avec le soutien et la collaboration de Pound, elle avait organisé des festivals Vivaldi dans lesquels elle jouait, et avait pour une large part contribué à la redécouverte de l'œuvre musicale du prêtre roux.

Après la mort de Pound en 1972, Olga avait continué de vivre dans leur minuscule maison, non loin de Santa Maria della Salute. Elle vivait seule (pas de nièce vieille fille dans son cas) mais pas recluse – loin de là. Elle adorait être entourée et tous les témoignages évoquent une femme charmante, brillante, volubile et énergique.

Curieux de voir la maison dans laquelle avaient vécu Ezra Pound et Olga Rudge, je me rendis sur le Rio Fornace, un canal paisible dans le quartier tranquille du Dorsoduro.

À quelques pas du canal, dans la pénombre d'une impasse, je trouvai le 252 Calle Querini, un petit pavillon exigu sur deux étages. Une plaque de marbre surmontait l'entrée, portant cette inscription : « Empli d'un amour inflexible pour Venise, Ezra Pound, titan de la poésie, vécut dans cette maison pendant un demi-siècle. »

Un pan de verre dépoli empêchait de voir ce qui se passait à l'intérieur, mais j'entendis du bruit dans la maison voisine et vis des silhouettes aller et venir derrière la fenêtre. C'était la maison que Rose Lauritzen avait héritée de sa mère, me rappelai-je soudain. Elle m'avait expliqué qu'elle en avait fait don à l'Église anglicane pour que celle-ci bâtisse un presbytère. Je frappai à la porte et un homme aux cheveux blancs et au visage avenant m'ouvrit. Il parlait avec un fort accent américain du Sud. C'était le révérend James Harkins, le prêtre anglican de Saint George's Church.

— Mais non, pensez-vous, me répondit-il après que je me fus présenté et lui eus fait mes excuses pour débarquer ainsi sans prévenir. Je dirais même que vous êtes arrivé au bon moment : mon épouse et moi-même allions nous asseoir et déguster un bon cocktail. N'est-ce pas, Dora ? Et pourquoi ne viendrais-tu pas te joindre à nous ?

Une femme courtaude aux cheveux noirs sortit de la cuisine – aussi grande qu'un placard – et sourit en retirant son tablier.

Le révérend Harkins versa une rasade généreuse de gin Beefeater dans un verre doseur.

— Vous prenez votre martini bien sec, je suppose ?

Il se tourna vers moi, sourcils levés en attente d'une réponse affirmative.

— Au fait, appelez-moi Jim.

Nous nous assîmes dans les fauteuils d'un charmant salon. La politesse exigeait que je n'attaque pas directement par des questions sur Ezra Pound et Olga Rudge, aussi m'intéressai-je d'abord à son église.

— Oh, nous avons une activité très restreinte. Sur une toute petite échelle.

Il but une gorgée de martini et la savoura avant de reprendre :

— Prêtre de l'église anglicane de Venise, c'est un poste de retraité. Je ne touche aucun salaire, nous vivons gratuitement dans cette maison, et nous bénéficions des services publics et de l'assurance médicale.

— Quand se déroulent vos offices?

— Les dimanches. Le matin à 10 h 30, la sainte communion à 11 h 30.

— Pas d'office du soir?

— Hmmm... pas régulièrement.

Le révérend Jim agita son verre pensivement, sans doute plongé dans le souvenir du jour où, il y a longtemps de cela, il avait été confronté au dilemme de choisir entre l'office du soir et les cocktails, optant finalement pour ces derniers.

— Et à combien s'élève le nombre de vos ouailles?

— De vingt-cinq à cinquante fidèles le dimanche, pour la plupart des visiteurs. Quant aux fidèles permanents...

Il réfléchit un instant.

— Oh, je dirais pas plus de six, en comptant Dora.

Il eut un sourire bienveillant.

— Et la plupart ne viennent pas régulièrement.

— Donc vous vous occupez d'une paroisse plutôt... intime?

— Oui, mais c'est un bon poste. Nous jouissons d'un prestige et d'un statut quelque peu excessifs, nous sommes invités à tous les événements culturels ou organisés par l'Église catholique. Je porte toujours mon col de clergyman quand je sors, même quand je ne suis pas en mission officielle, pour que les gens sachent que je suis là, que je porte les couleurs de la foi. C'est là mon but, vraiment. D'être là si on a besoin de moi. J'aime m'imaginer que Saint George's Church est une sorte d'épicerie ecclésiastique.

Les cloches d'une église voisine se mirent à carillonner. D'autres cloches leur répondirent bientôt.

Le révérend Harkins tendit l'oreille.

— La Salute et les Gesuati...

— Oh, non Jim, intervint Dora. Je ne pense pas qu'on entende d'ici l'église des Gesuati. Ça doit être celle du Redentore.

— C'est vrai, c'est vrai.

— J'aimerais vous demander quelque chose, coupai-je. Est-ce que vous connaissiez bien vos anciens voisins, Ezra Pound et Olga Rudge?

Dora bondit sur la question.

— Eh bien, Pound est mort bien des années avant notre arrivée et Olga vivait dans le Tyrol avec sa fille Mary de Rachewiltz. Mais le pasteur qui était là juste avant nous connaissait très bien Olga et nous a parlé d'elle. Une carrure d'oiseau, une femme exquise, avec des yeux pétillants. Toujours habillée très à la mode, même quand elle avait quatre-vingt-dix ans. Elle s'intéressait à tout le monde. Elle était curieuse de tout. Mais vous savez, Venise est un endroit terrible pour vieillir.

— Pourquoi?

— Les personnes âgées ont plus de difficulté que partout ailleurs pour se déplacer : on ne peut pas venir les chercher pour les conduire d'une porte à l'autre, comme on ferait dans d'autres villes. Il faut marcher : vous n'avez pas le choix. Ce qui signifie grimper sur deux ou trois ponts chaque fois que vous sortez. Même si vous pouvez vous payer des bateaux-taxis, vous devez marcher jusqu'à un endroit où le bateau peut vous récupérer, puis encore marcher de l'endroit où il vous laissera à celui où vous voulez aller.

— Nous adorons Venise, intervint Jim, mais nous devrons partir dès que nous aurons du mal à franchir les ponts.

— Katherine, la femme du pasteur, vérifiait que tout allait bien chez Olga au moins une fois par jour, voire deux fois. Mais vous savez, à son âge, elle commençait à perdre un peu la raison. Le moment est arrivé où Olga a eu besoin de soins permanents, alors Mary est venue la chercher et l'a emmenée vivre avec elle. C'est là qu'elle est morte. Personne n'est plus vulnérable à Venise que les personnes âgées vivant seules, surtout quand elles sont d'origine étrangère et n'ont pas de famille pour veiller sur elles. Elles deviennent dépendantes de personnes qu'elles ne connaissent pas et à qui elles doivent faire confiance. C'est, je crois, ce qui s'est passé avec Olga, et c'est là que les ennuis ont commencé.

— Quels ennuis ?

— Je ne connais pas le fin mot de l'histoire car elle s'est déroulée avant notre installation. Il semblerait que certains amis d'Olga, qui s'étaient toujours montrés très gentils avec elle, ont commencé à s'intéresser de très près à ses affaires. Olga avait des boîtes entières remplies de lettres et d'autres documents – des milliers de lettres d'elle et d'Ezra Pound, d'autres de dizaines de correspondants célèbres. Certaines avaient de la valeur, d'autres non. Mais, avant que quiconque ait le temps de s'en occuper, elles ont toutes disparu.

— Ainsi vous avez découvert la Fondation Ezra Pound, me dit Rose Lauritzen comme si j'avais découvert un secret bien gardé.

— Pas exactement, non. De quoi s'agit-il ?

— Je ne peux pas vous le dire car, pour une fois, Dieu merci, je n'en sais pas assez à ce sujet pour vous raconter toutes les bêtises qui me passent par la tête !

— La Fondation Ezra Pound, enchaîna Peter, est – ou plutôt était – une organisation exonérée d'impôts dont le but était d'encourager l'étude de la vie et de l'œuvre d'Ezra Pound. Olga avait souvent parlé de mettre en place ce genre de structure afin d'entretenir l'intérêt du public pour Pound. Ce qui est étrange, c'est que lorsqu'elle est passée à l'action et a monté cette fondation, aucune des personnes qu'on se serait attendu à y trouver n'était au courant de son existence. Mary de Rachewiltz, la fille d'Olga et Pound, était dans le flou le plus total, alors qu'elle est l'exécutrice testamantaire de son père. James Laughlin, le fondateur de New Directions, l'éditeur de Pound depuis les années trente, n'avait pas non plus été informé, pas plus que l'université de Yale où sont pourtant conservés l'essentiel des manuscrits de Pound.

— Comment la Fondation s'est-elle fait connaître, alors ?

— Eh bien, la première fois que nous en avons entendu parler, c'était par Walton Litz, un spécialiste de Joyce et de Pound qui était aussi mon collaborateur à Princeton. Litz venait souvent à Venise pour voir Olga, et un jour il m'a demandé : « Qui sont ces gens, les Rylands ? » Je lui ai expliqué que Philip Rylands est le directeur du musée Peggy-Guggenheim, qu'il est anglais et que sa femme Jane est américaine. Puis je lui ai demandé pourquoi il me posait cette question. « Eh bien, parce qu'apparemment ils ont créé une Fondation Ezra-Pound ! Et qu'Olga leur a fait don de toutes ses archives et de sa maison... » Cette nouvelle nous a choqués, Rose et moi, car Litz et Mary de Rachewiltz avaient souvent évoqué l'idée de fonder un centre d'études similaire, dont Litz aurait pris la direction.

— Qu'est-il advenu de la Fondation ?

Peter respira profondément, comme pour se préparer à me donner une réponse détaillée. Mais il se contenta de dire :

— Pourquoi ne le demandez-vous pas directement à Jane Rylands ?

À vrai dire, je connaissais déjà Philip et Jane Rylands. Un ami m'avait emmené au musée Guggenheim un soir, juste après l'heure de la fermeture, pour une rencontre informelle autour d'un verre de vin. Nous étions six en tout, dans une salle qui avait jadis été la salle à manger de Peggy Guggenheim, au rez-de-chaussée du Palazzo Venier, sa maison pendant trente ans, jusqu'à sa mort en 1979. Philip Rylands avait dans les quarante-cinq ans et me fit l'impression d'un homme plutôt effacé. Il avait un visage pâle et anguleux, avec un menton proéminent. Ses yeux grossis par les verres de lunettes et des sourcils relevés aux extrémités lui donnaient un air de perpétuelle inquiétude. Jane Rylands était petite mais robuste, avec un visage fermé et des cheveux châtain clair. Elle paraissait un peu plus âgée que Philip. Ils avaient des manières cordiales mais rigides. À plusieurs reprises, je vis Jane glisser un commentaire à son mari en bougeant à peine les lèvres, à la façon d'un ventriloque.

Notre rencontre fut brève. Je n'étais ni sous le charme ni fortement impressionné par ce couple, néanmoins mon intérêt était éveillé. Dans une ville comme Venise, diriger un musée comme le Guggenheim conférait automatiquement un certain statut. Le Guggenheim était le centre nerveux d'un réseau international où se rencontraient l'art, la société, les privilèges, l'argent et la culture. Les vastes salles blanches au sol en granito donnaient en façade sur le Grand Canal et, à l'arrière, sur un jardin luxuriant où Peggy et ses chiens étaient enterrés. Le palais lui-même était une curiosité. La famille Venier, d'où étaient issus trois doges, l'avait fait bâtir en 1749, mais le chantier s'était arrêté juste après l'achèvement du premier niveau. Le sol du premier étage faisait office de patio verdoyant surplombant la vaste étendue du Grand Canal, fermé par le rideau des hauts arbres jaillissant du jardin. À l'intérieur comme à l'extérieur, le palais inachevé offrait son élégant décor pour des réceptions, des conférences, des projections, des réunions de toutes sortes. En outre, depuis la fermeture du consulat américain au début des années soixante-dix, le Guggenheim était devenu par défaut la principale implantation américaine à Venise. Il lui arrivait même de s'improviser, à l'occasion, ambassade des États-Unis. Le ministère des Affaires étrangères appelait parfois pour organiser des réceptions ou demander certaines faveurs. De toute évidence, Philip et Jane occupaient une position éminente et détenaient un pouvoir réel à Venise. Qu'ils en paraissent aussi conscients les rendait encore plus intéressants.

Une fois achevé notre cocktail de présentation, j'avais arrangé une petite discussion informelle avec chacun d'eux. Je retrouvai ainsi Philip quelques jours plus tard dans le café du musée. Il était chaleureux et de bonne humeur, mais sous pression. Il m'expliqua qu'il avait étudié l'histoire de l'art à Cambridge et écrit une thèse sur Palma Vecchio, un peintre de la Renaissance. Il m'annonça ensuite que le Guggenheim accueillerait à l'automne une petite exposition Picasso, puis s'attarda sur les projets d'extension du musée, décidés par les dirigeants du Guggenheim à New York. On sentait un homme très travailleur, très consciencieux, mais aussi quelque peu ennuyeux – tout le contraire de sa femme.

Je rendis visite à Jane un peu plus tard dans la semaine, et nous prîmes le thé chez elle, dans un salon baigné de lumière. Elle portait une veste en tweed blanche et noire à la mode, un jean moulant et des chaussures à talons. Je la trouvai tout de suite détendue et conviviale, mais ferme sur ses opinions, notamment au sujet des figures de la société vénitienne. Dans les années soixante-dix, elle avait tenu

180

depuis Venise une chronique mondaine dans le *Rome Daily American*, puis y avait renoncé lorsque des personnalités avaient commencé à en prendre ombrage. Ayant observé avec attention ce microcosme, Jane possédait les clés pour naviguer à son aise dans et autour de la société vénitienne. Les Vénitiens, disait-elle, avaient un faible pour les réceptions, ce qui permettait même à un étranger de détenir un certain pouvoir. Comment? Grâce aux invitations! Aux invitations lancées comme aux invitations refusées... Or Jane occupait la position idéale pour lancer ou refuser des invitations.

Cette fois-là, je l'appréciai nettement plus. Elle avait un esprit vif et rusé qui me plaisait beaucoup. Mais elle pouvait aussi être cassante, et n'hésitait jamais à le montrer. À un moment, je lui parlai d'un homme très connu dans les cercles artistiques internationaux, qui avait été un ami intime de Peggy Guggenheim depuis le début des années soixante.

— Oh! lui, s'exclama-t-elle en riant. Qu'est-ce qu'il faisait quand vous l'avez vu? Il servait à boire à tous ces hommes riches, je parie...

C'était une remarque grossière, pensai-je, car à cet instant elle ne savait pas si cet homme était un de mes amis ou une simple connaissance. Mais, je le compris vite, c'était le cadet de ses soucis.

— Elle n'a jamais prononcé le nom d'Olga Rudge? me demanda Peter Lauritzen.

— Une seule fois, au moment où je partais. Dans une pièce à côté du petit salon, j'ai remarqué un grand portrait d'une femme assise, entourée de toutes sortes d'objets – des livres, je crois. Dans les tons pastel. Le tableau m'a plu, j'ai demandé qui était la femme et Jane m'a dit: « C'est Olga Rudge. » Et elle a ajouté: « Ses archives sont à Yale, vous savez! » Avec un entrain qui semblait vouloir dire: « N'est-ce pas merveilleux? » Sa remarque m'a semblé bizarre, parce que je ne voyais pas ce qu'il y avait de surprenant à ce que la maîtresse d'Ezra Pound pendant un demi-siècle ait amassé une correspondance suffisamment importante pour être léguée à l'université de Yale.

— C'est que Jane Rylands aurait préféré la voir atterrir ailleurs.

Je résistai à l'envie de rappeler Jane pour lui demander une nouvelle entrevue. Sans doute était-il plus avisé de se renseigner d'abord sur la Fondation Ezra Pound. Les Lauritzen esquivèrent mes questions, prétextant un manque d'informations sur ce sujet, alors que d'autres personnes avaient assisté de plus près à sa création.

Avec sa disparition récente, Olga était revenue au centre des discussions à Venise. Au fil des conversations, une galerie de portraits émouvants et dramatiques se dessinait : Olga Rudge, Ezra Pound, Mary de Rachewilz et, à l'arrière-plan, Dorothy Shakespear, la femme légitime de Pound, et leur fils Omar.

Olga Rudge et Ezra Pound s'étaient expatriés au tournant du siècle : Olga en 1904, à l'âge de neuf ans, et Pound en 1908, à vingt-trois ans. Olga était née à Youngstown, dans l'Ohio, et Pound dans l'Idaho.

Il s'était installé en premier à Venise, dans un petit appartement sur le Rio San Trovaso, et c'est là qu'il avait fait imprimer à compte d'auteur cent exemplaires de son premier recueil de poèmes, *A Lume Spento*. Trois mois plus tard, il emménagea à Londres, où il devint la force motrice de la modernité littéraire. Il prônait une expression plus austère, plus directe, plus puissante, telle que la résumait son cri de guerre : *Make it new !* (« Du neuf ! ») Poète, critique, conseiller littéraire, il se dépensait aussi sans compter pour défendre ses amis littéraires et leurs œuvres. Il aida William Butler Yeats à se débarrasser de son encombrant romantisme celtique, conseilla à Hemingway de « ne jamais se fier aux adjectifs » et chanta les louanges de James Joyce à Sylvia Beach, qui publierait par la suite *Ulysse*. Sa relecture critique de *La Terre vaine* de T. S. Eliot a si profondément amélioré le texte que l'auteur le lui a dédié, en témoignage de gratitude et d'admiration : « À Ezra Pound, *il miglior fabbro* » – le meilleur des artisans.

En 1920, Pound rédigea le compte rendu d'un concert pour *The New Age*, dans lequel il signalait le talent d'une jeune violoniste « au toucher d'une délicate fermeté ». Il s'agissait d'Olga Rudge. Trois ans plus tard, Pound et Olga se rencontrèrent pour la première fois dans le salon parisien de Natalie Barney. Olga, âgée de vingt-sept ans, avait la beauté sombre et exotique d'une Irlandaise. Pound était grand, d'une carrure impressionnante dans sa sempiternelle veste de velours marron, et marié. Ils devinrent amants.

Du milieu des années vingt à la Seconde Guerre mondiale, Pound partagea son temps entre sa femme et Olga. Les Pound habitaient dans un appartement en front de mer à Rapallo, sur la Riviera italienne. Olga vivait à Venise dans la petite maison du 252 Calle Querini que lui avait donnée son père en 1928 et que Pound surnommait « le Nid Caché ». Elle louait également un appartement à Sant' Ambrogio, un village à flanc de colline accessible seulement par un étroit escalier de pierre, à une demi-heure de marche de Rapallo.

Mary Rudge, la fille de Pound et d'Olga, vit le jour en 1925. Elle fut immédiatement confiée à une famille adoptive, dans une ferme au pied des Alpes tyroliennes. C'est là, dans le village de Gais, que Mary passa les dix premières années de sa vie, émaillées de rares visites de ses parents et de séjours chez eux, à Venise. Omar Pound, le fils d'Ezra et Dorothy, naquit un an plus tard et fut envoyé en Angleterre, où sa grand-mère l'éleva.

Pendant ce temps, Ezra Pound et Olga Rudge poursuivaient leur carrière, chacun de leur côté. Pound travaillait à ses *Cantos*, le poème épique auquel il se consacrerait pendant cinquante ans. Olga, très fière de ne pas être dépendante financièrement de Pound, continuait ses tournées de violoniste, publia un catalogue des œuvres de Vivaldi et écrivit la notice du compositeur vénitien dans le *Grove Dictionary of Music*.

Avec la Seconde Guerre mondiale, l'équilibre délicat du ménage Pound-Shakespear-Rudge vola en éclats. Le Nid Caché de Venise fut réquisitionné par le gouvernement italien et le couple Pound fut contraint de quitter son appartement de Rapallo. Dorothy et Ezra n'avaient dès lors plus d'autre choix que de s'installer à Sant'Ambrogio, où ils vécurent pendant deux ans avec Olga. La maison était trop petite, sans électricité ni téléphone. Pour tous les trois, ce fut une période difficile. Pound aimait Olga et Dorothy, elles l'aimaient elles aussi mais elles se détestaient l'une l'autre. Comme le dirait plus tard Mary : « Une tension haineuse régnait dans la maison. »

Pound commença à se rendre deux fois par mois à Rome pour donner des causeries profascistes diffusées par la radio italienne. C'est cette activité qui lui valut en 1943 d'être accusé de trahison par le gouvernement américain. À la fin de la guerre, il fut arrêté à Rapallo, enfermé pendant six mois au centre de détention de Pise puis renvoyé en Amérique. Des amis écrivains intervinrent pour que le ministère de la Justice accepte de le déclarer inapte à comparaître devant un tribunal, mais il fut alors envoyé à l'hôpital psychiatrique Saint Elizabeth de Washington. Durant ses treize années d'incarcération, il reçut régulièrement des lettres d'Olga mais elle n'eut pas le droit de lui rendre visite. Ce privilège revenait seulement à Dorothy, son épouse légitime. Quand, en 1958, les poursuites contre lui furent abandonnées, il fut dépouillé de ses droits civiques et Dorothy devint sa tutrice légale.

Dorothy et Pound partirent vivre dans le sud du Tyrol, à Brunnenburg, dans un château médiéval que Mary et son époux, l'égyptologue Boris de Rachewiltz, avaient acheté quand il était en ruine pour le restaurer. Ils y restèrent deux ans. En 1961, malade et déprimé, Pound décida de rejoindre Olga. C'est avec elle qu'il passa les onze dernières années de sa vie, au 252 calle Querini, se retirant dans sa coquille de silence.

Malgré son refus de parler, des cohortes d'universitaires, de disciples ou de simples curieux vinrent demander audience à Pound. Olga arrivait sans peine à discerner ceux qui méritaient de franchir la porte du Nid Caché. Il lui suffisait de demander aux visiteurs de réciter un seul vers parmi les milliers que le poète avait écrits ; beaucoup en étaient incapables.

Après avoir été pendant trente-cinq ans « l'autre femme », sans aucun droit légal sur Pound, Olga n'était désormais plus obligée de partager l'homme qu'elle aimait avec Dorothy.

Elle était restée auprès de lui en des temps troublés, et Pound lui en était plus que reconnaissant. « Il y a plus de courage dans le petit doigt d'Olga, disait-il, que dans toute ma carcasse. Pendant dix ans, c'est grâce à elle si je suis resté vivant, et je ne l'en remercierai jamais assez. »

Pound mourut à Venise en 1972 et fut enterré dans l'île-cimetière de San Michele. Vingt-quatre ans plus tard, Olga l'y rejoignit. (Dorothy mourut un an après Pound, en Angleterre, où elle est enterrée dans le caveau familial.)

En 1966, Pound avait écrit un hommage poétique à Olga destiné à être placé à la fin de son dernier *Canto*, quel que soit ce qu'il pourrait écrire avant.

> *Que ses actes*
> *les actes de*
> *beauté d'Olga*
> *restent en nos mémoires.*
>
> *Son nom était*
> *et il s'est écrit Olga.*

Après la mort du poète, Olga vécut vingt ans dans le Nid Caché. Universitaires, journalistes et amis venaient régulièrement la voir, et elle les accueillait, leur proposant un thé et se lançant dans de grandes discussions très animées, où chacune de ses explications était ponctuée par un *capito?* (« compris? »). Sa seule mission, à ses yeux, était d'entretenir la flamme éternelle d'Ezra Pound et de le défendre contre les accusations de fascisme et d'antisémitisme – une tâche ardue, compte tenu de ses plaidoyers radiophoniques pro-Mussolini pendant la guerre et des divagations antijuives dont sa correspondance était truffée.

Malgré son âge, Olga avait bien l'intention de continuer à vivre à Venise, même si cela signifiait vivre seule. Elle chérissait plus que tout son indépendance. Mary vivait à trois heures de là, dans les Alpes tyroliennes, et fut par conséquent soulagée lorsque Philip et Jane Rylands sympathisèrent avec Olga et commencèrent à s'occuper d'elle. Ils étaient jeunes, brillants, influents et de toute évidence respectables. Le fait qu'ils dirigent le musée Guggenheim, qui se trouvait pour ainsi dire au coin de la Calle Querini, était doublement rassurant.

Les Rylands adoraient Olga. Ils lui rendaient visite tous les jours, l'emmenaient dîner avec eux, l'invitaient à des soirées, faisaient ses courses, vérifiaient qu'elle avait toujours de quoi manger. En 1983, Jane organisa au Gritti un colloque intitulé « Ezra Pound en Italie », où prirent la parole trois générations de « l'autre famille » de Pound : Olga, Mary et le fils de Mary, Walter. Deux ans plus tard, Jane prépara, toujours au Gritti, une soirée de gala pour le quatre-vingt-dixième anniversaire d'Olga.

Il n'y avait rien que les Rylands n'eussent fait pour la vieille dame. En hiver, ils lui apportaient du bois de chauffage en provenance du musée Guggenheim. Ils nettoyèrent sa maison après une inondation. Au moindre problème – une fuite, une gouttière bouchée, une panne de fusible –, Olga savait qu'elle pouvait compter sur l'intervention rapide et efficace de Jane Rylands. Cependant, il devint peu à peu manifeste que les soins prodigués à Olga par les Rylands relevaient de la prise de contrôle.

En 1986, Olga offrit le gîte et le couvert à un jeune peintre américain, Vincent Cooper, en échange de l'exécution d'une fresque en trompe-l'œil – arches et colonnades – au rez-de-chaussée du 252 Calle Querini. Cette fresque devait rappeler celle qui décorait les murs avant la guerre, et avait été détruite lorsque la maison avait été réquisitionnée. Cooper devait occuper le second étage, là où Mary avait eu sa chambre d'enfant et Pound son bureau.

— Le matin de mon emménagement, me raconta Cooper, Mme Rylands arriva à la maison, monta bruyamment les escaliers et me fit clairement comprendre qu'elle ne voulait pas que je reste. Les bras croisés et le visage fermé, elle m'expliqua que je me trouvais dans la maison d'une figure littéraire majeure du XXe siècle. « Il y a des objets d'une très grande valeur ici, et si certains disparaissaient, vous seriez le premier soupçonné. Je ne crois pas que vous en ayez envie, n'est-ce pas ? » Elle m'informa qu'elle avait commandé à un peintre londonien le portrait d'Olga et qu'il allait très prochainement venir travailler dans la pièce que je devais occuper. Et elle entreprit d'amasser au second étage tout un tas d'accessoires – livres, statuettes, objets divers – qu'elle voulait voir figurer dans le portrait d'Olga. Elle m'ordonna de partir mais de ne pas en avertir Olga, car elle risquait d'insister pour que je reste. Après le départ de Mme Rylands, je descendis annoncer à Olga que je devais m'en aller car Jane Rylands ne voulait pas de ma présence. Olga s'est mise à crier : « Je vous l'interdis ! Vous êtes ici chez moi, et vous êtes mon invité ! Comment Jane Rylands ose-t-elle vous dire de partir ? De toute façon, je n'ai pas envie qu'on fasse mon portrait… » Elle a insisté pour que je reste, que je réalise sa fresque et que je sois au moins là pendant qu'« un étranger peint son portrait »… Peu après, la sonnette de l'entrée s'est fait entendre : c'était le portraitiste, sir Lawrence Gowing. Il était affligé d'un bégaiement si violent qu'Olga ne comprenait rien à ce qu'il disait, ce qui la mettait très mal à l'aise. Je l'ai aidé à monter son matériel à l'étage et, quand il a vu le décor préparé par Mme Rylands, il s'est écrié : « Je ne laisse à personne le soin d'organiser mes portraits ! Vraiment, cette Jane Rylands est très directive… » Je suis sorti peu après. À mon retour, en début de soirée, Gowing était déjà parti. Il avait bien avancé son portrait, mais il avait fait poser Olga dans un autre coin de la chambre et avait complètement ignoré les instructions de Jane. Au lieu d'être entourée des objets apportés par Jane, Olga posait au milieu de mes affaires, notamment ma valise, mon passeport et un de mes dessins inachevés qui apparaissait derrière son visage. Ce soir-là, Olga m'avait fait inviter à une soirée, mais je ne pouvais pas aller chercher ma tenue sans déranger la mise en scène de Gowing. Alors, elle me prêta une des vestes en velours noir de Pound. Au moment de sortir, je croisai Mme Rylands, venue inspecter le portrait. Quand elle l'a vu, elle est entrée dans une colère noire. « Je lui avais dit où peindre Olga, et c'est *là* qu'il la peindra ! » Elle se tourna vers moi et, me parlant désormais comme à un allié : « Quand Gowing reviendra, dites-lui que, s'il veut être payé, il doit peindre Olga à l'endroit que je lui ai indiqué et avec les objets que j'ai choisis. » Elle prétendait que, puisqu'elle était à la fois la commanditaire et l'acquéreur du portrait, il devait être réalisé à sa façon *à elle*. Finalement, Gowing ne modifia pas la pose d'Olga mais céda aux exigences de Mme Rylands en ajoutant à l'arrière-plan les moulages des visages d'Ezra et d'Olga. Au passage, il se plaignit tout de même de peindre trois portraits pour le prix d'un seul. Lui et Mme Rylands ne se sont pas séparés en excellents termes. Quand le tableau fut achevé, elle organisa une réception au Gritti pour le montrer en public. Olga ne donna jamais son avis sur son portrait, mais elle éclatait de rire chaque fois qu'elle le regardait.

C'est à peu près à cette période – au milieu des années quatre-vingt – qu'Olga commença à souffrir de pertes de mémoire. À un peu plus de quatre-vingt-dix ans, elle perdait le fil de ce qu'elle disait, rangeait les choses au mauvais endroit, oubliait des rendez-vous.

En 1985, James Wilhelm, professeur d'anglais à l'université de Rutgers et auteur de *The American Roots of Ezra Pound* et de *Dante et Pound*, eut une discussion avec Olga lors d'une commémoration du centenaire de Pound à l'université du Maine. Il remarqua ses trous de mémoire. L'année suivante, de passage à Venise, il vint chercher Olga au Nid Caché pour l'emmener déjeuner.

— Avant de sortir, m'expliqua-t-il, Olga et moi discutions dans le salon. Elle m'a dit qu'elle avait des hôtes en ce moment, un jeune poète et son amie qui s'étaient installés au deuxième étage, et qu'ils étaient en train de dormir. Elle ne pourrait donc pas me montrer l'endroit où travaillait Pound. Quelques instants plus tard, j'entendis des bruits au-dessus de nos têtes. « Olga, dis-je, vous entendez ces bruits de pas ? Vos invités ont dû se lever. » Soudain, ses yeux se plissèrent, elle se pencha vers moi et murmura : « *Quels* invités ? » « Eh bien, je ne sais pas... Vous m'avez parlé d'un jeune poète et de sa petite amie... » « *Oui... oui... qui est cette fille ?* » « Je ne sais pas ». Elle s'assit sur une chaise et s'exclama : « Je voudrais qu'ils s'en aillent ! » Je savais qu'elle n'en pensait pas un mot. Elle voulait toujours être entourée de gens chez elle. Mais je constatais que sa mémoire était gravement atteinte... Je lui ai dit que j'allais partir pendant une semaine à Bologne mais que, à mon retour à Venise, je viendrais la voir. Le jour où j'ai appelé chez elle, une femme étrange a décroché. Quelqu'un qui, si j'ai bien compris, avait un rapport avec le musée Guggenheim. Elle m'a expliqué qu'Olga était tombée malade et qu'elle ne pouvait voir personne.

Plus tard, Wilhelm raconterait à peu près de la même façon ses différentes entrevues avec Olga dans *Paideuma*, la revue universitaire consacrée à Pound.

C'est également à cette époque qu'Olga a commencé à évoquer auprès de ses amis l'idée d'une Fondation Ezra Pound. Cela restait très flou, mais il était évident que Jane Rylands tirait les ficelles.

— Mme Rylands et Olga parlaient tout le temps de la Fondation, se rappelait Vincent Cooper. Olga croulait sous les piles de lettres et de documents, elle commençait même à se sentir un peu oppressée. Elle recevait de nombreuses visites d'éditeurs, d'avocats et d'autres personnes et, quand ils repartaient, elle me demandait toujours où étaient les documents. Travailler sérieusement avec Olga devenait de plus en plus difficile. Elle était pleine d'enthousiasme mais sa mémoire n'était plus fiable et elle s'embrouillait souvent.

Selon James Wilhelm, « on commençait à entendre dire, à Venise, qu'en vieillissant Olga risquait d'être manipulée pour servir le dessein d'autres personnes ».

Ami d'Olga et de Pound, Christopher Cooley connaissait par cœur le contenu de leur bibliothèque, dont il dressait régulièrement le catalogue depuis le début des années soixante-dix. Cooley habitait une maison sur le Rio San Trovaso. Nous nous installâmes dans le jardin pour discuter.

— Quand Olga m'a parlé de créer une Fondation Ezra Pound, je lui ai tout de suite dit : « J'espère que vous ne signez aucun papier concernant cette fondation sans consulter d'abord votre famille. » Elle m'a fait une réponse assez vague, ni affirmative ni négative. Elle m'a demandé si j'aimerais faire partie du comité directeur et je lui ai répondu que le projet me laissait perplexe. « Vous savez, Olga, si la maison est utilisée pour accueillir des chercheurs, cela va entraîner pas mal de dépenses. La Fondation devra chercher des financements. Ça pourrait devenir très compliqué. » Aussi ai-je décliné très poliment sa proposition. Lorsque, lors d'une soirée au Palazzo Brandolini, j'ai rencontré Jane, je l'ai interrogée au sujet de la Fondation. Souriant de toutes ses dents, elle m'a répondu : « J'essaye juste d'aider une vieille dame à réaliser ce qu'elle désire. » Alors je lui ai clairement demandé qui dirigerait la fondation – je m'y sentais autorisé, après tout, puisque Olga m'avait demandé de faire partie du comité directeur. « Ça ne vous regarde pas ! » m'a-t-elle répondu sèchement avant de quitter la pièce. Ça ne sentait pas bon. Je lui ai remis le grappin dessus un peu plus tard, en lui glissant à l'oreille : « Votre remarque, tout à l'heure, est la seule chose révélatrice que vous m'ayez dite à propos de la Fondation. »

Peu après survint l'incident de la « disparition des documents ». Olga avait stocké au rez-de-chaussée de sa maison des malles remplies de papiers. Au moment de Noël, Jane emporta les malles – prétendument pour faire de la place à son amie et mettre les documents à l'abri en cas d'*acqua alta*. Olga oublia-t-elle où Jane lui avait dit qu'elle rangerait les documents ? Jane ne lui avait-elle rien dit ? En tout cas, quelque temps plus tard, Olga paniqua et se plaignit auprès de plusieurs personnes de ne plus savoir où ses malles se trouvaient, accusant Jane de les avoir emportées. En fin de compte, elle demanda à Jane de les lui restituer, ce qu'elle fit. Mais, selon Olga, elle s'aperçut en les ouvrant qu'elles étaient vides.

C'est à ce moment qu'Arrigo Cipriani, le propriétaire du Harry's Bar, fait son entrée dans l'histoire. Cipriani avait passé son enfance dans une maison au coin de la Calle Querini et du Rio Fornace. Les fenêtres arrière du Nid Caché donnaient sur le jardin des Cipriani.

Sans le prévenir de mes intentions, je pris rendez-vous avec Cipriani. Je passai le voir au Harry's Bar, un matin à 11 heures. Les serveurs et les barmen étaient en pleine préparation du déjeuner. Un facteur passa et déposa au bar une liasse de lettres. Arrigo Cipriani arriva quelques minutes plus tard, vêtu d'un élégant costume bleu sombre avec revers de veste en pointes. Il était encore en pleine forme, restes du temps où il était ceinture noire de karaté.

— Cela ne vous dérange pas si nous bavardons en marchant ? me demanda-t-il. J'ai un rendez-vous.

Et il prit la direction de la Calle Vallaresso.

— Que savez-vous de la Fondation Ezra Pound ? lui demandai-je.

De joyeux, le visage de Cipriani devint brusquement sérieux.

— Ce n'est pas joli-joli, cette histoire.

Un ouvrier manœuvrant une carriole cria : « *Ciao*, Arrigo ! » lorsque nous passâmes devant lui d'un pas rapide. Cipriani le salua de la main puis s'engouffra dans un étroit passage entre deux maisons, sans ralentir son rythme.

— Un soir, Jane Rylands vient me voir et me raconte qu'elle est en train de nettoyer la maison d'Olga Rudge. Elle me demande si je peux stocker pour elle quelques objets dans mon *magazzino*, une sorte de remise que je possède à côté de chez Olga. Il s'agit juste de quelques boîtes, m'assure-t-elle. Comme j'ai de la place au rez-de-chaussée, je lui dis « d'accord ».

Cipriani tourna à nouveau et deux hommes d'affaires lui lancèrent en souriant : « *Ciao*, Arrigo ! »

— Peu après, des ouvriers sur un chantier voisin viennent me dire que Jane Rylands passe son temps dans mon *magazzino*. Puis je tombe dans la rue sur Joan Fitz-Gerald. Vous savez, Fitz-Gerald, la sculptrice, une très bonne amie de Pound et d'Olga, celle qui a réalisé une statue de Pound qui se trouve à la National Portrait Gallery de Washington ? Je dis à Joan que je garde certaines affaires d'Olga, or elle m'explique qu'Olga est justement très inquiète car Jane Rylands lui a pris des malles qu'elle lui a ensuite rendues, mais *vides*. Olga ne sait pas où sont passés les documents qu'elles contenaient. Je dis à Joan : « Je crois que je sais où ils sont. Je vais vérifier… » Juste pour être sûr, je vais voir dans le *magazzino* et, comme par hasard, tout est là : des boîtes et des grosses piles de documents enveloppées dans du plastique transparent, le tout couvert d'étiquettes proclamant « Ne pas toucher – Propriété de la Fondation Ezra Pound ». J'ai appelé Joan et deux amis et je leur ai demandé de venir. C'était le dimanche de Pâques. Nous avons emmené Olga au *magazzino* et, dès qu'elle a vu les papiers, elle s'est exclamée : « Ce sont mes affaires ! » Elle a commencé à prendre des piles de papiers et à les rapporter chez elle, mais elle manquait de place. Je lui ai dit : « Attendez ! J'ai une meilleure idée. J'ai un autre *magazzino* de l'autre côté de la *calle*, et j'ai justement les clés. » Aussitôt, nous avons transporté les boîtes et les documents au numéro 248 puis j'ai fermé le verrou. J'étais très en colère. Je comprenais que j'avais été, à mon insu, complice de ce que Jane avait manigancé, que ce soit légal ou non. Ça aurait pu me valoir de sacrés ennuis et, maintenant que j'avais déplacé ces piles de papiers avec l'étiquette « Ne pas toucher », je craignais qu'on m'accuse d'avoir volé les biens de Jane. Alors j'ai fait signer à tout le monde un document attestant que nous avions déplacé les boîtes.

Cipriani tourna encore et nous nous retrouvâmes soudain en plein soleil, au pied du Rialto.

— Vous savez, depuis le début j'avais eu un drôle de pressentiment. Après avoir dit à Jane qu'elle pouvait entreposer ses affaires chez moi, elle m'a demandé si j'acceptais de faire partie du comité directeur de la Fondation Ezra Pound. Moi qui n'ai jamais lu une ligne d'Ezra Pound !

Deux hommes attendant devant une porte d'immeuble appelèrent Arrigo en agitant la main.

— *Ciao ! Subito, subito !* dit-il puis, se tournant vers moi : Voilà, c'est tout. Je vous l'ai dit, ce n'est pas joli-joli…

L'épisode de la disparition des documents constitua le point crucial de l'histoire de la Fondation Ezra Pound. Jane avait expliqué à Olga qu'elle avait déplacé les documents pour les protéger des risques d'*acqua alta*, mais le rez-de-chaussée du *magazzino* était à peu près au même niveau que celui du Nid Caché, et par conséquent aussi peu sûr.

Le sculpteur Harald Böhm me raconta que Jane lui avait demandé de l'aider à transporter les malles.

— Jane m'a demandé si je pouvais l'aider à déplacer des meubles. C'était Noël. J'ai accepté car elle est assez influente sur la scène artistique. Elle peut mettre en rapport des gens fortunés et des artistes, et, à l'époque, j'espérais décrocher une grosse commande grâce à elle. Mais en arrivant chez

Olga, je me suis aperçu que ce n'étaient pas des meubles mais des papiers que nous allions emporter. Jane m'a expliqué qu'ils avaient une grande valeur et que les laisser chez Olga était dangereux : il serait facile de les voler, ou des membres de la famille d'Olga pourraient les prendre pour les revendre. À l'entendre, c'était un acte héroïque que nous allions faire. Mais j'ai remarqué que, pendant que moi et Philip emportions les documents, Jane restait à l'étage, discutant avec Olga pour l'empêcher de descendre. Je pensais qu'Olga ne savait pas ce que nous faisions et ça me rendait nerveux. Je savais qu'elle avait un genre d'Alzheimer. Tout le monde le savait. Elle était en train de se faire rouler, et moi je me faisais rouler en donnant un coup de main. J'avais peur d'être arrêté, surtout quand Jane m'a dit ensuite : « Tu as intérêt à ne parler à personne de ce qui s'est passé aujourd'hui, sinon *peggio per te* – ça va mal se passer pour toi. »

Les amis d'Olga, qui avaient déjà des soupçons, s'inquiétèrent vraiment avec l'épisode des documents disparus. Plusieurs d'entre eux téléphonèrent à Mary de Rachewiltz pour l'implorer de venir de toute urgence à Venise et tirer l'affaire au clair. Ce furent Walter et son père, Boris de Rachewiltz, qui se déplacèrent. Ils demandèrent à Olga de leur montrer les documents officialisant le statut juridique de la Fondation, mais elle n'en avait aucun : Jane les avait gardés. Quand Boris et son père purent lire les documents, ils comprirent ce qu'Olga avait fait. Et Olga comprit enfin. À Christopher Coole, elle dit simplement : « Quelle idiote je fais ! Quelle idiote je fais ! »

Ayant découvert que, par le biais de la Fondation, sa mère l'avait virtuellement déshéritée, Mary de Rachewiltz se tourna vers ses amis vénitiens pour obtenir de l'aide. Parmi eux, Liselotte Höhs, une artiste autrichienne vivant près de l'atelier de construction de gondoles de San Trovaso, non loin de chez Olga. Liselotte et son défunt mari, l'avocat Giorgio Manera, s'étaient liés d'amitié avec Olga et Pound et avaient pris l'habitude de les inviter chaque année à leur repas de Noël. À la mort de Pound, Olga avait exprimé le désir de créer à Venise une fondation dédiée au poète, et Liselotte lui avait apporté son soutien. Elle l'avait accompagnée à un rendez-vous avec le directeur de la Fondation Cini et, à la demande d'Olga, s'était elle-même entretenue avec les responsables de la bibliothèque Marciana et du Palazzo Grassi. Malheureusement, à l'époque, elle n'était arrivée à conclure aucun accord.

Mary avait donné à Liselotte des photocopies des statuts de la Fondation, et leur lecture l'avait mise hors d'elle. On m'avait dit qu'elle avait gardé ces photocopies, et quand je lui téléphonai elle me proposa de venir en prendre connaissance chez elle.

Je me retrouvai assis dans son salon, un vaste atelier avec un haut plafond et une verrière orientée plein nord. Liselotte était une walkyrie passionnée, aux yeux étincelants et aux longs cheveux blonds descendant en vague dans son dos.

— Mary ne savait pas quoi faire. Elle m'a suppliée de l'aider à trouver un avocat. Olga avait toujours voulu que le contrôle des opérations reste à Venise, et que son petit-fils Walter y prenne part. C'était son préféré.

Liselotte me tendit les statuts de la Fondation. Ils étaient rédigés en anglais. La Fondation avait été enregistrée comme un organisme à but non lucratif le 17 décembre 1986 – dans l'Ohio. Son siège était situé à Cleveland, pas à Venise.

— Pourquoi l'Ohio ?

— Bonne question.

Je me rappelai que Jane était originaire de cet État. Et Olga était née à Youngstown, mais ne vivait plus dans l'Ohio depuis plus de quatre-vingts ans à la date où ces papiers avaient été signés.

La Fondation comptait trois membres : la présidente était Olga Rudge, la vice-présidente Jane Rylands et un avocat de Cleveland occupait la fonction de secrétaire. Le règlement stipulait que le vote à deux voix contre une était valide. Autrement dit, depuis le départ, Olga avait remis les rênes de la Fondation entre les mains de Jane Rylands et d'un avocat de Cleveland qui n'avaient jamais ne serait-ce que rencontré Ezra Pound et ne pouvaient se prévaloir d'aucune espèce d'expertise sur la vie et l'œuvre du poète.

Liselotte me tendit ensuite un contrat – rédigé en italien – entre Olga et la Fondation, stipulant que la première faisait don à la seconde de sa maison, sans condition et sans frais. À l'époque où elle l'avait signé, Olga avait quatre-vingt-douze ans.

Liselotte me montra un autre contrat. Dans celui-ci, Olga acceptait de vendre à la Fondation « l'intégralité de ses livres, manuscrits, journaux, lettres privées, coupures de presse, écrits, papiers, documents de toutes sortes, dessins, carnets et albums de dessins et de croquis, photographies, cassettes et bandes audio, et tout objet susceptible d'enrichir le fonds avant sa mort », le tout pour 15 millions de lires (7 800 euros). La somme, précisait le contrat, avait déjà été versée à Olga.

La signification de ce document était on ne peut plus claire : pour une bouchée de pain, Olga avait non seulement vendu cinquante ans de correspondance avec Ezra Pound, mais aussi les lettres que leur avaient écrites T. S. Eliot, Samuel Beckett, E. E. Cummings, H. L. Mencken, Marianne Moore, Robert Lowell, Archibald MacLeish, William Carlos Williams, Ford Madox Ford et d'autres sommités littéraires. À cela s'ajoutaient toutes les versions des *Cantos*, les livres annotés par Pound et les éditions originales d'ouvrages dédicacés à Pound par leurs auteurs. La valeur totale de cette collection aurait pu approcher le million de dollars, compte tenu de la cote atteinte par Pound à cette époque. Chaque document valait, en soit, plus cher que la somme fixée par ce contrat pour la *totalité*. Parmi les plus inestimables, on aurait trouvé les carnets du sculpteur Henri Gaudier-Brzeska, fondateur avec Pound du mouvement vorticiste. Gaudier-Brzeska était mort pendant la Première Guerre mondiale, à vingt-quatre ans, ce qui accroissait la rareté et la valeur de ses carnets.

— Olga était-elle accompagnée par son avocat lorsqu'elle a signé ces papiers ?

— Je ne pense pas.

Quand elle comprit enfin ce qu'elle avait fait, Olga devint hystérique. Une nuit, elle appela Joan Fitz-Gerald en disant qu'elle voulait dissoudre la Fondation. Les deux femmes se retrouvèrent peu après sur le pont de l'Accademia. Olga était en larmes.

Liselotte me montra un autre document. C'était une photocopie d'une lettre adressée par Olga – elle avait une écriture large et parfaitement lisible – à l'avocat de Cleveland.

24 avril 1988

Cher [Monsieur]
Je vous écris pour vous faire part de ma décision irrévocable de dissoudre la « Fondation Ezra Pound ».
J'ai annulé la donation de ma maison (Dorsoduro 252, Venise). Par ailleurs, je tiens à préciser que je n'ai jamais vendu délibérément mes archives à la « Fondation » ou à quiconque. Toute action ayant pu en découler est obligatoirement le fruit d'un malentendu.
Bien à vous,

Olga Rudge.

Olga reçut une réponse sept semaines plus tard : la Fondation Ezra Pound ne pouvait être dissoute par le seul effet de sa volonté. Il fallait soumettre cette demande au vote de ses administrateurs. Et, quand bien même le vote aboutirait à la majorité en sa faveur, elle ne pouvait récupérer sa propriété, qui devait être transmise à un autre organisme à but non lucratif. Telle était la loi, concluait l'avocat.

Apparemment, Olga avait écrit plusieurs lettres pour demander la dissolution de la Fondation. Liselotte m'en montra une autre, datée du 18 mars 1988. « J'ai toujours eu l'intention d'intégrer à toute fondation portant le nom d'Ezra Pound les administrateurs de la Fondation Cini, de l'université Ca' Foscari, de la bibliothèque Marciana ainsi que mon petit-fils Walter de Rachewiltz. » L'écriture était bien d'Olga, mais il était impossible de savoir si elle avait écrit ces lettres sous la dictée.

À la suite d'un tel esclandre – les amis d'Olga partant en croisade contre la Fondation, Olga elle-même clamant qu'elle voulait sa dissolution –, on aurait pu penser que Jane Rylands aurait fait machine arrière, en s'excusant d'un « désolée, je pensais bien faire »...

Il fallut pourtant attendre deux ans pour qu'elle accepte de confier la gestion des archives à l'université de Yale. Ensuite, elle procéda à la dissolution de la Fondation. Les rumeurs prétendent que Yale a versé une fortune à Jane Rylands en échange de ces documents, mais ce ne sont là que suppositions...

* * *

Pour d'obscures raisons, la presse vénitienne n'a jamais relaté l'histoire de la Fondation Ezra Pound et le sort incertain de la maison et des archives d'Olga Rudge. Mais le bouche à oreille a fait son office, soulevant certaines questions à propos de Jane et Philip Rylands.

Quand les Rylands arrivèrent à Venise dans un camping-car Volkswagen en 1973, voilà ce qu'on savait d'eux : Jane était née dans l'Ohio, avait fait ses études à l'université William and Mary et s'était installée en Angleterre. Elle était enseignante à la base aéronautique américaine de Mildenhall, près de Cambridge. D'une nature à la fois sociable et ambitieuse, elle avait une grande connaissance de la littérature anglaise et américaine et ne faisait pas mystère de son anglophilie. Les enfants de Cambridge l'aimaient bien car elle leur préparait des repas à base de poulet frit acheté à la coopérative militaire de la base. Philip était étudiant au King's College de Cambridge quand il rencontra Jane. C'était un jeune homme timide, sérieux, et surtout connu pour être le neveu de George « Dadie » Rylands, comédien, metteur en scène et spécialiste aussi distingué qu'influent de Shakespeare. Dadie Rylands, dernier maillon encore vivant du cercle de Bloomsbury, était le protégé de Lytton Strachey et une figure toujours très appréciée du King's College, où il vivait depuis 1927. Son appartement, décoré par Dora Carrington, avait reçu la visite d'innombrables intellectuels, et est même évoqué dans *Une chambre à soi* de Virginia Woolf.

Apparemment, les parents de Philip n'étaient guère enthousiastes à l'idée de le voir épouser une femme de dix ans son aînée.

À l'époque de leur arrivée à Venise, Philip avait les cheveux longs, retenus sur les côtés par deux barrettes, et Jane,

197

adepte des vêtements informes, se coiffait avec un chignon. Philip travaillait à sa thèse, qui l'occuperait encore pendant une grande partie des douze années à venir. En attendant, Jane gagnait l'argent du ménage en donnant des cours à la base aéronautique américaine d'Aviano, située à une heure au nord de Venise.

Au début, ils ne connaissaient personne, mais Philip se rendait régulièrement aux offices de Saint George's Church, alors au cœur de la vie sociale des expatriés anglo-américains. Il y rencontra sir Ashley Clarke, l'ancien ambassadeur anglais en Italie et désormais directeur de l'organisation Venice in Peril, l'équivalent anglais de Save Venice. Sir Ashley et lady Clarke sympathisèrent avec les Rylands, qui se montraient serviables et attentifs envers eux. Philip prit une part active dans Venice in Peril, au point que le bruit courut qu'il succéderait à sir Ashley. Les deux hommes écrivirent ensemble un fascicule commémorant la restauration de l'église de la Madonna dell'Orto. Bien vite, Jane et Philip se refirent une beauté : Philip adopta une coupe de cheveux raisonnablement courte et Jane mit à jour ses goûts vestimentaires.

Ils devinrent un couple en vue, et les expatriés les plus influents les prirent sous leur aile, notamment la sculptrice Joan Fitz-Gerald. Grâce à elle, ils firent la connaissance de John Hohnsbeen, qui leur présenta Peggy Guggenheim, son amie depuis les années cinquante. Aussitôt, ils mirent tout en œuvre pour entrer dans ses bonnes grâces : Jane achetait à Peggy de la nourriture pour chien et autres denrées dans la coopérative militaire d'Aviano, sortait ses chiens, aidait aux tâches ménagères. Le couple ne tarda pas à se rendre indispensable à la vieille dame.

Au début, John Hohnsbeen se félicita de leur dévouement : ils lui ôtaient des épaules une partie de son fardeau. Depuis des années, il venait à Venise de Pâques à novembre pour rester auprès de Peggy et faire office de conservateur bénévole de son musée. Après la mort de Peggy Guggenheim, il continua de séjourner à Venise l'été, dans un appartement de location. Il avait pour habitude de passer le plus clair de ses journées à la piscine du Cipriani. C'est là que je le rencontrai, attablé avec quelques amis fortunés devant un déjeuner frugal. À condition d'y mettre le prix, les habitants de Venise pouvaient jouir tout l'été des privilèges de la piscine.

— J'étais comme un invité qui doit chanter pour payer son repas, m'expliqua Hohnsbeen, dont les cheveux blancs peignés en frange sur son front bronzé lui donnaient un faux air de Picasso. Peggy et moi formions une sorte de couple. J'avais dirigé une galerie à New York et je connaissais toute la vieille garde de la scène artistique new-yorkaise. Je venais au début de la saison pour superviser l'accrochage des toiles dans le musée de Peggy et j'y retournais pour le décrochage. J'avais parfois des surprises désagréables, comme quand j'ai dû retirer tous les vers au dos de *l'Antipape* de Max Ernst, parce que le tableau se trouvait dans la salle du Surréalisme, qui est très humide à cause de la proximité du canal. Les vers adoraient la colle... Mes premières années avec Peggy ont été merveilleuses. Mais ses artères ont commencé à se boucher, et ç'a été horrible. Je venais la voir en pleine nuit, marchant à tâtons entre les œuvres d'art – Calder, les hommes filiformes de Giacometti dont les bras étaient tout le temps cassés (mais pas par moi), puis je tournais à droite, passais devant le tableau de Pevsner et entrais dans la chambre de Peggy. J'étais avec elle quand elle a fait sa première crise cardiaque. Son visage est devenu tout bizarre... Après ça, Peggy a posé une cloche de sept kilos près de son lit, et je devais laisser la porte de ma chambre ouverte pour me précipiter à son chevet dès que j'entendais la cloche. C'était un travail 24 heures sur 24. J'aimais bien Jane et Philip. Nous restions ensemble pendant des heures, et Jane est un vrai cordon bleu. Peggy aussi était conquise. Surtout à cause du maïs surgelé ! Jane en rapportait de la coopérative militaire, et Peggy adorait ça. Pourtant, certaines personnes continuaient de dire : « Méfiez-vous de Jane Rylands ! »

— Quelles personnes ?

— Oh, tout le monde. Et puis, Jane et Philip ont commencé à inviter à dîner Peggy, sans moi. Ils ne m'en parlaient pas du tout. Ils venaient la chercher en cachette. Peggy était à moitié invalide, ça leur demandait donc un effort terrible : aller la chercher, la sortir et la ramener...

Peggy avait un caractère difficile, et rares étaient les personnes qui savaient par quel bout la prendre. Ce petit manège dura tout l'été, passa à la vitesse supérieure après mon départ en novembre et se poursuivit à mon retour au printemps.

À l'automne 1979, période pendant laquelle la maladie de Peggy avait atteint son stade terminal, Jane et Philip Rylands étaient pratiquement devenus ses auxiliaires de vie. Ils avaient les clés de chez elle, ils veillaient à la bonne marche de ses affaires, ils l'emmenaient à l'hôpital de Padoue. Le lendemain de la mort de Peggy, le directeur du musée Guggenheim de New York, Thomas Messer, débarqua à Venise pour prendre possession des lieux. Il tomba nez à nez avec Philip Rylands, occupé à retirer des tableaux du sous-sol inondé. Messer avait besoin de quelqu'un sur place pour exécuter les consignes du bureau de New York : il demanda à Philip de remplir à titre provisoire la fonction de conservateur. Plus tard, il nomma Philip administrateur permanent. L'irrésistible ascension des Rylands avait commencé.

Il était clair, depuis le début, que Jane Rylands avait l'intention de jouer un rôle dans la direction du musée, ce qui agaçait profondément Messer.

— Un jour, me dit-il, pendant que je donnais mes instructions à Philip en présence de Jane concernant, je crois, un détail de procédure très secondaire, elle a explosé : « Non, ça n'est pas possible ! » Je me suis dit qu'elle ne manquait vraiment pas de culot pour intervenir de la sorte. Je me suis mis en colère et je lui ai expliqué qu'elle n'avait pas à se considérer comme membre de la direction du musée. Elle s'est braquée et a continué d'exercer son autorité en toute illégitimité. Elle dominait Philip. Je n'avais jamais vu un mari se faire autant mener par le bout du nez...

Une fois affermie la mainmise des Rylands sur le musée Guggenheim, Jane renforça sa position d'une manière qui ne peut être qualifiée que de brillante. Elle organisa une série de conférences au Gritti auxquelles participaient des sommités telles que Stephen Spender, Arthur Schlesinger, Peter Quennell, John Julius Norwich, Brendan Gill, Adolph Green, Hugh Casson et Frank Giles, rédacteur en chef du

Sunday Times de Londres. Elle organisa également des réceptions, et son livre d'or portait les signatures des conférenciers du Gritti ainsi que celles d'Adnan Khashoggi, Jeane Kirkpatrick et la reine Alexandra de Yougoslavie.

— Quand j'ai feuilleté ce livre, m'expliqua Helen Sheehan, stagiaire au Guggenheim dans les années quatre-vingt, je me suis rendu compte qu'elle mettait toute son énergie à tisser son réseau pour son propre intérêt. Elle me disait souvent : « C'est comme ça qu'on fait son chemin dans la société. »

Sa position sociale et son influence renforcées par l'imprimatur implicite du Guggenheim, Jane s'improvisa agent artistique, mettant en relation riches mécènes et peintres ou sculpteurs vénitiens. Son pouvoir s'en trouvait d'autant renforcé. Elle commanda, pour elle, au peintre américain Robert Morgan un petit portrait d'Olga – juste la tête d'Olga. Quand l'œuvre fut terminée, la question de la rémunération du peintre fut abordée. Jane lui proposa une somme dérisoire, mais le plus important n'était-il pas que la cote de Morgan s'envolerait quand les gens verraient une de ses toiles chez les Rylands ?

En une occasion au moins, Jane conseilla un artiste à propos de son travail.

— Elle m'a expliqué que les fascistes allaient avoir le vent en poupe en Italie, me dit Harald Böhm, et que j'avais intérêt à m'orienter vers un style plus figuratif, pour être en phase avec mon époque, je suppose. J'ai trouvé ce conseil très bizarre.

Mary Laura Gibbs, historienne de l'art originaire du Texas, s'installa à Venise en 1979 et devint une amie proche des Rylands.

— On doit reconnaître une chose à Jane : elle a dynamisé la vie intellectuelle de Venise. J'ai eu l'impression que, très tôt, elle a trouvé la vie à Venise assez ennuyeuse. Elle a regardé autour d'elle et elle a senti qu'elle pouvait arriver à quelque chose, socialement et intellectuellement. Je crois qu'elle avait en tête quelque chose comme un salon… Mais il y avait des moments où elle se prenait un peu trop au sérieux. Je me rappelle très précisément le jour où le prince et la princesse de Galles sont venus à Venise. Ils avaient prévu d'assister à l'office de l'église anglaise, et les membres de la congrégation avaient reçu des tickets d'entrée. J'en avais deux. Patrizia, ma bonne, avait très envie d'y aller, aussi ai-je prévenu Jane que j'allais lui donner mon second ticket. Elle a piqué une vraie crise. « Il n'en est pas question ! » « Pardon ? » « Eh bien, je pense que ce serait une insulte. À moins que tu aies envie d'insulter le prince et la princesse ? C'est ça que tu veux ? » Jane avait cette étrange faculté de s'aliéner les gens. Il y avait les anti-Rylands et les Rylands eux-mêmes. Il n'y avait pas vraiment de pro-Rylands.

Vincent Cooper, le jeune peintre américain, demanda un jour à Jane pourquoi tant de personnes ne l'aimaient pas.

— C'est juste que je réveille l'animosité des gens, je ne sais pas pourquoi. Je ne suis pas assez nuancée, je crois. Pas assez malléable.

Selon Cooper, « Jane Rylands n'avait pas ou peu de considération pour les vieux amis d'Olga, dont beaucoup avaient également connu Pound. Pour elle, c'était simplement des gens indignes et ennuyeux qui risquaient de voler quelque chose chez Olga. Mais je pensais qu'elle était sincèrement inquiète pour le contenu de la maison ».

Une inquiétude sincère, certes, mais pas entièrement altruiste : Jane s'apprêtait à faire main basse sur l'ensemble des livres et des archives d'Olga, et voler quoi que ce soit à Olga aurait signifié, en un sens, voler également Jane.

Sur le plan littéraire, Jane aimait que Philip ait pour oncle Dadie Rylands, doyen de Cambridge, et que cette parenté crée un lien avec le cercle de Bloomsbury et à peu près la moitié de l'Angleterre littéraire. Pour proclamer cette filiation et lui rendre hommage, Jane avait commandé à Julian Barrow – un peintre britannique vivant dans l'atelier londonien de John Singer Sargent, au 33 Tite Street – un portrait de Dadie dans son appartement de King's College. Quand le portrait fut achevé, elle lui demanda d'y ajouter Philip. Barrow m'expliqua que cette demande l'avait estomaqué, et qu'il avait poliment refusé. « Je lui ai répondu que ça risquait de [...] détourner l'attention. »

L'ascension de Philip Rylands à la tête du musée Peggy Guggenheim souleva quelques protestations. La plupart soulignaient le fait qu'un étudiant en art de la Renaissance était loin d'avoir les qualifications nécessaires pour diriger une collection d'art moderne. On murmura aussi que Jane avait intrigué pour placer Philip à un poste qui devait revenir à John Hohnsbeen. Cela dit, Messer affirme que Peggy n'avait jamais indiqué qui devait lui succéder à sa mort, ni si elle préférait Hohnsbeen à Rylands. En tout état de cause, la nomination de Philip provoqua très peu de remous.

Quand, dix ans plus tard, l'affaire Olga Rudge fit surface, on réexamina la relation entre les Rylands et Peggy Guggenheim. Plusieurs personnes crurent déceler un motif récurrent : les Rylands courtisaient « en série » les vieillards du Dorsoduro – d'abord sir Ashley et lady Clarke, puis Peggy, enfin Olga.

— De la gérontophilie sélective, ironisa Mary Laura Gibbs. Avant l'affaire Rudge, j'aurais défendu Jane et Philip contre toute critique concernant leurs intentions vis-à-vis de Peggy. Ils étaient très bons pour elle, surtout Jane. Mais quand ils ont remis ça avec Olga Rudge, je me suis posé des questions.

En repensant à toute cette histoire, Mary Laura Gibbs se rappela qu'à un moment Olga avait commencé à manifester des signes d'agacement devant l'ingérence de Jane.

— Olga laissait échapper des remarques négatives. Par exemple : « J'aimerais beaucoup vous montrer ce document, malheureusement Jane a tout pris. » On la sentait méfiante, mal à l'aise.

Une fois connues les motivations réelles de la Fondation, des amis d'Olga écrivirent des lettres et passèrent des coups de fil de sa part. Joan Fitz-Gerald – dont les relations avec Jane et Philip avaient tourné depuis longtemps au vinaigre – appela l'ambassadeur américain à Rome, Maxwell Rabb. Rabb examina l'affaire et conclut : « Jane et Philip semblent avoir beaucoup d'amis. »

De l'autre côté de l'Atlantique, James Laughlin, le fondateur de New Directions et l'éditeur de Pound, tenta de faire pression sur Jane.

— Ça a été sacrément dur de se débarrasser de cette bonne femme ! a grogné Laughlin lorsque je lui ai téléphoné chez lui, dans le Connecticut. Elle n'a rien eu à faire au poste qu'elle occupait. Donald Gallup a travaillé comme un fou pendant trente-cinq ans, à partir de 1947, pour constituer les archives Pound de la bibliothèque Beinecke à Yale, dont il est devenu le directeur. Il a parcouru le monde entier à la recherche du moindre morceau de papier, il a eu affaire à cinq cabinets d'avocats et s'est retrouvé au cœur d'innombrables procès entre les deux familles de Pound pour déterminer qui détenait les droits de quoi... En 1966, Mary a fait don à Yale de quinze boîtes remplies de documents, qui sont restées fermées pendant sept ans dans le sous-sol de la bibliothèque jusqu'à ce que les poursuites judiciaires soient terminées. Je parie que Mrs Rylands ne sait strictement rien de tout ça ! Et voilà autre chose qu'elle ne sait probablement pas : Pound a signé en 1940 un testament par lequel il lègue tous ses biens – livres, biens mobiliers – à Mary. Mais le testament n'ayant pas été enregistré par un tribunal italien, il n'était pas valide techniquement, même si Pound a par la suite réitéré ses souhaits par écrit. Lorsque Pound est sorti de Saint Elizabeth, les autorités américaines ont fait de Dorothy son unique dépositaire légale. Pound ne pouvait donc pas écrire de nouveau testament sauf si Dorothy le signait, et Dorothy rejeta le testament de 1940. Elle et Omar engagèrent des avocats. Mary dut se résoudre elle aussi à faire appel à un avocat, et finit par être obligée de partager son héritage avec Omar. Et, après tous ces épisodes, voilà que débarque cette Rylands, qui n'a aucune légitimité dans l'histoire de Pound... Elle met les deux pieds dans le plat et traumatise cette famille qui a déjà souffert pendant des décennies, sans parler des dépenses supplémentaires...

Les arguments décisifs vinrent des administrateurs de la Fondation Guggenheim de New York, la principale entité dirigeante. L'un de ses membres était Jim Sherwood, propriétaire de l'hôtel Cipriani.

— Du point de vue de Jane et Philip, ils ne faisaient que mettre à l'abri les papiers d'Olga. Du point de vue des gens de Venise, ils essayaient de les voler. Le problème de la

Fondation Ezra Pound a été évoqué lors d'une réunion du conseil d'administration. Ses membres étaient inquiets car, si la controverse éclatait au grand jour, la publicité pour le musée serait désastreuse. Par ailleurs, Peter Lawson-Johnson, président du conseil et cousin de Peggy, voyait d'un mauvais œil l'action de Jane au musée Guggenheim à cause de l'antisémitisme de Pound. Le conseil d'administration a donc averti Philip qu'il devait choisir entre la Fondation Ezra Pound et sa fonction au musée.

Le moment était venu, pensais-je, de reprendre contact avec Philip et Jane Rylands. Je joignis Philip dans son bureau du Guggenheim. Étant donné le nombre de gens que j'avais déjà interrogés à propos de la Fondation, je ne fus pas surpris de sa réaction à la seule mention de mon nom.

— Nous n'avons plus envie de vous parler !
— J'aimerais vous poser quelques questions...
— Je n'ai pas envie d'entendre vos questions.
— ... au sujet de la Fondation Ezra Pound.
— J'ai très peu d'informations sur la Fondation Ezra Pound et, de toute façon, nous nous sommes mis d'accord avec Mary de Rachewiltz pour ne pas vous en parler.
— Dans ce cas, pour être en règle avec vous et Jane, je me permettrai de vous envoyer mes questions par écrit, pour que vous ayez au moins une possibilité d'y répondre.
— Je considérerai tout envoi de questions comme un acte intrusif ! Nous refusons toute tentative de pression de la part des journalistes.
— Ça n'est pas mon intention.
— Et puis tout ça, ce sont des ragots !
— Non, ce ne sont pas des ragots.
— Alors, qu'est-ce que c'est ?
— De l'histoire. Parce que, quand vous devenez intimes avec des gens célèbres, comme c'est apparemment votre cas, à Jane et à vous, alors vous faites partie de leur histoire.

Mary de Rachewiltz se montra d'une certaine façon plus agréable quand je lui téléphonai au château de Brunnenburg.

Elle était cependant tout aussi peu disposée à parler de la Fondation Ezra Pound.

— L'épisode Rylands m'a beaucoup gênée, m'avoua-t-elle. C'étaient des gens très bien. Très gentils avec ma mère pendant des années. Grâce à eux, je me suis fait moins de souci...

— Vous vous êtes mis d'accord tous les trois pour ne pas parler de la Fondation Ezra Pound ?

— Non. Mais nous n'avons pas le droit de parler à quiconque des termes de l'accord passé avec Yale.

— Pourquoi ?

— Nous avons signé un document nous obligeant à observer une stricte confidentialité dans cette affaire. Jane Rylands a été catégorique à ce sujet. Nous nous sommes également mis d'accord pour ne pas intenter d'action en justice contre Jane, la Fondation Ezra Pound ou l'université de Yale, et elles ont signé le même engagement vis-à-vis de nous.

— Jane a-t-elle reçu de l'argent de Yale ?

— On ne nous en a rien dit. Cela faisait partie de l'accord. Jane Rylands ne connaît pas non plus les détails de nos arrangements particuliers.

— Vous avez reçu de l'argent, vous-même ?

— Bien sûr, pour couvrir nos pertes financières. Vendues sur le marché, nos archives nous auraient rapporté dix fois ce que nous a proposé l'université.

Mary s'aperçut qu'elle avait laissé percer une note d'amertume et se ressaisit aussitôt, comme on retire sa main après avoir touché une poêle brûlante.

— Mais vous savez, dans le fond il n'y a pas de méchant dans cette affaire. Ma mère a simplement changé d'avis. Philip et Jane ont simplement cru agir pour le mieux.

— Si bienveillants qu'ils aient pu être pour vous, ne croyez-vous pas tout de même qu'à un moment Jane et Philip ont poussé le bouchon un peu trop loin ?

— Quand tout s'est terminé, ma mère m'a dit : « Ah, ces gens... Maintenant je comprends pourquoi ils m'invitaient toujours à dîner... »

Cette fois, Mary ne revint pas sur son commentaire négatif.

— Y a-t-il eu un moment où vous avez senti que les choses prenaient un tour gênant ?

Mary hésita un moment.

— Eh bien, oui. Jane Rylands commençait à vouloir prendre le contrôle des événements. Plein de petits détails m'ont alertée. Un pamphlet a circulé, un meeting a été organisé... Les questions de propriété intellectuelle n'étaient pas réglées convenablement.

— Et le tout a culminé lorsque la maison a été cédée, et les archives vendues à votre insu.

— En effet. Pour nous, la maison avait un caractère sacré. C'était notre autel familial.

— Verriez-vous un inconvénient à ce que je vienne à Brunnenburg pour m'entretenir avec vous pendant environ une heure ?

— Dites-moi d'abord... pourquoi vous intéressez-vous à cette histoire ?

— Pour être tout à fait honnête, j'ai été frappé par les similitudes entre ce qui est arrivé à votre mère et l'histoire des *Papiers de Jeffrey Aspern*. Vous connaissez ce roman ?

— Nous avons vécu pendant quarante ans avec les papiers de Jeffrey Aspern...

Avant de partir pour Brunnenburg, j'ai lu l'autobiographie de Mary de Rachewiltz intitulée *Discrétion* (1971) en référence à l'autobiographie de son père, *Indiscrétions*. À côté de l'histoire en elle-même, étonnamment émouvante, ce livre développait deux nouveaux aspects du feuilleton de la Fondation Ezra Pound : la relation tendue entre Mary et sa mère et l'adoration presque obsessionnelle de Mary envers son père.

Ayant été confiée pendant les dix premières années de sa vie à une famille d'accueil, Mary avait grandi dans une ferme du Tyrol. Elle trayait les vaches, ramassait du fumier, et parlait un allemand mâtiné de dialecte tyrolien. Elle prit certaines habitudes de son père adoptif : cracher très loin et se moucher avec les doigts.

Olga fut choquée de voir sa fille se transformer en petite paysanne aux ongles sales, aux manières rustaudes et aux dents lavées très épisodiquement. Mary résista aux tentatives de sa mère pour faire d'elle une jeune dame sophistiquée et éduquée. Olga l'obligeait à porter des jupes courtes à la mode qui lui donnaient l'impression d'être une poupée ; et elle fracassa contre la porte du poulailler un violon qu'Olga lui avait offert, racontant dans ses mémoires qu'elle aurait préféré une cithare ou un harmonica. Enfin, l'insistance d'Olga pour qu'elle apprenne l'italien et le parle tout le temps quand elle venait à Venise ne faisait que la bloquer davantage. « Son attitude rigide était un obstacle bien plus infranchissable que la barrière des langages. » Certaines fois, Olga était « avec moi comme une reine, belle et impérieuse, et, avec mon père, comme une bonne fée, douce, accommodante et souriante ». Pourtant, quand Olga se mettait au violon, « je ne voyais plus aucune trace de sa personnalité sombre, de son ressentiment [...]. J'entrevoyais sa grande beauté, et ma peur se changeait aussitôt en une sorte de vénération ». Mais, dès que la musique cessait, Olga redevenait lointaine, impénétrable, autoritaire.

Vers la fin de son adolescence, Mary apprit d'un seul coup qu'elle était illégitime et qu'Olga aurait préféré un garçon. Ce jour-là, elle comprit qu'elle ne parviendrait jamais à conquérir l'amour de sa mère.

Olga fut profondément blessée par l'autobiographie de sa fille et ne lui adressa plus la parole pendant plusieurs années. Christopher Cooley vit ce livre dans la bibliothèque d'Olga et constata qu'il était amplement annoté. Chaque fois qu'il était fait allusion à ce livre, elle le sortait de son étagère et le feuilletait rageusement en disant : « Ça c'est faux, je l'ai corrigé... et ça aussi, je l'ai corrigé... » Puis elle le refermait d'un coup sec et le remettait à sa place.

Même si leur relation finit par s'arranger avec le temps, la distance géographique et émotionnelle persistait entre les deux femmes. L'épisode Rylands prouva, entre autres choses, aux yeux de Mary qu'elle avait laissé à Philip et à Jane le soin de s'occuper de sa propre mère.

Les sentiments de Mary envers son père offraient un contraste saisissant. « L'image qui se présentait à mon esprit quand je pensais à mon père était toujours celle d'un soleil rayonnant au-dessus d'une route immaculée. » Quand Pound l'emmena visiter Vérone, son image éclipsa celle de tous les monuments. Mary se rappelait comment, rentrant d'un cinéma où ils avaient vu un film avec Fred Astaire et Ginger Rogers, il n'avait pas cessé de faire des claquettes. Et elle se revoyait assise dans sa chambre au deuxième étage du Nid Caché, guettant les bruits qui signaleraient son retour – le tap-tap de sa canne en jonc de Malacca noire quand il entrait dans la Calle Querini puis, à mesure qu'il approchait du numéro 252, le miaulement grave auquel répondait Olga, au deuxième étage, en miaulant à son tour. Alors, Mary dévalait les escaliers pour aller lui ouvrir la porte.

À l'âge de quinze ans, elle reçut de son père – l'homme qui avait donné des conseils littéraires à Yeats et Eliot – une lettre où il lui expliquait comment écrire :

Ciao Cara,

Apprendre à écrire, comme tu apprends à jouer au tennis. Ne peux pas toujours disputer un match, tu dois t'entraîner coup par coup. Réfléchis : en quoi aller au Lido pour jouer au tennis est-il différent ? Je veux dire, différent d'aller jouer à Sienne ? Écris-le. Pas pour raconter une histoire mais pour l'expliquer clairement.

Ce sera très LONG. Quand on commence à écrire, c'est difficile de remplir une page. Quand on vieillit, il y a toujours TANT DE CHOSES à écrire.

RÉFLÉCHIS : la maison à Venise ne ressemble à AUCUNE AUTRE maison. Venise ne ressemble à aucune autre ville. Imagine que Kit Kat ou même un Américain doive se rendre dans la maison de Venise, COMMENT va-t-on lui expliquer ? Comment peut-il nous reconnaître quand nous sortons pour aller au Lido ? Il descend du train, comment va-t-il trouver le 252 Calle Q. ?

Décris-nous ou décris Luigino arrivant à la Ferrovia. Est-ce qu'il a de l'argent, est-ce qu'on a de l'argent, comment fait-on ?

Un romancier peut tenir tout un chapitre à décrire son protagoniste allant de la gare à la porte d'entrée de la maison. En écrivant bien, il est possible et même certain que Kit Kat arrivera devant la maison à la fin du chapitre.

Ciao
Prends bien le temps de RÉFLÉCHIR à tout ça avant d'essayer de l'écrire.

Pound demanda à Mary, toujours dans son adolescence, de traduire les *Cantos* en italien en guise d'exercice. Ainsi débuta ce qui allait occuper sa vie : l'étude de l'œuvre de son père. « Les *Cantos* sont peu à peu devenus le seul livre dont je ne peux plus me passer. [...] Ma Bible, comme disent souvent mes amis pour me taquiner. » Dans les années soixante, quand Yale a acquis une part importante des archives de Pound, ils fondèrent les Archives Ezra Pound et nommèrent Mary à leur tête. Pendant vingt-cinq ans, Mary passa chaque année un mois à Yale pour classer et annoter les documents de son père.

La métamorphose de Mary, jeune fermière parlant un patois tyrolien, en une femme raffinée, cultivée, belle et polyglotte s'acheva quand elle eut une vingtaine d'années. Pourtant, son amour des montagnes et des fermes de son enfance demeurait inentamé, et le fait d'aller vivre dans le sud du Tyrol fut une façon de renouer avec ses racines adoptives.

Le trajet de Venise au château de Brunnenburg dura environ trois heures, entre la route jusqu'à Merano et le funiculaire pour monter jusqu'au village de Tirolo. Les trois cents derniers mètres, je les fis à pied sur la « voie Ezra Pound ». Avec ses créneaux et ses tourelles, le château de Brunnenburg paraissait tout droit sorti d'un conte de Grimm. Accroché à flanc de collines, parmi les vignes, il offrait une vue spectaculaire sur la vallée et les montagnes au loin. Mary habitait l'une de ses deux tours, Walter et son épouse Brigitte vivant dans la seconde avec leurs deux enfants. En entrant dans la grande cour, je remarquai un groupe d'étudiants américains. Ils participaient à l'un des séminaires pendant lesquels Mary donnait des conférences sur les œuvres de Pound et Walter des cours d'histoire médiévale.

Je franchis plusieurs escaliers extérieurs, traversai un jardin où était exposée une réplique de la tête de Pound sculptée par Gaudier-Brzeska puis tombai nez à nez avec Mary de Rachewiltz. Elle était grande, souriante, avec des cheveux blonds rejetés en arrière pour mettre en valeur ses hautes pommettes. Son attitude traduisait une fierté mêlée de sérénité. Malgré toute la tristesse dont sa vie était bercée, elle était après tout la fille de l'une des plus grandes figures littéraires du xxᵉ siècle.

Nous nous installâmes à une grande table, sur une terrasse, où Walter nous rejoignit quelques instants plus tard. C'était un homme aux traits saillants, aux cheveux sombres, vêtu d'un tee-shirt noir et d'un jean. Il revenait tout juste de la vigne, où il venait d'installer des filets pour protéger le raisin des oiseaux. Il posa sur la table un épais classeur rouge rempli de papiers et se mit à les passer en revue. Je distinguai des lettres, des relevés de compte bancaire, des documents juridiques, mais il les feuilletait si vite que je ne pouvais pas les voir plus précisément.

— Nous ne sommes pas autorisés à montrer la plupart de ces documents, dit Walter. Mais je peux vous en parler. Toute l'histoire se trouve dans ce dossier.

Mary regarda un calepin et laissa échapper un soupir.

— Au fond, il n'y a pas de méchant dans cette affaire, dit-elle en reprenant les mêmes mots qu'au téléphone.

Avant que j'aie le temps de répondre, Walter reprit la parole avec une certaine impatience.

— Jane Rylands a parfaitement su tirer profit de ta rancune envers ta mère.

Mary ne répondit rien.

Il se tourna vers moi et reprit :

— C'est ma grand-mère qui a mis la machine en branle. Elle voulait préserver les écrits d'Ezra Pound mais elle ne nous a jamais laissé entendre qu'elle allait donner ses archives et sa maison à une fondation. C'est Liselotte Höhs et Joan Fitz-Gerald qui nous ont alertés. Elles ont appelé ma mère de Venise et nous ont demandé de venir tout de suite pour essayer de tirer au clair ce qui se passait. Mon père et moi sommes allés chez le notaire. En lisant les contrats, nous avons été très surpris de voir tout ce qu'Olga avait donné. Mon père s'est ensuite rendu à l'hôtel de ville et s'est aperçu que les services administratifs n'avaient pas encore validé le transfert du titre de propriété de la maison.

211

Nous avons donc pu le rétablir au nom de ma grand-mère. Mais la vente des archives était bel et bien entérinée. Quand nous avons montré les contrats à ma grand-mère, elle nous a dit : « Je n'ai jamais vu ce papier. Je n'ai jamais signé un document pareil. » Nous avons remarqué que le contrat de vente des archives mentionnait le versement de 15 millions de lires (7 800 euros). Peut-être ma grand-mère les avait-elle effectivement reçus, mais nous n'en avons trouvé aucune trace dans ses comptes. Quand nous avons demandé à Jane un entretien pour discuter de cette affaire, elle s'est montrée très évasive. Et elle ne s'est pas présentée à nos rendez-vous.

Walter tourna quelques pages.

— Tenez, par exemple : mon père et moi avions rendez-vous chez Jane, chez elle. Quand nous sommes arrivés, elle n'était pas là. Elle avait laissé ce mot...

Il me montra un bristol.

— « Désolée que vous ayez traversé le *ponte* pour rien. » Ma grand-mère avait quatre-vingt-treize ans à l'époque.

Autrement dit, si Jane continuait d'appliquer cette tactique de report permanent, le problème pourrait trouver une résolution naturelle : Olga mourrait et Jane prendrait le contrôle des opérations.

— Le plus drôle, ajouta Walter, c'est que ma grand-mère a vécu jusqu'à cent un ans !

— Non, dit Mary. Le plus drôle, c'est que j'ai été virée de Yale !

— Olga Rudge et sa famille ont été victimes de cette affaire à deux reprises. D'abord, la perte de toutes les archives de ma grand-mère, données à la Fondation. Ensuite, pendant les négociations avec Yale, la famille a reçu moins que la valeur réelle des documents, et Ralph Franklin, le nouveau directeur de la bibliothèque Beinecke, a renvoyé ma mère de son poste de responsable des archives Pound. M. Franklin n'avait jamais vraiment accepté cette promotion : elle avait été décidée par le directeur précédent.

Walter continua de feuilleter son classeur.

— Voici un chèque de 600 dollars signé par ma grand-mère pour le cabinet d'avocat de Cleveland, dans l'Ohio. Six cents dollars ! Ma grand-mère n'a jamais eu d'argent. Je ne comprends pas pourquoi elle a eu à payer quoi que ce soit à ces avocats. Le fait qu'elle ait donné gratuitement sa maison et ses documents aurait dû suffire. Ma grand-mère a été présidente de la Fondation, mais c'était juste pour son nom. Jane Rylands s'était attribué certains pouvoirs exclusifs. Elle a déposé dans un coffre à la banque les carnets de Gaudier-Brzeska que possédait ma grand-mère, et c'était plutôt une bonne idée car ils ont une grande valeur. Mais quand ma grand-mère et moi sommes allés à la banque pour les récupérer, nous n'avons pas pu accéder à la salle des coffres. Le banquier nous a expliqué que seule Jane Rylands était habilitée à ouvrir le coffre de la Fondation Ezra Pound. « Mais je suis la présidente de la Fondation Ezra Pound ! », s'est écriée ma grand-mère. Le banquier a répondu : « Je suis désolé, nous avons reçu des consignes de Mme Rylands. »

Walter passa à d'autres documents.

— Ah, j'ai trouvé...

C'était un petit morceau de papier bleu manuscrit. Le message, écrit en grosses lettres, comme pour un enfant, était le suivant : « REGARDEZ DANS LE COFFRE. COMPTEZ LES CARNETS. COMBIEN Y EN A-T-IL ? 1 2 3 4 5 6. » C'était comme si on parlait lentement, en détachant bien les syllabes, pour se faire comprendre d'un enfant ou bien d'une vieille personne qui n'aurait plus toute sa tête. Le papier n'était pas signé et la personne à qui il était destiné n'avait entouré aucun chiffre d'un cercle.

— Qu'est-ce que ça signifie ? demandai-je.

Walter haussa les épaules.

— Je suis sûr que c'est Jane Rylands qui a écrit ça. Ça montre bien dans quel état était ma grand-mère et les précautions que prenait Jane quand les rumeurs ont commencé...

Il remit le papier dans sa pochette transparente.

— Parfois Jane s'impliquait dans des domaines qui n'avaient aucun rapport avec la Fondation. Ma grand-mère possédait deux tableaux importants, de Fernand Léger et de Max Ernst. Jane les a emportés au Guggenheim pour les faire encadrer, disait-elle, et les mettre à l'abri. Quand nous avons demandé à Jane de les restituer, elle nous les a rendus – et ils n'étaient pas encadrés.

— Vous avez déjà demandé à Jane pourquoi elle s'était lancée dans tout ça ?

— Oui, intervint Mary. Elle nous a répondu : « Pour les affaires. » Elle parlait de créer des bibliothèques Ezra-Pound dans toutes les grandes villes du monde, d'y accueillir des symposiums, des conférences, de superviser des publications…

— Elle nous a donné cette réponse plusieurs fois, dit Walter. Elle s'était lancée dans cette histoire « pour les affaires ».

— Pourquoi vous n'avez pas intenté un procès pour faire invalider les contrats ?

— On nous a expliqué que la seule façon de faire annuler les contrats était d'attaquer au pénal. Il aurait fallu lancer des accusations d'escroquerie, de *circonvenzione d'incapace*, c'est-à-dire « abus de handicapés », et nous n'étions pas prêts. Et puis, on nous a dit qu'aucun avocat vénitien n'accepterait une affaire contre un autre avocat ou notaire vénitien. Il nous faudrait en trouver un à Milan ou à Rome.

Walter referma le classeur et le mit de côté.

— En tout cas, dis-je, malgré tout ce qui s'est passé, Jane et Philip semblent avoir gardé de bons souvenirs d'Olga Rudge. Ils ont un portrait d'elle.

— Ah bon ?

Mary paraissait surprise.

— Où se trouve-t-il ?

— Dans leur appartement.

— Je serais curieuse de savoir qui l'a payé.

— Je crois savoir que c'est Jane. Elle l'a commandé et elle l'a payé.

Mary eut un sourire sarcastique.

— Je serais curieuse de savoir qui l'a payé.

Lors d'un bref retour aux États-Unis, j'ai passé une journée à la bibliothèque Beinecke de New Haven. J'y ai trouvé les archives Olga Rudge, classées dans 208 boîtes occupant en tout 30 mètres de rayonnage. J'ai lu des dizaines de lettres et d'autres documents, chacun offrant un aperçu fragmentaire du monde d'Ezra Pound et d'Olga Rudge.

Une lettre présentait un intérêt particulier – pour ne pas dire ironique. Mary, à Brunnenburg, écrivait à Olga à Venise en août 1959. Des disciples et des universitaires étaient venus au château et avaient fourragé dans les documents de Pound comme des « cochons cherchant des truffes ». Mary commençait à en avoir assez et écrivait à sa mère : « J'ai relu *Les Papiers de Jeffrey Aspern* cette nuit. Mon Dieu, je suis d'humeur à allumer un grand bûcher et à brûler tous les papiers jusqu'au dernier petit morceau. »

Presque trente ans plus tard, le 24 février 1988, Mary écrivit à nouveau à Olga depuis Brunnenburg :

Ma très chère mère,

Tu m'as demandé de « le coucher par écrit ». Le temps est précieux, je serai donc brève : ARRÊTE ta « Fondation » et fais en sorte que le seul endroit que nous pouvons encore appeler la « maison » soit préservé pour une fille, deux petits-enfants et quatre arrière-petits-fils dont tu as toujours les photos sur toi. Si tu préfères confier tous les « détails techniques » à Walter, je suis certaine qu'il acceptera cette responsabilité. Car, pour le moment, tu fais du feu dans la cheminée d'un endroit qui ne t'appartient plus.

Avec tout mon amour

Mary

Cependant, ma découverte la plus surprenante au Beinecke ne fut pas ce que je lus mais ce que je n'eus pas le droit de lire. Toutes les boîtes des archives Olga Rudge étaient consultables, sauf une. La boîte n° 156 était inaccessible – contenu « confidentiel » – jusqu'en 2016. La boîte n° 156 renfermait l'intégralité des documents de la Fondation Ezra Pound.

J'aurais voulu demander à Jane Rylands ce que cette boîte scellée contenait, et pourquoi elle était scellée. J'aurais voulu lui poser un certain nombre d'autres questions mais, puisque Philip m'avait prévenu qu'il considérerait toute question, même écrite, comme intrusive, je n'en fis rien. Je choisis d'appeler le directeur de la Beinecke, Ralph Franklin.

— La boîte est scellée car c'était l'une des conditions posées par la Fondation Ezra Pound pour vendre ses archives.

— Pourquoi l'année 2016, vingt-six ans après la signature de l'accord ?

— Je l'ignore.

— Vous avez versé de l'argent à Jane Rylands ?

— Nous n'avons jamais traité directement avec Jane Rylands. Nous avons traité avec la Fondation Ezra Pound. Il y avait deux camps opposés, qui tous les deux prétendaient détenir les droits des archives d'Olga Rudge : d'un côté Olga Rudge et de l'autre la Fondation Ezra Pound. Nous avons racheté les droits des deux camps, et par là même l'ensemble des archives.

— À l'époque, bien sûr, la Fondation se résumait à deux membres : Jane Rylands et un avocat de Cleveland. Peu après avoir signé l'accord avec l'université de Yale, ils ont dissous la Fondation. Qu'ont-ils fait de l'argent ?

— Je ne sais pas ce que la Fondation a fait de l'argent qu'elle a reçu.

— La réponse à cette question se trouve-t-elle dans la boîte qu'on ne pourra ouvrir qu'en 2016 ?

— Même moi, j'ignore ce que cette boîte contient.

De retour à Venise, je me suis directement rendu Calle Querini et j'ai frappé à la porte des Harkins. Le révérend m'a salué avec chaleur et m'a donné la clé de la maison voisine. Mary la lui avait laissée pour moi. Je m'étais débrouillé pour louer le Nid Caché pendant six semaines. L'intérieur avait été rénové récemment, m'avait prévenu Mary, et il ne restait plus aucune des affaires de ses parents, mais l'idée de voir Venise, même brièvement, depuis le Nid Caché me plaisait beaucoup.

— Et n'oubliez pas, ajouta le révérend Jim, nous prenons généralement nos cocktails vers 17 h 30 !

Je le remerciai et allai ouvrir la porte de la maison d'à côté.

Elle mesurait en tout 50 m², entièrement nettoyée et avec le strict nécessaire en guise de mobilier. Le rez-de-chaussée, où tous les papiers d'Olga s'étaient entassés dans des coffres et où, avant de se murer dans le silence, Ezra Pound lisait ses poèmes à ses amis, était désormais occupé par une table, quatre chaises et une petite cuisine derrière des portes coulissantes. Deux fenêtres de part et d'autre d'une cheminée donnaient sur le jardin de Cipriani avec, au fond, le haut mur de brique de l'ancien entrepôt des Douanes. Accrochée dans la salle à manger, une affiche encadrée datant des années vingt annonçait un concert avec Olga Rudge et George Antheil. Mais aucun livre, aucune étagère, aucune fresque en trompe-l'œil.

En montant l'escalier de bois, j'arrivai au premier étage, autrefois chambre d'Olga et désormais meublé d'une table et de deux chaises.

Le second étage, où Pound avait eu son atelier, était occupé par un lit et une salle de bains. Une simple table en bois à usage de bureau avait été appuyée sur la balustrade de l'escalier, face à la fenêtre.

Un objet posé sur cette table attira mon attention. C'était un livre, l'unique livre dans toute la maison : une édition de poche des *Papiers de Jeffrey Aspern*. Je l'ouvris ; sur la page de titre, une dédicace : « Puisse le "Nid Caché" inspirer un jour semblable chef-d'œuvre. — M. de R. »

10

Pour un peu de fric...

— Vous êtes surpris ?

Derrière son nez aquilin, Ludovico De Luigi m'observait d'un regard fixe, très amusé de ma réaction à la nouvelle du jour. Nous étions assis à la terrasse d'un café du Campo San Barnaba et deux mots se détachaient à la une du journal posé sur notre table : « Incendie criminel. » Les experts enquêtant sur la destruction de La Fenice avaient changé d'avis : en février, ils avaient décrété que le feu était d'origine accidentelle et résultait d'une succession de négligences ; nous étions désormais en juin, et ils concluaient à l'incendie criminel.

— Pourquoi ne le serais-je pas ? répondis-je. Il y a quelques mois, ils écartaient l'hypothèse de l'incendie criminel « avec une certitude quasi mathématique ». Vous-même, vous pensiez depuis le début qu'il s'agissait d'un crime ?

— Non, et je n'en suis même pas certain aujourd'hui. Mais c'était inévitable qu'on en arrive à cette conclusion. Je l'ai su dès que Casson a annoncé qu'il allait accuser de négligence criminelle beaucoup de personnalités de premier plan : le maire, le directeur général de La Fenice, l'ingénieur en chef de Venise... Ces hommes sont très influents. Ils ont engagé les meilleurs avocats d'Italie. Ces avocats savent qu'ils ne peuvent pas prouver que leurs clients n'ont pas été négligents car *ils ont été* négligents. Mais s'ils parviennent à convaincre la cour que l'incendie est d'origine criminelle, et s'ils peuvent mettre la main sur un pyromane et le faire condamner, alors toutes les poursuites pour négligence seront automatiquement abandonnées.

— Vous voulez dire que les experts ont subi des pressions pour changer d'avis?

De Luigi haussa les épaules.

— Ça n'est jamais aussi flagrant. Les pressions s'exercent avec un peu plus de subtilité.

J'allais lui demander quelles étaient ces subtilités quand une femme assise à la table voisine étouffa un cri. Une mouette venait de se poser au milieu d'un groupe de pigeons occupés à picorer des miettes de pain, et elle avait saisi l'un des oiseaux par son bec. Le pigeon agitait furieusement les ailes et se débattait pour échapper à la prise de la mouette beaucoup plus grosse que lui. Très vite, la mouette plaqua le pigeon sur le pavé et se mit à frapper son ventre avec son long bec pointu. En quelques secondes, elle en extirpa un morceau sanguinolent de la taille d'un raisin – le cœur du pigeon, certainement –, jongla avec puis l'avala.

Laissant le pigeon mort derrière elle, la mouette trottina jusqu'au bord du canal San Barnaba (à l'endroit exact où, quelques années auparavant, Katharine Hepburn était tombée à l'eau dans *Vacances à Venise*). Les autres pigeons, qui s'étaient égaillés au moment de l'attaque, refluèrent et continuèrent à picorer à quelques mètres de la mouette, sentant peut-être qu'elle était rassasiée. Notre voisine frissonna et détourna le regard. De Luigi gloussa en silence.

— Eh bien voilà, dit-il : démonstration par l'exemple. L'allégorie du fort contre le faible. C'est toujours pareil : le fort l'emporte sur le faible, et le faible revient toujours pour jouer le rôle de la victime.

Il rit.

À présent que les experts avaient attribué à l'incendie de La Fenice une origine criminelle, à Felice Casson d'identifier le ou les coupables. « Tout ce qu'il reste à faire, avait-il déclaré, c'est de mettre un visage sur le ou les monstres responsables de ce drame. » Une fois encore, tous les regards se tournèrent vers la mafia. Casson laissa entendre que son enquête s'orientait en priorité vers la piste mafieuse. Il avait reçu un coup de téléphone d'un procureur de Bari, où la mafia avait incendié le Teatro Petruzzelli en 1991. Après avoir comparé les différentes photos des deux incendies, le procureur avait relevé des similitudes troublantes : dans les deux cas, le feu s'était déclaré à un étage et les flammes s'étaient propagées latéralement, ce qui indiquait un acte criminel. Les deux incendies avaient-ils un lien ? Les rapports étroits entre Antonio Capriati, le chef mafieux qui avait ordonné l'incendie de Bari, et Felice « Face d'Ange » Maniero, le chef de la mafia vénitienne, donnaient du poids à cette hypothèse. Depuis plusieurs années, les deux hommes se rencontraient fréquemment à Padoue. En outre, lors de son procès en 1993 pour vol et trafic de drogue, « Face d'Ange » Maniero avait déclaré sous serment qu'il avait songé à incendier La Fenice pour intimider les hommes qui le poursuivaient en justice.

Le maire Cacciari avait beau répéter qu'il n'existait pas de mafia à Venise, il était de notoriété publique que « Face d'Ange » Maniero et la mafia contrôlaient le marché des bateaux-taxis et que, jusqu'à récemment, Maniero dirigeait le racket des prêteurs sur gages devant le casino, avec un taux augmentant chaque jour de 10 %.

À quarante et un ans, le jeune Maniero était l'un des mafiosi les plus « tête brûlée » et les plus scandaleux d'Italie. Il s'était vanté d'avoir dérobé à la cathédrale de Padoue un reliquaire incrusté de diamants contenant la mâchoire de saint Antoine, qui pourrait servir de monnaie d'échange au cas où lui ou un de ses hommes seraient arrêtés. Maniero cultivait une image de nonchalance toute urbaine. Il préférait le nœud Ascot pour ses cravates, possédait une flottille de voitures de luxe et aimait déguster champagne et caviar en compagnie de grandes femmes blondes. En 1993, alors que la police était à ses trousses, il avait acheté un yacht de onze mètres et était parti en croisière en Méditerranée au vu et au su de tous. La police l'avait rattrapé au large de Capri, arraisonnant le yacht et capturant son propriétaire. Condamné à trente-trois ans de prison, Maniero s'était offert une évasion spectaculaire au bout de quelques mois seulement. Sept de ses acolytes déguisés en *carabinieri* et armés de fusils d'assaut avaient pénétré dans la prison de haute sécurité de Padoue et tenu en joue les gardiens pendant que Maniero et cinq autres membres de son gang s'échappaient. Quand, cinq mois plus tard, la police l'arrêta de nouveau, il se reconvertit en informateur. En échange de sa libération dans le cadre d'un programme de protection de témoins, il avait fourni des informations aboutissant à l'arrestation de plus de 300 personnalités de la mafia. À l'époque de l'incendie de La Fenice, Maniero se trouvait à Mestre et témoignait au procès de 72 comparses mafieux, accusés de deux vols pour un butin d'un million de dollars, de la vente de centaines de kilos d'héroïne et d'un double homicide.

Maniero collaborant avec les procureurs antimafia, on pouvait imaginer que, s'il n'était pas lui-même responsable de l'incendie, d'autres mafieux l'avaient ordonné pour lui en faire porter la responsabilité.

Une autre piste impliquait la mafia sicilienne : un informateur sicilien déclara à Casson que le chef mafieux de Palerme, Pietro Aglieri, avait confié à un associé être à l'origine de l'incendie de La Fenice, qu'il avait ordonné pour sauver la face. Lors d'un procès mafieux en Vénétie, un témoin issu du gouvernement avait déclaré être homosexuel et entretenir des liens d'amitié avec Aglieri. Profondément embarrassé, Aglieri avait tenté de redorer son blason auprès de ses collègues de la pègre en jouant des muscles et en semant le chaos à Venise. Il avait donc transformé La Fenice en un tas de ruines fumantes. Selon l'informateur, Aglieri et un autre membre de son clan étaient montés de Palerme à Venise et avaient mis le feu à l'opéra avec un simple briquet. Casson examina de près cette piste et eut bientôt des doutes concernant sa source. Mais, au lieu de tirer un trait sur cette histoire, il confia à la brigade antimafia de Venise le soin de mener l'enquête.

Pendant ce temps, les experts de Casson s'évertuaient à expliquer pourquoi leurs conclusions avaient aussi radicalement changé. À l'origine, ils pensaient qu'une étincelle ou un mégot de cigarette négligemment jeté avait mis le feu au sol du *ridotto* recouvert de résine. La résine brûlante avait allumé un feu dans les lattes du plancher, feu qui avait couvé pendant deux ou trois heures avant de se transformer en flammes. Un feu couvant est typique d'un incendie accidentel.

Toutefois, de nouveaux examens en laboratoire avaient montré que, même avec le revêtement en résine, le parquet n'aurait pas pris feu, ou alors à une température beaucoup plus élevée que celle d'une étincelle ou d'une cigarette. Les experts furent obligés de conclure que les planchers avaient pris feu car quelqu'un avait au préalable versé sur eux un liquide inflammable. Or huit litres d'un solvant extrêmement inflammable étaient stockés dans le *ridotto*, et on en avait retrouvé des traces dans les restes carbonisés des planchers.

L'unique preuve concrète d'un incendie accidentel était la découverte que les poutres supportant le sol du *ridotto* s'étaient entièrement consumées. C'était le signe d'un feu lent, couvant, et par conséquent d'un accident. Pour ne pas contredire le scénario d'un incendie criminel, les experts affirmaient à présent que les poutres s'étaient entièrement consumées malgré les milliers de litres d'eau déversés par les lances des pompiers, car elles étaient recouvertes de résine et saturées de solvants.

Le feu n'avait donc pas couvé pendant deux ou trois heures : il s'était transformé en un brasier rugissant au bout de dix ou quinze minutes. Autrement dit, le sinistre s'était déclaré entre 20 h 20 et 20 h 50 et non vers 18 heures, comme il avait été d'abord indiqué. Mais dans ce cas, que devenaient les huit témoins prétendant qu'ils avaient senti une odeur de brûlé du côté de La Fenice à 18 heures ? Les experts soulignèrent que personne, à l'intérieur de l'opéra, n'avait rien senti à cette heure-là, et qu'en outre aucun des huit témoins n'avait signalé l'odeur suspecte au moment où ils l'avaient sentie. Selon les experts, l'odeur de 18 heures venait vraisemblablement d'une cuisine de restaurant ou d'un four à bois.

Puisque l'incendie était désormais considéré comme criminel, Felice Casson était obligé de réexaminer toutes les informations accumulées pendant des mois. Il s'intéressa particulièrement à trois garçons d'une vingtaine d'années aperçus peu avant les premières flammes, tandis qu'ils

223

traversaient le Campo San Fantin en courant et en criant *Scampemo, scampemo !* (« foutons le camp ! » en dialecte vénitien.) Ils riaient. Selon les témoins, ils venaient peut-être de faire une farce qui avait mal tourné. Dix minutes plus tard, on vit deux autres garçons s'enfuir. Tous venaient de la Calle della Fenice, où se trouve l'entrée des artistes.

Le 29 janvier, 25 personnes travaillaient sur le chantier de restauration de La Fenice. Casson voulait savoir qui avait été le dernier à quitter les lieux.

Gilberto Paggiaro, cinquante-quatre ans, le gardien au regard triste de La Fenice, prit son poste à 16 heures le 29 janvier 1996. Du petit bureau à côté de l'entrée des artistes, il vit la plupart des gens partir entre 17 heures et 17 h 30. Trois autres personnes quittèrent le bâtiment dans la demi-heure qui suivit : un décorateur, un attaché de presse et la dame du snack-bar dont la cafetière allait brièvement être tenue pour responsable de l'incendie. À 18 h 30, l'électricien de l'opéra rentra chez lui. Dix minutes plus tard, un cadre d'une des entreprises travaillant sur le chantier de La Fenice quitta les lieux, suivi par un des contremaîtres. À 19 h 30, le menuisier de La Fenice sortit avec quatre autres employés qui l'avaient rejoint dans son atelier pour fêter l'anniversaire d'un ancien collègue.

À 20 heures, il restait donc neuf personnes dans le bâtiment : le gardien Paggiaro, Giuseppe Bonannini, le photographe de La Fenice, qui prenait des photos pour garder une trace du travail de rénovation, et sept jeunes électriciens employés par la société Viet. Cette petite entreprise était en retard sur son tableau de marche : depuis quelque temps, l'ensemble de ses sept employés ainsi que le patron lui-même travaillaient douze heures par jour sur le chantier. Trois de ces électriciens avaient été engagés la semaine précédente pour renforcer l'équipe et rattraper le retard. Le 29 janvier, ils travaillaient au rez-de-chaussée. À 20 heures, ils rangèrent leurs affaires et montèrent au vestiaire du troisième étage pour se doucher et se changer.

Enrico Carella, vingt-sept ans, le patron de la Viet, dit aux enquêteurs qu'il était parti à 20 h 30 avec son cousin

Massimiliano Marchetti, qui était aussi l'un de ses employés. Dans les cinq minutes qui suivirent, trois autres électriciens partirent. L'un d'eux expliqua aux enquêteurs qu'ils étaient sans doute les « trois garçons courant le long de la Calle della Fenice ». « Nous plaisantions », ajouta-t-il pour expliquer leurs cris.

Un sixième employé partit quelques minutes plus tard, saluant en chemin le dernier électricien. L'électricien de La Fenice avait demandé au dernier employé de la Viet, en quittant les lieux, de bien penser à éteindre toutes les lumières du bâtiment. Après s'être exécuté, ce dernier s'était arrêté au bureau près de l'entrée des artistes et, ne trouvant pas Paggiaro, il avait laissé un message disant que, comme convenu, il avait éteint toutes les lumières. On trouva ce message après l'incendie mais cet homme, Roberto Visentin, est le seul des sept électriciens de la Viet à ne pas avoir été vu quittant La Fenice.

Deux hommes restaient à l'intérieur : le gardien Gilberto Paggiaro et le photographe Giuseppe Bonannini.

Paggiaro partit pour son inspection de routine à 20 h 30, évoluant dans la pénombre de l'opéra à la lumière d'une lampe torche. Cette tournée durait en général plus d'une demi-heure, compte tenu de la taille du bâtiment, de ses nombreux niveaux et de son plan labyrinthique. Paggario commença par monter à l'étage, traversa la scène et entra dans l'aile sud où il inspecta le dédale de ses bureaux et de ses salles de conférence. Tout était en ordre. Il traversa la scène dans l'autre sens et s'occupa de l'aile nord. Même résultat. Il emprunta ensuite le couloir en fer à cheval, derrière le deuxième étage de loges, avançant vers l'arrière de l'auditorium et des salles Apolinnee. C'est à cet endroit, au milieu du fer à cheval, qu'il sentit une odeur de fumée. Pensant que l'odeur venait de dehors, il ouvrit une fenêtre – et vit une femme dans la *calle*, en train de crier : « Au secours ! L'opéra est en feu ! »

Une vague d'inquiétude submergea Paggiaro. Il savait que Bonannini était toujours dans son bureau, au troisième étage, car le photographe lui avait demandé de passer le voir pendant sa tournée pour le guider vers la sortie avec sa lampe de poche. Paggiaro se précipita dans les étages et trouva Bonannini dans son bureau, en train de tirer des photos.

Hors d'haleine, il cria : « Beppe, Beppe ! J'ai senti de la fumée dans les loges du deuxième, viens m'aider ! Nous devons trouver d'où ça vient, vite ! »

Les deux hommes sortirent et dévalèrent les escaliers, Paggiaro criant toujours : « Le deuxième, le deuxième ! »

Ils ouvrirent la porte du couloir du deuxième étage et reconnurent tout de suite l'odeur. Paggiaro brandit sa lampe et le faisceau lumineux révéla une mince couche brumeuse. Ils avancèrent dans le couloir, passant devant les portes des loges. Au niveau de la loge royale, ils ouvrirent la porte donnant sur les salles Apolinnee et virent une épaisse fumée noire descendre les escaliers depuis le *ridotto*, une fumée si âcre qu'ils durent se couvrir le nez et la bouche avec un mouchoir. Sur les murs dansaient les reflets des flammes, dans les crépitements d'un feu furieux. Soudain, il y eut une gerbe de flammes. Paggiaro et Bonannini rebrous- sèrent chemin et remontèrent dans le bureau du photo- graphe pour prévenir les pompiers. Bonannini s'emmêla dans ses clefs et ne trouva pas la bonne, mais Paggiaro vit un téléphone mural juste en face du bureau des coursiers et s'y précipita pour appeler. Le standardiste lui annonça qu'ils avaient déjà été prévenus, et lui demanda de descendre le plus vite possible ouvrir aux pompiers. Quand les deux hommes atteignirent le rez-de-chaussée, Bonannini sortit tout de suite ; Paggiaro, lui, fonça dans son bureau pour récupérer son manteau et son béret. Puis, pensant qu'il res- tait peut-être quelqu'un dans les lieux, il se mit à crier : « Au feu ! Au feu ! Il y a quelqu'un par ici ? » Ne recevant aucune réponse, il courut jusqu'à l'entrée des artistes et, une fois dans la *calle*, jusqu'au Campo San Fantin. À exactement 21 h 21, tenant toujours sa lampe torche, Paggiaro se pré- senta au premier policier qu'il vit en lui disant qu'il était le gardien de La Fenice.

Le policier le regarda, surpris. Depuis vingt minutes, il frap- pait sans relâche à la porte d'entrée, hurlant pour que quel- qu'un lui ouvre. « Où étiez-vous, pendant tout ce temps ? »

* * *

Casson ne cessa de poser la même question à Paggiaro pendant pas moins de dix interrogatoires. Casson ne suspectait pas le gardien de complicité directe dans l'incendie, mais il imaginait volontiers que ce dernier était sorti pour s'acheter à manger, abandonnant son poste à un moment crucial. Paggiaro jurait n'avoir jamais quitté l'opéra, d'ailleurs il avait rapporté de chez lui de quoi manger – mais il ne se rappelait pas s'il s'agissait d'un fruit ou d'un sandwich. Il avait beau protester, Casson n'était pas convaincu. Il laissa donc le nom de Paggiaro sur la liste des gens susceptibles d'être accusés de négligence.

En revanche, Casson n'avait aucun soupçon concernant le photographe. Son histoire avait été vérifiée et il n'avait aucun mobile identifiable.

Le principal suspect de Casson était Roberto Visentin, trente-deux ans, le septième et dernier électricien de la Viet, celui que personne n'avait vu quitter La Fenice. Il ne travaillait sur le chantier que depuis quatre jours mais il connaissait bien la topographie des lieux car il avait travaillé à plein temps à La Fenice pendant trois ans. Un des autres électriciens avait fait part en privé de ses soupçons concernant Visentin, qui avait quitté le vestiaire à 20 h 15 en annonçant qu'il partait éteindre les lumières. Casson soumit Visentin à un interrogatoire serré et refit le parcours qu'il disait avoir pris pour éteindre les lumières. L'histoire de Visentin ne contredisant aucune autre – elle était même confirmée par l'électricien de La Fenice – et Visentin n'ayant aucun mobile apparent, Casson finit par le rayer de la liste.

Restaient à présent Enrico Carella, le propriétaire de la Viet, et son cousin Massimiliano Marchetti, vingt-six ans. Casson lut attentivement la retranscription de leurs premiers interrogatoires : tous les deux déclaraient avoir quitté La Fenice à 20 h 30 et s'être arrêtés brièvement au Bar del Teatro La Fenice, juste à côté, pour boire un *spritz* avec trois autres électriciens. Ils avaient ensuite pris un vaporetto en direction du Lido pour aller dîner avec la petite amie de

Carella, chez qui ils étaient arrivés à 21 h 15. Carella était encore au Lido quand il avait reçu un coup de fil d'un ami qui venait de voir un reportage à la télé sur l'incendie qui ravageait La Fenice. Carella annonça la nouvelle à Marchetti et à son amie et tous trois appelèrent un bateau-taxi pour retourner à Venise.

Dans les mois qui suivirent, Casson convoqua plusieurs fois les sept électriciens pour les interroger, séparément ou ensemble. Il morcela leurs histoires, compara les fragments, les confronta à leurs incohérences pour déterminer s'il s'agissait de véritables trous de mémoire ou de mensonges éhontés. Quand leurs réponses ne le satisfaisaient pas, ils le voyaient tout de suite : son visage s'empourprait aussitôt. Il ne lâchait rien. Il les fit suivre par des inspecteurs, il fit poser des mouchards dans leurs voitures, leurs téléphones fixes et portables, les téléphones fixes et portables de leurs parents et de leurs petites amies, il les filma même dans la salle d'attente du commissariat de police, avant qu'on vienne les chercher pour être interrogés. Puis, le 22 mai 1997, seize mois après l'incendie, Casson bondit sur sa proie.

Peu avant l'aube, une escouade de policiers frappa à la porte de l'appartement de la Giudecca où vivait Enrico Carella, avec sa mère et son beau-père. Pendant quatre heures, les policiers procédèrent à une fouille complète puis ordonnèrent à Carella de monter dans leur vedette. Au même moment, un scénario identique se déroulait à Salzano, une petite ville sur le continent, où Massimiliano Marchetti vivait avec ses parents et son frère cadet.

À midi, la télévision montrait Carella et Marchetti sortant du commissariat principal, menottes aux poignets, pour être emmenés en prison. Ils avaient été interrogés et inculpés officiellement d'avoir mis le feu à La Fenice. Casson avait recouru à une décision judiciaire concernant une nouvelle loi qui autorisait une « détention préventive » pendant quatre-vingt-dix jours. Sa requête était fondée sur la nécessité d'empêcher Carella, s'il restait en liberté, d'altérer les preuves en exerçant une pression psychologique sur les employés de la Viet. Après tout, en tant que patron, il leur devait encore de l'argent, en salaire et en heures supplémentaires.

Son mobile, disait Casson, était d'éviter de payer une amende pour le retard pris par son chantier. L'échéance était le 1er février, soit deux jours plus tard, et, à raison de 125 dollars par jour de retard, la Viet aurait eu à débourser 7 500 dollars car il restait environ deux mois de travail à effectuer. Une somme dérisoire pour donner à quiconque l'idée de brûler un opéra. Mais, ajoutée au 75 000 dollars de dettes accumulées par Carella, elle avait pu être la goutte d'eau qui fait déborder le vase. Selon Casson, Carella et Marchetti avaient voulu allumer un petit feu qui aurait empêché la poursuite de leurs travaux, annulant de fait la date limite. Mais le sinistre avait pris une ampleur incontrôlable.

La Viet travaillait pour La Fenice en tant que sous-traitant d'Argenti, une importante entreprise de BTP basée à Rome. Renato Carella, le père d'Enrico, avait décroché le partenariat avec Argenti puis fondé la Viet pour la confier à son fils. Le contrat de sous-traitance avec La Fenice était le premier chantier de la Viet. En tant que contremaître de la Viet et intermédiaire auprès d'Argenti à Rome, Renato Carella était l'employé de son propre fils.

Des deux cousins, Enrico Carella était le plus sympathique et le plus sûr de lui. Il était intelligent, il s'exprimait bien. Il portait des vêtements de marque, même pour travailler. « Un jour, il est arrivé avec des mocassins Fratelli Rossetti », se souvenait l'un des hommes de la Viet. Le séduisant Carella collectionnait en outre les conquêtes féminines. Il emménageait chez l'une puis, après quelque temps, lui annonçait qu'il en avait rencontré une autre. Alessandra, chez qui Carella et Marchetti s'étaient rendus le soir de l'incendie (et qui avait prêté à son fiancé 8 000 dollars), fut promptement remplacée par Elena, à qui Carella annonça qu'il partait en vacances avec Michela – après lui avoir emprunté 3 000 dollars. Un an et demi plus tard, au moment de son arrestation, Carella s'était fiancé avec Renata, qui tenait une *gelateria* à Crespano del Grappa et dont le père avait gracieusement prêté 12 000 dollars au père de Carella. À cette époque, Enrico s'offrit une BMW à 25 000 dollars et une vedette Acquaviva pour 7 000 dollars.

En comparaison, Massimiliano Marchetti était un mur de silence. Timide, incapable de s'exprimer clairement, il se moquait bien de vivre dans le luxe, ne semblait nourrir aucune ambition et n'avait qu'une seule petite amie – sa fiancée.

Casson, qui tenait les deux hommes dans sa ligne de mire, ne s'en montra pas moins très agressif dans ses requêtes. Il les accusa d'incendie criminel mais aussi de tentative de meurtre – pire que le meurtre, en fait : Casson utilisa le terme *strage*, qui signifie « massacre ». Casson pensait au nombre de personnes qui auraient péri dans l'incendie si le feu s'était propagé à une grande partie de Venise, ce qui aurait pu facilement se produire. Par ailleurs, il annonça en toute transparence qu'il poursuivait aussi trois autres suspects toujours en liberté : Renato Carella et deux mafieux siciliens – Aglieri, qui s'était vanté d'avoir incendié La Fenice, et l'homme qui l'avait apparemment aidé, Carlo Greco.

Renato Carella avait quitté l'opéra au moins deux heures avant l'incendie et n'était pas soupçonné d'y être directement lié. Mais Casson pensait qu'il avait peut-être servi d'intermédiaire entre son fils et des personnes inconnues pour qui la destruction de La Fenice aurait été synonyme d'importantes rentrées d'argent : les responsables d'entreprises appelées à jouer un rôle significatif, et très lucratif, dans la reconstruction du théâtre.

Par conséquent, deux thèses coexistaient : celle du « petit feu », dans laquelle deux cousins décident tout seuls d'allumer un feu pour ne pas avoir à payer 7 500 dollars d'amende, et celle de la « destruction totale » dans laquelle les deux cousins sont payés pour incendier le théâtre de fond en comble. Casson s'offrit le luxe de mener de front les enquêtes sur ces deux thèses.

La théorie de l'incendie criminel fut accueillie avec soulagement par les quatorze personnes soupçonnées de négligence par Casson, mais le soulagement fut de courte durée. Casson s'empressa d'annoncer qu'il entendait toujours obtenir des inculpations pour négligence. Même si l'incendie avait été allumé par des personnes malveillantes, les négligences avaient créé les conditions qui avaient empêché les pompiers de l'éteindre. Et après tout, si Casson ne parvenait pas à obtenir une inculpation pour incendie criminel, il aurait toujours la possibilité de se rabattre sur l'accusation de négligence, bien plus facile à prouver.

— Je n'ai jamais exclu la possibilité d'un incendie criminel, me dit Casson peu après les arrestations. J'ai donné dès le début aux experts un rapport spécifiant que les preuves d'incendie criminel ne devaient pas être ignorées. Mais ils me répétaient sans cesse « négligence, négligence, négligence ». De temps en temps je leur demandais : « Et l'incendie criminel ? » Mais ils me répondaient : « Négligence ! »

Casson m'accueillait dans son bureau du Tribunal, un édifice érigé au XVe siècle au pied du pont du Rialto. L'intérieur du bâtiment avait été découpé en dépit du bon sens : des entrées sinueuses étaient bordées de placards métalliques bosselés et de piles de documents juridiques, conférant à l'endroit l'apparence d'un entrepôt en désordre. Le bureau de Casson donnait sur le Grand Canal, mais il était sans relief. On avait davantage l'impression de se trouver dans un espace aménagé de façon provisoire qu'au centre névralgique de la lutte anticriminalité.

— Quand les experts ont finalement conclu à l'incendie criminel, j'ai dû relire des mois et des mois d'interrogatoires, à la recherche d'indices.

— Vous avez trouvé votre bonheur ?

— L'une des premières choses que j'aie vérifiées, c'était la déclaration d'Enrico Carella concernant ce que lui et son cousin avaient fait en sortant de La Fenice. Il prétendait qu'ils étaient allés boire un *spritz* au Bar del Teatro avant de partir pour le Lido. Ça va vous paraître ridicule mais j'ai cherché à savoir si le bar servait des *spritz.* J'y suis donc allé et j'ai interrogé le barman : il m'a appris que le bar était fermé le soir de l'incendie.

Casson s'autorisa un sourire modeste.

— J'ai aussitôt appelé un des autres électriciens qui avait confirmé cette histoire de bar et je lui ai raconté ce que m'avait dit le barman. Il s'est rétracté et a avoué qu'il avait menti. Il m'a ensuite expliqué qu'après l'incendie Carella avait ordonné à tous ses employés de raconter la même histoire aux policiers. Carella a organisé des réunions pour en discuter, une fois dans une pizzeria près de la place Saint-Marc, l'autre fois chez sa fiancée, au Lido. Tous devaient déclarer être partis à 19 h 30, une heure avant leur véritable départ.

Casson marqua une pause pour voir si je comprenais les implications de ce changement d'horaire.

— Seule une personne qui avait allumé le feu aurait compris que quitter l'opéra une heure plus tôt suffisait à la laver de tout soupçon. Quand j'ai relu attentivement leurs déclarations, je me suis aperçu que Carella et Marchetti avaient raconté deux histoires contradictoires. Lors de leurs interrogatoires séparés, ils avaient bien dit être allés se changer au vestiaire ensemble, mais chacun avait décrit un trajet très différent pour quitter le bâtiment. Les horaires qu'ils donnaient étaient souvent contradictoires. Ainsi Carella prétendait-il être arrivé chez sa fiancée à 19 h 15, or les relevés téléphoniques montraient qu'elle l'avait appelé à 21 h 21, alors qu'il était censé être déjà chez elle. Pourquoi l'aurait-elle appelé s'il était à côté d'elle ?

— Carella aurait-il pu simplement se tromper sur l'heure ?

— C'est une possibilité. Mais il y a d'autres contradictions horaires. Par exemple, Carella a déclaré avoir appris la nouvelle de l'incendie par un ami qui l'avait appelé après avoir regardé la télévision. Or, nous avons vérifié : la première fois que l'incendie a été évoqué à la télévision, il était 22 h 32, alors que Carella avait téléphoné aux pompiers, en donnant son nom, à 22 h 29, et leur avait demandé s'il était vrai que La Fenice était en feu. Au moins une heure auparavant, il avait laissé à l'un de ses employés un message mystérieux où il lui demandait s'il avait oublié d'éteindre sa lampe à souder sur le chantier. L'employé n'avait pas utilisé sa lampe à souder de la journée.

Casson parlait sans consulter ses notes ou ses dossiers. À l'évidence, il était intensément, intimement impliqué dans cette affaire.

— Dans les jours qui ont précédé l'incendie, Carella a eu un comportement bizarre. Neuf jours avant, un samedi soir, l'un des veilleurs de nuit de La Fenice a eu la surprise de trouver Carella dans le *soffitone*, le grenier. Il portait ses

232

vêtements de ville, et sa présence dans ce lieu n'était absolument pas justifiée par son travail. C'est à cet endroit, selon l'un de nos experts, qu'un second feu a été allumé. Carella a expliqué au veilleur de nuit qu'il était venu dans l'espoir de surprendre une femme qui se déshabillait dans l'immeuble de l'autre côté de la *calle*.

Casson haussa les sourcils.

— Environ une semaine plus tôt, quelqu'un de la Viet avait laissé allumée une lampe à souder. La flamme de dix centimètres de long avait brûlé toute la nuit. Le tout était raccordé à une bouteille de gaz de 15 litres.

— Vous avez une idée de la façon dont ils ont mis le feu, et quand ?

— J'y viens. Plusieurs témoins disent avoir vu Carella et Marchetti quitter le chantier du rez-de-chaussée plusieurs fois dans l'après-midi et la soirée. Entre 19 heures et 20 heures, l'un d'eux a vu Carella partir en direction du *ridotto*. C'est là, je pense, qu'il a préparé son coup. Il est monté dans le *ridotto* quand il était sûr que les ouvriers qui y travaillaient étaient rentrés chez eux. Il a ouvert un placard, pris les pots de solvants et les a vidés sur le parquet et sur un tas de planches brutes. Puis il est allé retrouver les autres au vestiaire, où il s'est changé. Ensuite, Carella et Marchetti sont descendus avec les autres. Carella a passé un coup de fil dans le bureau du gardien pendant que Marchetti l'attendait. Les trois premiers électriciens l'ont salué en partant, puis les deux cousins se sont cachés quelque part dans le bâtiment jusqu'au départ de Visentin, dernier des employés de la Viet. Une fois seuls, Carella et Marchetti sont remontés incognito dans le *ridotto* et, pendant que Marchetti faisait le guet, Carella a pris une lampe à souder, l'a allumée et a passé la flamme sur les planchers. Quand le feu a commencé à se propager, les deux hommes sont descendus en courant au rez-de-chaussée et sont sortis par l'entrée des artistes à 20 h 45.

— Et personne ne les a vus, à aucun moment ?

— Eh bien, si : ce sont probablement eux, les deux garçons qu'un témoin a vus traverser en courant la Calle della Fenice.

Les avocats de Carella et Marchetti tentèrent tout de suite de démonter l'argumentation de Casson. Giovanni Seno, défenseur de Marchetti, expliqua que presque toutes les preuves avancées par Casson se fondaient sur le fait que Carella et son client avaient voulu faire croire qu'ils avaient quitté La Fenice une heure avant l'incendie.

— Bien sûr, qu'ils ont voulu faire croire ça! Ils avaient peur. C'est humain, quand on est victime d'un soupçon infondé dans une affaire aussi terrible, de tout faire pour le réfuter. Le dossier monté par Casson repose uniquement sur des conjectures.

L'avocat de Carella ajouta que Casson se trompait complètement concernant le mobile: la Viet n'était pas si en retard que ça, car La Fenice lui avait accordé un délai supplémentaire de six semaines, jusqu'au 15 mars. En outre, si elle avait écopé d'une amende, ç'aurait été à Argenti, la société contractante, de la payer. Enfin, les dettes personnelles d'Enrico s'élevaient à 7 500 dollars, soit le dixième de l'estimation donnée par Carella. Ce chiffre provenait sans doute de l'enregistrement d'une conversation téléphonique dans laquelle le père de Carella avait expliqué à un ami que les dettes de son fils s'élevaient à cette somme *après l'incendie*, en raison de la quantité d'équipement détruit.

Je demandai à Casson s'il y avait eu un moment, ou un élément de preuve, qui l'avait convaincu de la culpabilité des deux cousins.

— Oui, répondit-il sans hésiter et en m'adressant à nouveau un sourire rusé. Ça s'est passé le 12 avril, pour être précis. J'avais convoqué Marchetti et sa fiancée Barbara Vello pour un interrogatoire. Pendant que je leur posais des questions, j'ai donné à la jeune fille un document l'informant qu'une enquête était lancée contre elle suite à ses déclarations mensongères concernant un coup de téléphone qu'elle aurait reçu de Marchetti le soir du feu. Nous avions découvert, en écoutant une de leurs conversations téléphoniques, que Marchetti lui avait demandé de modifier l'heure de son appel. Il lui a dit : « Je t'ai appelée à 20 h 30 ce soir-là. » « Non, a-t-elle répondu, tu m'as appelée à 18 heures. » Et il a insisté : « Non, 20 h 30. Tu m'as appelé à 20 h 30. » Je les avais convoqués à dessein au commissariat de Santa Chiara, sur la Piazzale Roma, plutôt que dans mon bureau, car je savais qu'ils viendraient de Salzana dans la voiture de Marchetti. Je leur ai dit qu'ils pouvaient exceptionnellement se garer sur le parking du commissariat. Ce qu'ils ignoraient, c'est que nous avions installé quelques jours plus tôt un mouchard dans leur voiture. Après l'interrogatoire, Barbara Vello était furieuse de faire l'objet d'une enquête pour parjure. Elle s'est mise à hurler en dialecte : « Tout ça pour un peu de fric ! Comme l'autre est endetté jusqu'au cou, ils se mettent d'accord pour incendier La Fenice ! Si au moins tu avais pu en tirer un peu d'argent, ou si ton cousin avait pu récupérer le fric qu'il aurait dû toucher… »

— Ma certitude date de ce jour-là. J'ai de nouveau convoqué Barbara Vello et je lui ai demandé de clarifier ses propos. D'abord, elle a prétendu ne pas s'en souvenir, je lui ai donc proposé d'écouter notre enregistrement. Alors, elle est devenue très vague : elle m'a expliqué qu'elle était en colère quand elle avait tenu ces propos, qu'ils n'étaient pas à prendre comme des aveux. Elle avait juste lâché un peu de pression et parlé sans réfléchir…

Les policiers qui écoutaient les enregistrements depuis des mois sans rien trouver d'utilisable avaient été ravis de capter cette conversation. Casson également. Il transmit les déclarations de Barbara Vello à la presse, et elles firent bien évidemment les gros titres. Mais, dans certains milieux, des doutes subsistaient quant à la signification des paroles de la jeune femme.

Un jour, à midi, je m'arrêtais à Gia Schiavi, un bar à vin près de l'Accademia fréquenté par les habitants du quartier. Quatre hommes étaient assis au comptoir. L'un d'eux avait ouvert le *Gazzettino* et lisait aux trois autres les propos de Barbara Vello.

— Comme c'est écrit, dit un des clients, ça sonne comme une déclaration : « Ils ont incendié La Fenice pour un peu de fric. » Mais tout dépend de l'intonation : aussi bien, c'était une question. « Ils ont incendié La Fenice pour un peu de fric ? », au sens de « comment la police peut-elle croire que quelqu'un serait assez stupide pour faire une chose pareille ? »

Les autres hommes acquiescèrent en chœur :

— Oui, oui, bien sûr…

— Et il y a la dernière partie : « Si ton cousin avait pu récupérer le fric qu'il aurait dû toucher. » Elle disait peut-être : « Eh bien, s'ils l'ont fait, au moins ton cousin aurait dû être payé. »

Cinq mois après les arrestations, les deux cousins étaient toujours incarcérés. Barbara Vello vivait à San Donà, sur le continent, déprimée et enceinte.

— Elle se considère responsable de ce qui est arrivé à Massimiliano, me dit la mère de Marchetti. Elle a tort. Ce n'était pas sa faute. Ils essayent de déformer ses paroles.

La signora Marchetti et son mari étaient assis dans leur salle à manger à Salzano, une petite ville à une demi-heure au nord de Venise. À la fin des trois mois de détention préventive, Casson avait demandé au juge un prolongement de trois mois supplémentaires, et l'avait obtenu. Il avait accentué la pression sur Carella et Marchetti, les plaçant chacun en isolement pendant plusieurs semaines. Ni l'un ni l'autre ne savait quand il serait relâché.

— Je ne souhaite cet enfer à personne, reprit la signora Marchetti, son visage détendu se fermant brusquement et s'assombrissant.

Elle avait les cheveux gris coupés court, et portait un pull à col zippé et un pantalon. Son mari, directeur d'une usine de produits chimiques, était assis à côté d'elle, silencieux. Elle se versa un verre de Coca-Cola.

— Les policiers sont venus frapper à notre porte à 6 heures du matin. Ils avaient un mandat de perquisition mais ils refusaient de nous dire ce qu'ils cherchaient. Nous sommes restés assis dans la cuisine pendant deux heures pendant qu'ils regardaient sous tous les objets et sous tous les meubles de la maison. Ils ont ouvert tous les tiroirs, tous les placards, toutes les armoires. Ils ont même fouillé la voiture de Massimiliano.

— Ils nous ont demandé si nous voulions appeler un avocat, ajouta le signor Marchetti. J'ai dit : « Non, cherchez ce que vous voulez. Nous n'avons rien à cacher. »

— Nous pensions que ça avait peut-être un rapport avec la marijuana. Un an plus tôt, Massimiliano avait été arrêté pour possession de marijuana et avait écopé d'un an avec sursis. Mais tout ça, c'est terminé. Les policiers n'ont pas trouvé de marijuana. Ils ont quand même pris son sabre de samouraï. Ils l'ont toujours.

La signora Marchetti sortit un mouchoir et se tapota les yeux.

— Et puis, à 8 heures, ils ont demandé à Massimiliano de venir avec eux en voiture. Ils voulaient lui faire signer des papiers, une simple formalité. Il a emporté ses outils, car il pensait qu'il pourrait aller travailler, ensuite. Nous sommes montés dans notre voiture et nous les avons suivis jusqu'à la Questura de Marghera. Là, nous avons attendu. À 9 heures, on nous a annoncé que Massimiliano était arrêté et qu'on le soupçonnait d'avoir mis le feu à La Fenice. Nous étions stupéfaits. Après cela, nous ne l'avons pas vu pendant deux mois. Tous les jours, je suis allé au tribunal pour demander l'autorisation de le voir.

Le signor Marchetti prit la main de sa femme.

— Et dire que, la nuit où La Fenice a brûlé, nous sommes restés assis à pleurer devant la télé. Nous aimons Venise. Massimiliano aime Venise. Il n'aurait jamais pu faire une chose pareille. C'est un bon garçon. Il m'a dit qu'il allait recevoir deux billets gratuits quand le travail de restauration serait terminé. Il m'a demandé si je voulais l'accompagner. Nous avions envie d'aller écouter Woody Allen.

— Comment les voisins ont-ils réagi ?

— Nos amis n'ont aucun doute concernant son innocence, et c'est un réconfort. Mais j'ai perdu la foi, avec toute cette histoire. Pendant trente ans je suis allée à l'église. Maintenant, j'y vais beaucoup moins.

Lucia Carella, la sœur aînée de la signora Marchetti, travaillait comme femme de chambre à l'hôtel Cipriani. Divorcée de Renato Carella depuis plusieurs années, elle était à présent mariée à son frère Alberto. Ils vivaient à Sacca Fisola, sur la Giudecca, avec leur fils Enrico. Vingt ans passés auprès de la clientèle huppée du Cipriani avaient rendu la signora Carella un peu plus matérialiste que sa sœur. Son visage exprimait la méfiance plutôt que l'inquiétude, mais une étincelle dans son regard révélait un sens de l'humour immuable.

— Les policiers nous ont réveillés à 5 heures du matin et ont tout fouillé dans la maison, mais ils n'ont pas voulu nous dire pourquoi. J'ai demandé à Enrico ce qu'ils cherchaient et, à voix basse, il m'a répondu : « Ces salauds veulent juste me casser les couilles. Je suppose qu'ils cherchent de la drogue. » Il n'imaginait pas une seule seconde que ça avait un rapport avec La Fenice. Il ne paraissait pas du tout nerveux.

— Le procureur prétend que c'est Enrico qui a allumé le feu pendant que votre neveu Massimiliano faisait le guet, dis-je.

— Casson ! Laissez-moi vous parler de Casson. La première fois qu'il m'a téléphoné, après l'arrestation d'Enrico, il m'a demandé de venir pour répondre à quelques questions. Il a ajouté que j'avais le droit de refuser, mais j'ai répondu : « Je suis tout à fait d'accord pour venir. » Je suis donc allée dans son bureau et je lui ai raconté tout ce que je savais et tout ce dont je me souvenais. C'était tout. Puis Casson a décidé de maintenir Enrico en prison après les trois mois de détention préventive. Comme vous l'imaginez, je n'étais pas seulement désespérée, j'étais aussi furieuse. Juste après, Casson m'a encore appelée pour me demander de retourner le voir pour répondre à d'autres questions. Cette fois, j'ai dit non, je n'avais rien de plus à lui raconter. Alors il a répondu : « Ah oui ? Vous refusez de coopérer ? Eh bien, dans ce cas, vous n'avez pas le droit de rendre visite à votre fils. » Pendant ses sept mois d'incarcération, je n'ai pu voir Enrico que deux fois. Ma sœur a pu voir son fils chaque semaine.

— Pourquoi pensez-vous qu'Enrico a été inculpé ?

— C'est un bouc émissaire. Casson prétend qu'il a mis le feu à La Fenice pour éviter de payer une amende. Ah oui ? Le matériel de la Viet détruit dans l'incendie est chiffré à dix fois l'amende en question. Ce simple calcul devrait suffire à prouver qu'il n'est pas coupable de ce dont on l'accuse.

— Votre fils a été interrogé au sujet de La Fenice à de nombreuses reprises avant d'être arrêté. Vous n'avez jamais pensé qu'il était peut-être sur la liste des suspects ? Et lui non plus ?

— Notre pire erreur a été de ne pas faire tout de suite appel à un avocat. Nous avons sous-estimé la gravité de la situation. Et nous avons sous-estimé Casson, cet imbécile qui a détruit nos vies.

— Il a dit que votre ex-mari, Renato Carella, était également soupçonné de l'incendie...

— Casson ! Casson fait partie de ces gens qui adorent passer à la télé, qui ne se trompent jamais, qui savent tout et qui démasquent toujours les coupables. Un homme influent m'a raconté qu'un magistrat vénitien avait dit de Casson qu'il faisait plus de mal que de bien !

La signora Carella se pencha vers moi et, baissant la voix :

— Je ne devrais pas le répéter mais le magistrat pense que Casson est un abruti...

Elle plaqua aussitôt une main sur sa bouche, consciente d'avoir peut-être été un peu trop loin mais, quand je ris, elle rit à son tour.

L'enquête suivait toujours son cours quand Carella fit relâcher les deux cousins – Marchetti au bout de cinq mois et Carella de sept. Ce dernier partit vivre avec sa fiancée à Crespano del Grappa et travailla avec elle dans sa *gelateria*. Je décidai de lui téléphoner.

— Bien sûr, je vais vous parler, mais vous allez devoir me payer.

— Je suis désolé, ce n'est pas comme ça que je travaille.

— Je vous dirai des choses que je n'ai racontées à personne d'autre.

— Vous avez déjà donné des interviews au *Gazzettino* et à *Oggi*. Pourquoi me diriez-vous ce que vous ne leur avez pas dit ?

— Vous verrez.

Je lui souhaitai bonne chance et me rabattit sur Marchetti, en passant par son avocat Giovanni Seno. Seno m'assura que je pourrais parler à son client dans son cabinet de Spinea, à une demi-heure de route de Venise. Je devais juste être conscient du fait que Marchetti pourrait être incapable de répondre à toutes mes questions. Ça me va, dis-je. Il ne fut à aucun moment question d'argent.

Les bureaux de Seno étaient situés dans une petite galerie commerçante, au-dessus d'un magasin d'articles ménagers. Seno m'apparut dans cette veste de sport en cuir qui, je l'apprendrais plus tard, était sa signature. Elle lui conférait un je-ne-sais-quoi de chic informel qui correspondait à ses manières décontractées. Moustachu, les cheveux poivre et sel habilement coiffés pour masquer une calvitie naissante, il apparaissait confiant – à deux doigts de l'arrogance. Quand je lui demandai en préambule de quel type d'affaires il s'occupait en temps normal, il me répondit, l'air de ne pas y toucher : « Mafia. »

— Avez-vous déjà défendu Felice « Face d'ange » Maniero ?

— Ouais, mais ça remonte à vingt ans, quand il était encore gamin, avant de devenir *capo*. C'était pour un délit mineur, je ne me rappelle plus quoi.

Le plus célèbre client actuel de Seno, Massimiliano Marchetti, arriva dans les bureaux accompagné par son père. Le jeune homme était petit, baraqué, avec de longs cheveux blonds clairsemés sur le haut du crâne. Il portait un coupe-vent, un jean délavé et des chaussures de footing. Un petit anneau d'or traversait son lobe d'oreille gauche.

— C'était comment, ces quarante-deux jours en isolement ?

Marchetti considéra ma question pendant un instant.

— On est là, tout seul... Pas de télé, pas de journaux... on ne voit jamais personne.

— À quoi ressemblait la cellule ?

— Ils l'appellent « la gueule du lion », dit-il avec une diction laborieuse. C'est comme... je veux dire... on ne voit rien de ce qui se passe dehors... juste le ciel.

— Pourquoi vous ont-ils mis en isolement ?

— Hum... ils...

Il semblait chercher ses mots, en vain.

Seno prit la parole.

— C'était une façon pour eux d'obtenir de lui ce qu'ils voulaient. Mais il n'avait rien à leur donner, c'était donc surtout une forme de torture. Je les ai déjà vus mettre en cellule d'isolement des types pendant onze mois. C'est grâce aux psychiatres qu'ils pouvaient en sortir.

— Ouais, j'ai eu de la chance.

— Comment pensez-vous que le feu s'est déclaré?

— Je ne sais pas... Vraiment... Aucune idée.

— Et comment avez-vous appris l'incendie de La Fenice?

Marchetti interrogea du regard son père puis Seno.

— Je leur ai dit... euh... ce dont je me souvenais, c'est-à-dire... Pas tout... je veux dire... les heures ne collaient pas. Et je ne pensais pas que le fait... et aussi, parce que... je veux dire... sachant que je n'avais rien fait, je n'arrêtais pas d'y penser...

Il se tut.

Après une longue pause, il reprit :

— Par mon cousin. Ce soir-là... c'était après... quoi, déjà? Hum... c'était...

— Comment as-tu appris la nouvelle? intervint Seno, visiblement exaspéré. Ne sois pas si vague, putain! Il veut savoir exactement comment tu as appris la nouvelle! Qu'est-ce qui s'est passé? Qui t'a raconté?

Le père de Marchetti jeta sur son fils un regard préoccupé.

— Quelqu'un les a appelés, commença-t-il pour essayer de l'aider.

— Non! corrigea Seno. C'est ce que dit Carella. Lui...

Il montra du doigt Massimiliano.

— ... n'a pas entendu la conversation téléphonique.

— Je n'étais pas... euh... dans la même pièce.

Seno se pencha vers moi, paumes tournées vers le ciel.

— Qu'est-ce que j'y peux? C'est comme ça qu'il parle. Vous comprenez? Il veut se défendre tout seul, mais il parle comme ça. Il sort un mot à la minute. Je ne peux pas le laisser témoigner au tribunal.

— Quelle va être votre ligne de défense? Quel est votre argument décisif?

— Le mobile ! Casson n'a même pas suggéré que Massimiliano pouvait avoir un mobile. Normal : Massimiliano était un simple employé de la Viet. La Viet n'était pas sa société. Il n'avait aucun souci concernant une amende ou une pénalité. Il était tout bonnement incapable d'avoir un mobile. Quand Casson parle du mobile, il évoque toujours l'amende. Ça concerne Carella, sûrement pas Massimiliano. C'est pourquoi, au fond, Carella est son unique véritable suspect. Mais il ne dispose d'aucune preuve concrète pour impliquer Massimiliano, sinon que, comme il l'a expliqué à Casson, mon client et son cousin ne s'étaient jamais perdus de vue ce soir-là. C'est ça qui le relie à Carella. Donc si Carella a bien allumé le feu, Massimiliano était forcément avec lui. Si Massimiliano n'avait rien dit, Casson l'aurait dissocié de l'affaire et il n'aurait jamais vécu ce qu'il a vécu. Mais, comprenez-moi bien, Massimiliano n'avait pas idée qu'il était suspect avant d'être arrêté seize mois après l'incendie. Avant le jour de son arrestation, il n'avait pas d'avocat – il ne m'avait pas, moi. Depuis, il a subi cinq interrogatoires.

— Vous pensez que Carella pourrait être coupable ? Ou du moins qu'il pourrait savoir ce qui s'est passé ?

— Je n'ai pas dit ça. J'ai seulement dit que, des deux garçons, Carella est le suspect le plus plausible.

— Ils ont été piégés, selon vous ?

— Tout à fait. Toute cette histoire pue. Depuis le début, elle ne sent pas bon du tout. La police, la presse, tout le tintouin. Pendant le procès, je démontrerai qu'entre le moment où ils ont été vus pour la dernière fois dans le théâtre – selon Casson – et celui où je peux prouver qu'ils étaient dehors, ces deux garçons n'ont pas eu le temps d'allumer un feu. Je vous épargnerai les détails pour le moment, mais ils auraient dû quitter l'opéra à toute vitesse pour y arriver, et dans le noir encore…

— Mais s'il s'agit bien d'un incendie criminel, quels autres suspects y a-t-il ?

— Vous plaisantez ? De tous les personnages farfelus qui gravitent dans la sphère de La Fenice, il a fallu qu'ils choisissent ces deux-là. Alors qu'il y avait là un type qui, chaque fois qu'il arrivait sur le chantier de l'opéra, criait

– tenez-vous bien : « Au feu, au feu ! » Je vous assure ! Et j'ai entendu parler d'un autre type qui avait toujours travaillé dans des endroits où un incendie avait fini par éclater... Ce type a presque tout de suite été écarté de la liste des suspects. Non, la seule preuve dont dispose Casson, ce sont les noms de ceux qui ont « officiellement » quitté l'opéra en dernier. Et, « officiellement », il s'agit de Carella et Marchetti. Vous appelez ça une preuve, vous ? Ça prouve quoi ? N'importe qui aurait pu entrer dans La Fenice, n'importe qui ! Personne n'était là pour vérifier. Les portes n'étaient pas verrouillées, certaines étaient même carrément ouvertes ! Personne ne montait la garde. Le gardien était en vadrouille et a réapparu seulement vingt minutes après le début de l'incendie. De toute façon, pas besoin de trouver un pyromane : cet endroit n'était pas un opéra, c'était une étable, prête à prendre feu d'un instant à l'autre.

Malgré les convictions de Casson dans son action contre Carella et Marchetti, l'opinion publique restait sceptique, du moins dans ce que j'entendais au gré des conversations et des commentaires.

Au marché du Rialto, un vendeur disait à une femme achetant des tomates :

— Qui, à part un fou, peut croire que deux Vénitiens ont incendié La Fenice ? Des Vénitiens, et puis quoi encore !

— C'est ridicule, acquiesça la femme.

— Et pour des clopinettes, en plus ! Mais même s'ils avaient été payés une fortune... Non. Brûler La Fenice ? C'est inimaginable.

La propension des Vénitiens à voir des complots partout ne se satisfaisait pas de cette histoire d'incendie volontaire déclenché pour éviter de payer une amende dérisoire. Il y avait forcément quelque chose de plus important et de plus secret derrière ce drame. La mafia restait le suspect n° 1 pour ceux qui croyaient à la thèse de l'incendie criminel. Mais beaucoup n'y croyaient même pas.

Parmi eux se trouvait l'homme dont les photos avaient, ironiquement, servi aux experts à prouver qu'il s'agissait bien d'un incendie criminel. Le soir de l'incendie, Graziano

Arici traversait le Campo San Fantin quand il sentit une odeur de fumée, vit les flammes et courut chez lui pour prendre son appareil photo. Ses clichés furent étudiés non seulement par les experts de Casson mais aussi par le procureur de Bari, qui les compara avec ceux de l'incendie criminel du Teatro Petruzzelli et décela une certain nombre de ressemblances.

— Si j'ai assisté à l'incendie, c'est uniquement parce que je venais de rompre avec ma petite amie. Je l'ai raccompagnée au vaporetto et, au lieu de partir avec elle à Mestre, je suis rentré chez moi pour dîner tout seul.

Arici me proposa de venir voir les photos chez lui, au rez-de-chaussée du palais du comte Girolamo, à une centaine de mètres de La Fenice. Assis devant son ordinateur, manipulant en virtuose son clavier et sa souris, Arici passait en revue les photos de l'incendie, les agrandissait, les diminuait. Elles montraient toutes le feu se propageant rapidement de gauche à droite.

— Ils prétendent que ces photos prouvent l'origine criminelle de l'incendie, car il y avait un mur coupe-feu à cet étage et qu'il n'a pas ralenti la progression des flammes. L'un des experts en **a** conclu que le feu avait été allumé à deux endroits, voire trois, ce qui est forcément synonyme d'incendie volontaire. À mon avis, c'est stupide : et si les portes coupe-feu étaient restées ouvertes ? Et que font-ils des tas de bois, de poussière de bois et de copeaux ? Ils auraient très bien pu s'enflammer en cas d'accident.

— Quel scénario vous imaginez, alors ?

— Eh bien, les électriciens ont peut-être voulu sécher quelque chose en utilisant un radiateur ou une lampe à souder. Il y a eu un accident. Ils ont essayé d'éteindre le feu et n'y sont pas arrivés, alors ils ont pris peur et se sont enfuis. Ça expliquerait pourquoi ils ont essayé de faire croire qu'ils avaient quitté La Fenice une heure plus tôt. Casson les a sans doute accusés d'incendie criminel en pensant que, s'il y avait eu un accident, ils le lui diraient de façon à risquer une condamnation moins lourde – pour négligence et pour s'être enfuis sans donner l'alerte. Mais comment savoir ? Moi, je ne suis qu'un photographe.

Ludovico De Luigi n'était qu'un artiste, mais *lui* avait tout compris.

— Au bout du compte, on en revient toujours à l'argent, mais on est loin du bout du compte. Beaucoup d'argent doit passer dans beaucoup de mains avant que cette affaire soit terminée.

Je lui dis que j'avais été impressionné par la rigueur avec laquelle les experts de Casson avaient apparemment mené leurs tests. Après un éclat de rire, De Luigi insista pour me présenter un ami.

— Je vais vous montrer un véritable expert. Suivez-moi.

Nous nous rendîmes au club d'aviron des Zattere, et De Luigi me présenta à un homme qui se tenait près d'une gondole amarrée à un ponton. Gianpietro Zucchetta portait un épaisse barbe noire sans moustache, comme Abraham Lincoln, et travaillait en tant que chimiste pour le ministère de l'Environnement. Sa gondole était la copie exacte de celle de Casanova, dans les années 1750.

— Elle ressemble aux gondoles des tableaux de Canaletto, qui sont très différentes des gondoles modernes.

Celle de Zucchetta était équipée d'une *felze*, cette petite cabine amovible fixée en son centre et dont la ligne d'avant en arrière était droite et non courbe, nécessitant deux gondoliers au lieu d'un seul. Le détail le plus caractéristique était sa proue, qui se dressait très haut au-dessus de l'eau. La première fois que Zucchetta sortit à marée haute, il s'aperçut avec stupeur que la gondole ne passait pas sous plusieurs ponts, alors que Casanova n'avait jamais rencontré ce problème.

— C'était la preuve très inquiétante de la montée du niveau de l'eau à Venise en deux siècles et demi.

Zucchetta en savait plus que quiconque sur l'eau à Venise : il avait écrit une histoire des *acqua alta*. Il faisait également autorité sur la question des ponts. Son livre *Venise pont après pont* en recensait pas moins de 443. Au fil de notre discussion, j'appris qu'il était l'auteur d'autres ouvrages traitant de sujets variés : les canaux de Venise, les « canaux disparus » qui avaient été rebouchés (les *rii terrà*),

Casanova, la gondole de Casanova, l'histoire du gaz à Venise et les égouts de Venise.

— Quand vous payez un gondolier pour une promenade sur les canaux, il vous embarque pour un voyage dans les eaux usées de la ville.

Mais ce n'était pas à cause de l'une ou l'autre de ces spécialités que De Luigi m'avait présenté à Zucchetta. Je le compris quand je lui demandai :

— Sur quel sujet porte votre prochain livre ?

— Sur les incendies à Venise.

De Luigi arborait un grand sourire.

— Mon ami Zucchetta est un expert en incendie. Il a participé aux enquêtes sur… combien… 600, 700 incendies ?

— 800, y compris celui du Teatro Petruzzelli à Bari. Je suis membre de l'Association internationale des experts en incendies criminels.

— On vous a demandé de participer à l'enquête sur l'incendie de La Fenice ?

— Oui, mais j'ai refusé.

— Pourquoi ?

— Parce que c'est un incendie politique, et je n'enquête pas sur les incendies politiques.

— Comment cela ?

— Cette affaire implique des hommes politiques. Ils figurent parmi les personnes accusées de négligence. Comme vous le savez, il y a deux théories opposées : négligence et incendie criminel. Évidemment, les personnes suspectées de négligence veulent que la théorie de l'incendie criminel soit retenue, et vice-versa. Chaque camp voudrait que les experts lui donnent raison. Deux hommes soupçonnés de négligence m'ont déjà proposé un chèque en blanc si je témoigne en leur faveur. Je n'avais qu'à indiquer la somme de mon choix. Tout ce qu'ils voulaient, c'était que j'accrédite la thèse de l'incendie criminel. Il s'agit bien d'une affaire criminelle, c'est pour cette raison que j'ai refusé d'y participer.

— Qui étaient ces deux hommes ?

— Je ne vous le dirai pas. Mais les accusés ne sont pas les seuls à jouer gros dans la conclusion de cette enquête.

Beaucoup de personnes ont subi des pertes dans l'incendie : des appartements voisins de La Fenice ont été endommagés, du matériel ou des biens personnels ont été détruits par le feu, et tout le monde veut être dédommagé de ce que les assurances n'ont pas pris en charge. Si la thèse de l'incendie criminel l'emporte, ils ne toucheront rien car les électriciens n'ont pas d'argent. Mais si l'enquête conclut à l'accident, alors ils n'auront que l'embarras du choix dans les cibles à attaquer : la municipalité de Venise, la Fondation de La Fenice et les quinze personnes accusées de négligence. Parmi elles, deux ont déjà mis leur propriété au nom de leur épouse.

Le partenaire du signor Zucchetta venait d'arriver. Ils se préparèrent à embarquer.

— Je suppose que vous avez suivi tous les développements de l'affaire ?

— En effet, répondit Zucchetta en montant dans sa gondole et en la stabilisant pour son partenaire.

— Vous vous êtes forgé votre propre conviction ?

— Bien sûr.

Il dénoua les amarres et poussa sur le ponton pour que la gondole s'éloigne.

— Vous pensez que les électriciens sont coupables ?

Il secoua la tête.

— Si ce sont les électriciens qui ont brûlé La Fenice, dit-il en souriant, alors les plombiers sont responsables des *acqua alta*.

11

Opera buffa

Quelques jours après l'arrestation des deux électriciens, je me trouvais sur un vaporetto en route vers San Marco, quand un bateau-taxi se profila dans notre sillage. Cinq hommes en costume-cravate se tenaient sur le pont, derrière le pilote, et même à vingt mètres de distance je voyais qu'il s'agissait de gens importants. Celui qui se détachait d'emblée comme le chef de ce groupe, quel qu'il soit, était robuste, élégant, avec des cheveux blancs et des lunettes de soleil, des traits marqués, une peau cuivrée et un port de tête altier. Les autres hommes étaient probablement des associés ou des gardes du corps. Puis le chef retira sa veste et je remarquai sa montre-bracelet fixée *par-dessus* le poignet de sa chemise. Je sus immédiatement qui c'était : le seul homme à porter ainsi sa montre était Gianni Agnelli.

La présence à Venise du président du géant automobile Fiat pouvait avoir plusieurs raisons. Dans les années quatre-vingt, lui et Fiat avaient acquis le Palazzo Grassi, restauré ce bâtiment néoclassique pour le transformer en une splendide galerie réservée aux expositions artistiques majeures. L'une des sœurs d'Agnelli, Cristiana Brandolini D'Adda, vivait dans le Palazzo Brandolini, situé juste en face du Grassi, sur la rive opposée du Grand Canal. Une autre sœur, Susanna Agnelli, possédait une résidence secondaire à San Vio. Mais il y avait toutes les chances pour que la venue de Gianni Agnelli ait un rapport avec la reconstruction de La Fenice.

La reconstruction de l'opéra avait fait l'objet d'un appel d'offres, et six consortiums avaient soumis leur projet. Fiat était entré en compétition par l'intermédiaire d'Impregilo, un ensemble d'entreprises du bâtiment dirigées par Fiat Engineering. Le projet vainqueur allait bientôt être désigné. Impregilo était le grandissime favori, en partie grâce à la stature d'Agnelli mais aussi parce qu'en restaurant avec succès le Palazzo Grassi Impregilo était la seule compagnie en lice à avoir déjà affronté avec succès le cauchemar logistique que la ville de Venise imposait à chaque projet immobilier. Les difficultés étaient uniques en leur genre, et d'une ampleur prodigieuse. Les grues géantes indispensables pour le chantier devraient être démontées et acheminées sur le site de La Fenice par un canal étroit et très fréquenté, sur des barges qui ne pourraient pas passer sous ses deux ponts lors de marées particulièrement hautes. Les briques, l'ossature en acier, les planches de bois, les canalisations métalliques, les blocs de marbre et autres matériaux de construction seraient tous acheminés par la même voie, mais comme il n'existait aucun lieu de stockage aux abords du site, il faudrait en créer spécialement à proximité – sur le Campo Sant'Angelo, par exemple, ou bien sur des plates-formes implantées sur le Grand Canal.

Agnelli, que le public et la presse avaient surnommé affectueusement « l'Avvocato », avait réuni l'équipe qui s'était brillamment illustrée avec le Palazzo Grassi dix ans auparavant. On y trouvait notamment les architectes Gae Aulenti, de Milan, et Antonio Foscari, de Venise.

Aulenti serait l'architecte senior du projet. Célèbre pour la transformation de la gare d'Orsay, à Paris, en musée d'Orsay, elle avait également conçu la galerie consacrée à l'art moderne du Centre Pompidou.

Antonio (Tonci) Foscari et son épouse architecte Barbara del Vicario vivaient dans un appartement du Palazzo Barbaro situé juste sous le *salone* décoré des Curtis. Tonci Foscari, professeur d'histoire de l'architecture à l'université de Venise pendant vingt-cinq ans, était le président de l'Accademia di Belle Arti. Pour le moment, les Foscari travaillaient ensemble à la restauration du Teatro Malibran, un édifice du XVIIe siècle près du Rialto. Ce projet était brusquement devenu prioritaire car, sans La Fenice, Venise n'avait plus de grand théâtre pour le spectacle vivant.

De tous les projets architecturaux de Tonci Foscari et de sa femme, le plus connu du grand public était la restauration de leur maison de campagne, au bord du canal de Brenta : la Villa Foscari, ou « La Malcontenta ». Elle avait été dessinée par Andrea Palladio au XVIe siècle pour deux frères Foscari, et c'était un modèle de simplicité et d'harmonie. La revue *House & Garden* lui avait consacré un article intitulé : « La plus belle maison du monde. »

La nuit de l'incendie de La Fenice, les Foscari étaient dans leur appartement quand ils reçurent un appel d'un ami les prévenant qu'un feu s'était déclaré juste à côté de chez eux. Ils se précipitèrent sur le toit du bâtiment voisin, le conservatoire de musique. Appareil photo en main, Tonci Foscari était resté horrifié, incapable de prendre le moindre cliché, avec le sentiment d'assister à un meurtre. À présent, il faisait partie de l'équipe en lice pour reconstruire La Fenice.

Nous étions installés dans le salon des Foscari, dans leur appartement du Palazzo Barbaro. Les murs blancs décorés d'une chaste corniche de stuc dans les tons pastel du XVIIIe siècle rococo offraient un contraste saisissant avec la profusion d'ornements baroques du vieux *salone* des Curtis, à l'étage inférieur. De larges fenêtres donnaient sur le Grand Canal. Les portraits des ancêtres Foscari – un amiral vénitien et un pape – accrochés aux murs nous jaugeaient. Le portrait de Francesco Foscari, doge au XVe siècle immortalisé par Byron et Verdi dans son opéra *I Due Foscari*, se trouvait au Museo Correr, sur la place Saint-Marc.

— Un groupe français m'a demandé de participé à l'appel d'offres pour reconstruire La Fenice, puis un groupe espagnol… J'ai hésité. Et puis, l'Avvocato Agnelli a reformé l'équipe du Palazzo Grassi – c'était presque inévitable : puisqu'il avait restauré le Grassi, il ne pouvait pas *ne pas* entrer dans la compétition pour reconstruire La Fenice. Et, en tant qu'Agnelli, il ne pouvait pas manquer de gagner. Et s'il gagnait, il serait capable – il était le seul – de garantir le respect des délais et des coûts. Il m'a téléphoné et il m'a dit :

251

« Tu viens avec nous ! » À ce stade-là, je devais faire preuve de pragmatisme : le projet paraissait sûr, bien plus que n'importe quel autre, alors j'ai accepté.

Foscari ne se faisait aucune illusion quant à sa contribution architecturale : il devrait tout au plus se prononcer sur des points de détail dans la nouvelle version du théâtre original. Sa véritable valeur ajoutée pour Impregilo, c'était sa connaissance des procédures complexes de construction à Venise et son expérience dans la gestion de la bureaucratie locale.

— En théorie, toutes les maquettes présentées devraient être pour l'essentiel identiques. Au fond, c'est juste une compétition entre différentes entreprises de bâtiment – en tout cas, ça *devrait* être ça. Mais – et c'est très italien –, c'est devenu une compétition entre architectes, avec des débats interminables sur leurs talents respectifs.

— Agnelli a fait à Venise une proposition qu'elle ne pouvait pas refuser ?

— Ce sera une très bonne affaire pour Venise, si Venise le choisit. L'Avvocato ne cherche certainement pas à gagner de l'argent avec ce concours. Il pourrait même en perdre. S'il se présente, c'est par fierté, pour le prestige, pas pour les perspectives de profits. De toute façon, quand on construit à Venise, toutes les prévisions de profits peuvent être réduites à néant, car les événements les plus inattendus peuvent entraîner des délais très coûteux.

— Quel genre d'événements ?

— Eh bien, par exemple, en creusant des fondations on peut tomber sur un site archéologique d'une grande valeur historique. Ça s'est passé récemment avec la restauration du Malibran.

Les yeux de Foscari scintillaient. Apparemment, il aimait ménager des pauses dans ses récits.

— Vous savez ce qu'on a trouvé sous le Teatro Malibran ? La maison de Marco Polo ! Construite au XIIIe siècle. Bien sûr, nous le savions avant de commencer les travaux, et quand nous avons creusé nous l'avons trouvée exactement à l'endroit indiqué par nos documents. Nous avons exhumé le rez-de-chaussée, à deux mètres sous le niveau actuel du sol. C'était très excitant, mais ce n'était que le début : nous avons continué à creuser, pour découvrir un niveau du xie siècle, et, en dessous, un niveau du viiie siècle, et encore plus bas un niveau du vi^e siècle ! Il date de l'invasion des Lombards et représente les fondations originelles de Venise. Nos connaissances sont très limitées sur cette période de l'histoire vénitienne, les archives écrites les plus anciennes datent du viiie siècle. Voir ces différents niveaux a été pour moi une expérience émotionnelle intense. C'était une preuve spectaculaire de la montée du niveau de l'eau et de l'engloutissement progressif de Venise, depuis 1 500 ans, problèmes auxquels les Vénitiens ont toujours répondu de la même façon, en rehaussant le niveau de la ville. Nous ne faisons pas autre chose de nos jours : dans toute la ville, on voit des ouvriers retirer le pavage des rues le long des canaux et les replacer sept centimètres plus haut. Ça nous permet de réduire le nombre d'inondations pendant environ trente ans, mais nous ne pourrons pas continuer indéfiniment ainsi. La mise au jour de la maison de Marco Polo et de tous ces niveaux inférieurs a été perçue comme un gros « problème » car elle a interrompu les travaux de restauration du Malibran. L'interruption a duré cinq mois. Cinq mois passionnants. Mais pendant ce temps, les Vénitiens me disaient : « Vous avez cinq mois de retard ! C'est toujours pareil. À Venise, personne n'arrive jamais à respecter les délais... » Je leur répondais : « Je suis désolé, mais c'est extrêmement rare d'avoir la chance de mener des fouilles aussi particulières. C'est très important. »

— Qu'y a-t-il sous La Fenice ? lui demandai-je.

— J'ai trouvé un plan du site, dessiné avant la construction de La Fenice. Donc, nous savons où se trouvaient les précédentes structures. Par chance, il n'y a rien d'aussi important que la maison de Marco Polo.

La nuit de l'incendie de La Fenice, tandis que Tonci Foscari, posté sur le toit du conservatoire de musique, restait figé, incapable de prendre une photo, Francesco da Mosto, architecte lui aussi, se trouvait avec ses invités sur son *altana*, de l'autre côté du théâtre, et observait le brasier à travers le viseur de sa caméra vidéo.

Francesco et Jane da Mosto recevaient à dîner pour la première fois depuis leur mariage quand leur propriétaire les avait appelés pour leur demander s'ils avaient décidé de mettre le feu à sa maison, car il venait de voir une épaisse fumée monter de la rue. Francesco grimpa jusqu'à son *altana* pour voir ce qui se passait et ce fut tout de suite très clair. Le toit de la maison des da Mosto offrait une vue imprenable sur l'incendie. Dans le courant de la soirée, les amis et les membres de la famille vinrent tous assister au spectacle. Parmi eux, Ranieri da Mosto, le père de Francesco. Le comte da Mosto était membre du conseil municipal de Venise, qui avait brusquement ajourné sa session nocturne à la nouvelle de l'incendie.

Dans les jours qui suivirent, Francesco, en qualité d'auditeur de la commission des travaux publics, rejoignit un groupe qui tentait de retracer l'historique du sinistre et d'évaluer la stabilité des murs extérieurs de La Fenice.

Un après-midi, l'architecte milanais Aldo Rossi vint examiner ce qui restait du théâtre. Rossi, qui avait supervisé la restauration du Carlo Felice, l'opéra de Gênes, venait d'intégrer Holzmann-Romagnoli, le consortium germano-italien en lice pour la reconstruction de La Fenice. Pendant la visite du site, il dit qu'il cherchait un architecte basé à Venise pour travailler avec son groupe sur ce projet. L'ingénieur qui l'accompagnait lui donna le nom de Francesco da Mosto.

Rossi et da Mosto se rencontrèrent le lendemain, autour d'un café. Le courant passa très bien entre les deux hommes, et Rossi fut impressionné par les connaissances de da Mosto. Il lui proposa de rejoindre son équipe, ajoutant qu'il préférait les relations professionnelles décontractées et que le tutoiement serait de rigueur entre eux.

La décontraction convenait parfaitement à Francesco da Mosto. À trente-cinq ans, il avait une tignasse de cheveux prématurément blancs et affectionnait les vêtements confortables, qu'il portait généralement froissés : chemise au col grand ouvert, veste ample et pantalon de treillis aux larges poches. On voyait souvent son hors-bord sillonner les canaux et la lagune.

La dynastie da Mosto est l'une des plus anciennes de Venise, avec des ancêtres remontant au XIe siècle et même avant. La famille vivait au Palazzo Muti-Baglioni, un gigantesque palais Renaissance niché dans le dédale de rues étroites non loin des marchés du Rialto.

— La sonnette est hors service, me prévint Francesco au téléphone. Quand vous serez devant la porte, levez les yeux : vous verrez une ficelle accrochée à une fenêtre à l'étage. Tirez sur la ficelle, elle actionnera une cloche dans mon bureau et je vous ouvrirai. Je suis à l'étage.

Da Mosto m'accueillit sur le palier d'un escalier recouvert d'un tapis rouge. En entrant, il m'indiqua d'un geste un buste de marbre près de la porte.

— Je vous présente Alvise da Mosto, mon ancêtre préféré. Il a découvert les îles du Cap-Vert en 1456, à l'âge de vingt-neuf ans.

L'atelier de da Mosto était sombre et caverneux, avec un haut plafond rythmé par des poutres, des étagères surchargées de livres, de cassettes vidéo et de dossiers. Les ordinateurs, les imprimantes et la table à dessin étaient à demi ensevelis sous des piles de papiers et de journaux. Les murs disparaissaient sous les cartes, photographies, masques et souvenirs. Tout un fatras à grande échelle.

Da Mosto préleva une pile de documents de la chaise où ils étaient posés et me fit signe de m'asseoir. Je me retrouvai face à un arbre généalogique extrêmement dense accroché au mur devant moi.

— Cela fait combien de générations ? demandai-je.

Il rit.

— Eh bien, je ne sais pas trop au juste. Il faudrait que je compte. Dans les vingt-sept, je crois...

— Tous nobles ?

— Nobles, oui, mais pas toujours d'une grande noblesse. Une de mes ancêtres, une courtisane, a filé la chtouille à lord Byron ! Et Vido da Mosto a été accusé de fabriquer de la fausse monnaie. On a d'abord pensé lui arracher les yeux et le pendre entre les deux colonnes de la place Saint-Marc, mais finalement on l'a engagé pour imprimer la monnaie officielle de la République de Venise. Quand quelqu'un a un talent, autant le mettre au service de la République, n'est-ce pas ? Un autre da Mosto a été ruiné parce que sa femme mangeait trop... un autre a été jeté en prison pour avoir insulté le doge Andrea Gritti... trois ou quatre autres ont été excommuniés. Notre famille n'a jamais eu de doge, juste une femme de doge. Un da Mosto a échoué de très peu face à un homme qui, une fois élu doge, a été décapité, donc ce n'est peut-être pas plus mal qu'il ait perdu. De toute façon, les da Mosto ont toujours préféré jouer les éminences grises. Derrière le trône, c'est la place la plus sûre.

— Et aujourd'hui, un da Mosto vient au secours du Teatro La Fenice.

— Tout le monde pense qu'Agnelli va gagner, mais nous aurons la réponse dans un ou deux jours.

Da Mosto tira un épais dossier de sous un tas de papiers et me le tendit.

— Voici l'ensemble des spécifications imposées par la municipalité pour la nouvelle Fenice. C'est le plan préliminaire, ce que vous appelez la « bible ».

Je feuilletais le dossier. La Fenice y était présentée de plusieurs façons : plans, dessins, croquis, photos, peintures.

— Par chance, quelqu'un a découvert dans des archives les plans dessinés en 1836, après le premier incendie. Ils contiennent aussi les instructions détaillées des frères Meduna. Donc, nous avons les dimensions exactes de l'auditorium, ce qui nous permet de recréer l'acoustique originale de La Fenice. Les Meduna décrivent même comment chaque pièce de bois doit être coupée. Les ondes sonores sont acheminées par les fibres du bois, donc si la coupe et le positionnement de la pièce sont corrects, le son sera transmis avec la même acuité de la scène vers n'importe quel endroit de la salle. Les Meduna ont signé personnellement chaque pièce en bois !

Ce détail semblait ravir da Mosto.

— Apparemment, ce qu'on attend de vous est très clair.

— Oui, mais pas tant que ça. Quand nous avons reçu ces documents de la municipalité en septembre dernier, je me suis installé à mon bureau, je les ai étudiés plusieurs fois dans le détail. Et je me suis rendu compte que quelque chose clochait.

Il tourna vers moi les plans de la bible.

— Tenez, regardez cette zone.

Il me montrait l'aile sud, un ensemble de petits bâtiments collés comme des bernacles à la façade sud de l'opéra.

— Selon ce dessin, l'ancienne aile sud a été élargie de manière à intégrer un bâtiment sur deux niveaux qui n'appartient pas à La Fenice. C'est cet espace vide, là. Il occupe en tout 300 m², mais il n'a jamais fait partie de La Fenice. Et ici...

Il sortit un ancien plan du théâtre.

— ... on voit qu'un *magazzino* occupe le rez-de-chaussée. Il contient une buanderie utilisée par le Ristorante Antico Martini. L'étage supérieur est occupé par deux appartements privés. C'est très étrange. Les instructions de la municipalité ne font nulle part référence à ce nouvel espace. Si nous reconstruisons le théâtre exactement comme il était – *com'era* –, cet espace n'a rien à y faire.

— Alors pourquoi figure-t-il sur ce dessin ?

— C'est ce que je me suis demandé. Le signor Baldi, propriétaire de l'Antico Martini, a besoin de la buanderie pour son linge de table, et comme il ne dispose d'aucune autre place, il n'a pas l'intention de vendre son *magazzino*. Je ne savais pas quelle décision prendre, aussi ai-je interrogé les ingénieurs et les architectes qui avaient travaillé sur le plan préliminaire. Quand ils ont compris de quoi je parlais, ils sont devenus aussi blancs que ce morceau de papier. J'ai aussitôt appelé Aldo Rossi pour lui dire de tout arrêter, car il y avait un problème avec l'aile sud. Apparemment, je n'étais pas le premier à poser la question : un autre compétiteur avait déjà envoyé un courrier pour demander des précisions. Alors, le préfet a envoyé un fax à tous les concurrents, mais la formulation du message n'a fait qu'accroître la confusion : il nous demandait de « construire l'intégralité de l'aile sud, du rez-de-chaussée au toit ». Mais qu'entendait-il par « l'intégralité de l'aile sud » ? Le plan de l'ancienne aile sud, telle qu'elle était avant l'incendie, ou le plan de l'ancienne aile sud augmentée du bâtiment additionnel ? Je ne savais toujours pas quoi penser. Donc je me suis rendu dans les bureaux du conseil municipal pour discuter avec des amis qui travaillaient là depuis plusieurs années – ce sont eux qui savent toujours ce qui se passe. Ils m'ont expliqué qu'on ne leur avait rien dit mais, avec un petit sourire, ils m'ont conseillé d'ajouter le nouveau bâtiment. Au cours de l'une de nos grandes réunions à Milan, j'ai fait le point sur la situation à Venise. Nous avons décidé de prendre un risque en gardant le plan de Rossi prenant en compte l'aile sud agrandie. La municipalité pensait sans doute que tout le monde garderait plus ou moins la disposition des bureaux dans l'aile sud. Rossi, lui, a eu une autre idée, et elle est brillante : il a transposé la salle de répétition du dernier étage au rez-de-chaussée du nouveau bâtiment. Elle est assez grande pour pouvoir accueillir un grand orchestre et un chœur. Elle peut également être utilisée pour des concerts de musique de chambre ou des conférences. Ce qui est merveilleux, c'est que cette salle de répétition est en réalité un nouveau théâtre de taille moyenne que l'on peut utiliser en même temps que le théâtre principal. Il jouit d'une isolation acoustique parfaite, et il a même sa propre entrée sur la rue. Avec deux auditoriums opérationnels en un, la jauge totale de La Fenice est augmentée d'environ 10 %.

Da Mosto reposa le dossier sur l'océan de papiers recouvrant son bureau.

— Je suis curieux de voir ce que nos concurrents ont imaginé pour l'aile sud.

En sortant, da Mosto me conduisit à l'étage supérieur, le *piano nobile*. Le salon central était un vaste espace long de 23 mètres. Chaque extrémité était éclairée par de hautes fenêtres à petits carreaux et les murs de stuc étaient décorés des portraits des ancêtres de la dynastie. L'un d'eux, trésorier en chef de l'armée vénitienne, était entouré de pièces d'or. À côté du salon central, un salon élégant aux murs tapissés de brocart doré menait à une petite chapelle décorée de fresques puis à une salle à manger où, m'apprit da Mosto, Visconti avait tourné une scène de *Senso*.

— Les producteurs du film *Le Talentueux Monsieur Ripley* voulaient eux aussi tourner une scène ici. Comme l'entretien des *stucchi* dans ces salles humides est très coûteux, nous avons accepté.

J'admirais les nombreux portraits quand le père de mon hôte fit son apparition. C'était un gentleman, courtois, à la voix douce et à la tenue irréprochable – costume et cravate aux teintes sourdes. J'avais lu dans la presse qu'il était le chef de file des partisans d'une République de Venise indépendante du reste de l'Italie, comme un État autonome. C'était un séparatiste, un *indipendista*. Je l'interrogeai à ce sujet.

— La plupart des gens n'ont pas compris que la République de Venise n'est jamais vraiment morte. Quand, en 1797, l'armée de Napoléon était à nos portes, le Grand Conseil a voté en catastrophe la dissolution de la République. Mais cette décision était illégale car le nombre de votants dans la chambre du Conseil n'était pas suffisant pour atteindre le quorum. L'occupation violente et méprisable de Venise par les troupes napoléoniennes n'était rien d'autre qu'une opération militaire, tout comme l'occupation par les Autrichiens. L'unification de l'Italie décrétée par référendum en 1866 était une imposture, une ruse de la famille de Savoie : certaines urnes ont été remplies avant même le vote, les policiers et les carabinieri épiaient les gens dans les bureaux de vote... Une honte !

— Mais que pouvez-vous raisonnablement faire, aujourd'hui ?

— Nous espérons soumettre le problème au tribunal de La Haye. J'ignore ce qui en ressortira. Ce ne sera pas une bataille facile.

Pour ma part, je doutais qu'un tribunal, quel qu'il soit, s'estimerait fondé à annuler l'unification de l'Italie cent trente ans après les faits, mais le comte da Mosto semblait y croire.

— Qu'est-ce que cela vous fait de savoir qu'en cas de victoire Francesco et son équipe travailleront à la résurrection non seulement de La Fenice, mais aussi de la loge royale de La Fenice, créée à l'origine pour Napoléon puis reconstruite par les Autrichiens ?

Le comte m'adressa un sourire plein de douceur.

— Ces cinquante dernières années, un grand médaillon doré représentant le lion de saint Marc orne le fronton de la loge royale. Ce n'est plus la loge de Napoléon, ce n'est plus la loge de l'Autriche : c'est la nôtre.

Six équipes se disputaient la reconstruction de La Fenice. La Ferrovial de Madrid fut disqualifiée d'emblée, car l'un de ses sous-traitants n'avait pas remis l'attestation antimafia obligatoire. L'attestation antimafia était un document validé par la police et confirmant que, après vérification dans les bases de données de la lutte anticriminalité, aucune connexion, passée ou présente, n'avait été trouvée entre la société concernée et la mafia. Malgré les protestations vigoureuses de la Ferrovial, qui prétendait avoir bel et bien inséré cette lettre dans son dossier, sa candidature avait été rejetée. Ne restaient plus que cinq équipes.

Le résultat de l'appel d'offres fut annoncé le 2 juin 1997, un an et demi après l'incendie. Sans surprise, l'Impregilo d'Agnelli fut déclaré vainqueur, juste devant Holzmann-Romagnoli. Étonnamment, le dépouillement des scores révéla que les plans d'Aldo Rossi l'avaient emporté, Impregilo faisant la différence sur la promesse d'achever le chantier deux mois avant Holzmann-Romagnoli et pour 4 millions de dollars de moins, soit 45 millions.

Malgré sa déception, Francesco da Mosto m'apparut de bonne humeur quand je le croisai dans la rue quelques jours plus tard.

— Les candidats perdants ont le droit d'étudier le dossier du concurrent situé juste devant eux. Donc, je vais jeter un coup d'œil au dossier d'Impregilo. Tel que vous me voyez, je vais de ce pas à la préfecture. Je ne pense pas avoir le droit d'être accompagné, mais si vous voulez venir avec moi, je demanderai la permission.

Nous nous rendîmes tous les deux à la préfecture, dans cet énorme palais Renaissance qu'est le Palazzo Corner della Ca' Grande. Là, on nous expliqua qu'en effet seul da Mosto était habilité à examiner le dossier de reconstruction de La Fenice. Un intendant le conduisit dans les salles d'archivage du rez-de-chaussée, pendant que je m'offrais une promenade dans les étages et une visite des splendides salles officielles donnant sur le Grand Canal. Une demi-heure plus tard, je retrouvai Francesco au rez-de-chaussée. Il avait une expression étrange ; impossible de savoir s'il était amusé, perplexe, préoccupé ou en colère.

— Alors, qu'est-ce qu'Impregilo a proposé pour occuper le nouvel espace ?

— Quand j'ai vu ça, je n'en croyais pas mes yeux. J'ai pensé : « Ce n'est pas possible ! » Ils n'ont rien mis. Ils ont laissé un espace vide !

Trois semaines plus tard, le Campo San Fantin revint à la vie après près d'un an et demi de funèbre et lugubre immobilité, durant lequel la carcasse noircie de La Fenice offrait aux passants ses reproches silencieux – un symbole déprimant du désespoir. Au fil des semaines, trois grues imposantes, signes avant-coureurs du renouveau et de la renaissance, s'élevèrent au-dessus du site. Des ouvriers sur des échafaudages renforçaient les murs externes du théâtre. Le bruit des marteaux-piqueurs et des engins de terrassement indiquait le début des opérations d'excavation et de coulage des piliers en béton.

Sur le Grand Canal, une plate-forme de 1 200 m² fut installée sur des piliers en bois et fermée par des murs en contreplaqué de 2 mètres 50 de haut. C'est là que seraient stockés l'équipement et les matériaux. Des bétonnières pompaient du béton liquide dans des canalisations souterraines qui l'acheminaient directement sur le site de La Fenice. Une fresque aux couleurs vives représentant La Fenice décorait les murs de la plate-forme, signe de l'optimisme qui régnait désormais dans la ville. En janvier 1998, deux ans après l'incendie et huit mois après l'ouverture du chantier, la maire Cacciari donna une conférence de presse dans laquelle, ravi, il déclara que les travaux avançaient au rythme prévu. Comme prévu, La Fenice rouvrirait ses portes en septembre 1999.

Mais l'expression réjouie du maire se transforma en cri de désespoir quand, à peine deux semaines plus tard, le Conseil d'État valida la requête en appel d'Holzmann-Romagnoli et annula le contrat d'Impregilo. Selon le Conseil, le plan préliminaire avait clairement indiqué que l'aile sud de La Fenice devrait inclure le nouvel espace. Le texte cité montrait que les compétiteurs n'étaient pas tenus de proposer une réplique exacte de La Fenice : « Il est impossible de reproduire le théâtre conçu par Selva, reconstruit par les frères Meduna ou modifié par Miozzi. Il est tout aussi illusoire d'essayer de le reconstruire dans l'état qui était le sien avant l'incendie. Même reconstruite avec toute la minutie possible, la nouvelle Fenice ne peut être, au mieux, qu'une évocation de l'ancienne Fenice. » Impregilo avait été la seule équipe à omettre le nouvel espace, ce qui lui donnait un avantage abusif sur ses concurrents en lui permettant d'annoncer des coûts moins élevés.

Les travaux stoppèrent net.

— Cette décision est une pure folie ! s'écria le maire Cacciari. Si justifiée soit-elle, sa légitimité est sans commune mesure avec les dégâts qu'elle occasionne à la ville et pour le pays.

Le chantier était un vrai désastre : aucun des responsables ne savait quelle attitude adopter. Frappés de panique, les officiels à Rome et à Venise supplièrent l'équipe sortante et l'équipe rentrante de collaborer l'une avec l'autre afin d'opérer une transition rapide et en douceur. Collaboration hautement improbable, tant les événements formèrent rapidement un imbroglio de questions et de débats inextricables.

Impregilo serait-il remboursé des 15 millions de dollars déjà dépensés ? Holzmann-Romagnoli honorerait-il les contrats signés avec des centaines de fournisseurs et d'artisans ? Qui paierait pour les grues, louées des milliers de dollars par jour, même quand le chantier était inactif ? Idem pour les échafaudages. Et, enfin, les fondations partiellement construites selon les plans de Gae Aulenti pourraient-elles être adaptées pour accueillir La Fenice d'Aldo Rossi ? Ou le plan de Rossi serait-il modifié pour correspondre aux fondations ?

L'homme qui aurait pu répondre le plus facilement à cette dernière question n'en était hélas plus capable : Aldo Rossi s'était tué dans un accident de voiture en septembre.

Il était sorti d'une route sinueuse en rentrant chez lui, à Lago Maggiore. Ses associés milanais prendraient la suite de son œuvre. Francesco da Mosto, qui avait prévenu Holzmann-Romagnoli de la possibilité de faire appel, servirait de liaison entre l'atelier Rossi, Holzmann-Romagnoli et la commune de Venise.

La réaction de Gae Aulenti à la nouvelle de son éviction brutale du projet Fenice fut de publier un commentaire laconique : « À mes successeurs : bonne chance. » C'était, littéralement, la chose à dire, mais la brièveté même du message semblait surtout traduire son écœurement.

La réponse de Tonci Foscari fut plus gracieuse : il écrivit au *Gazzettino* une lettre dans laquelle il faisait l'éloge du projet d'Aldo Rossi. Il félicitait Rossi d'avoir placé la salle de répétition au rez-de-chaussée pour faire un petit auditorium et ouvrir ainsi les portes de La Fenice à un public plus large. Il suggérait aux collaborateurs de Rossi quelques idées pour utiliser au mieux les capacités de l'opéra, comme par exemple aménager indépendamment les salles Apolinnee pour qu'elles puissent accueillir des réceptions ou des dîners d'après-concert. Il faudrait prévoir de nouvelles installations sanitaires, un garde-manger pour les traiteurs, d'autres sorties de secours. Ces propositions s'inscrivaient « dans l'évolution naturelle de la pensée d'Aldo, et comme un gage de mon respect – en souvenir du sourire lointain qui illuminait son visage ».

Fidèle à lui-même, Gianni Agnelli ne fit aucune déclaration à propos de la décision de justice. « L'Avvocato est le propriétaire de la Juventus de Turin, commenta Foscari. Certaines semaines il gagne, certaines semaines il perd. Il n'est pas du genre à se plaindre. »

Toutefois, après examen approfondi, on s'aperçut que les plans d'Aldo Rossi entraient en violation de certains principes de construction vénitiens. Pour que le chantier reprenne, il faudrait modifier la loi ou accorder des dérogations. Les officiels assurèrent rapidement que cela ne poserait aucun problème.

Plus délicate était la question du bâtiment privé abritant deux appartements. Les propriétaires refusaient toujours de vendre.

— C'est juste une question d'argent, me dit Ludovico De Luigi en haussant les épaules. Ouvrez l'œil. Beaucoup de mains vont prendre des parts du gâteau avant que ce soit terminé.

Assis à son chevalet, De Luigi donnait des coups de pinceau sur l'église Santa Maria della Salute transformée en une plate-forme pétrolière surplombant une mer en furie sur la place Saint-Marc : c'était l'une de ses visions surréalistes de Venise. De Luigi avait installé son atelier au rez-de-chaussée de sa maison, éclairé par des fenêtres donnant sur un petit canal, le Rio di San Barnaba.

— La Fenice est en train de donner un opéra, un *opera buffa* – un opéra comique.

Il marqua une pause avant de reformuler :

— Non, un opéra tragi-comique. Mais cet opéra ne se joue pas sur scène : il est dans la salle. Les spectateurs en sont devenus les acteurs. Politiciens, ingénieurs en bâtiment, architectes, tous disent vouloir reconstruire le théâtre, mais, au fond, personne ne le veut vraiment. Une seule chose les intéresse : leurs honoraires. C'est pour cela qu'ils veulent que cet opéra dure encore et encore. Ils arrivent, ils reçoivent de l'argent, ils ne font rien, ils s'en vont et, en passant, ils reçoivent encore de l'argent. D'autres personnes arrivent à leur tour, reçoivent de l'argent, et ainsi de suite. Tous dessinent des projets très impressionnants, mais il faut savoir ce qu'il y a derrière. Des gens brutaux. Des politiciens.

Ce cynisme était la signature de De Luigi. Mais ce qui se passait dans la réalité commençait à ressembler à sa vision et à la folie de son inspiration artistique.

— C'est pour cette raison que je peins l'Apocalypse, expliqua-t-il en ajoutant quelques touches de blanc à l'écume des vagues. Je suis un *svedutista*, je peins des paysages négatifs, des paysages intérieurs. Je les peins tels qu'ils existent dans mon esprit. Ce ne sont pas des abstractions. Ils sont constitués de motifs reconnaissables disposés selon une vision surréaliste. Ce sont les portraits de nos cauchemars.

Il prit du recul et considéra un moment son œuvre d'une obscure beauté.

— Il fallait qu'ils trouvent un coupable pour l'incendie, reprit-il en maniant à nouveau le pinceau. Mais ça ne pouvait pas être les politiques, bien sûr. D'abord ç'a été la mafia ; ils ont mis deux ans avant de conclure que ce n'était pas la mafia. Et maintenant, ces deux pauvres électriciens.

Il haussa les épaules.

— Ils leur ont dit : « Écoutez, si vous allez en prison à notre place, nous vous promettons un compte en banque bien rempli quand vous sortirez. » Celui qui a incendié La Fenice n'a pas agi pour des raisons politiques ou philosophiques. Il l'a fait pour l'argent.

— Si ç'avait été un geste de protestation contre La Fenice, remarquai-je, je suppose que les coupables l'auraient fait savoir.

— La Fenice a ses défauts. La perspective dans laquelle sont donnés les spectacles à La Fenice a changé, et pas dans le bon sens. Elle est passée de l'amour de l'art au narcissisme des protagonistes. À l'exhibitionnisme. Le premier signe, ç'a été le projecteur braqué sur le chef d'orchestre. En l'occurrence Herbert von Karajan, le premier chef superstar. Avant, les chefs dirigeaient dans la pénombre. Mais Karajan a insisté pour avoir son projecteur, sinon il refusait de diriger.

Ludovico De Luigi lui-même n'était pas insensible aux projecteurs. Il s'en était inventé un qui l'éclairait en permanence : sa longue crinière blanche, son profil impérial, ses bouffonneries provocantes. Il portait un tricorne ourlé d'hermine, une chemise froissée, un pantalon de soie rouge et un smoking sur lequel il avait peint des flammes rouge-orangé plus vraies que nature. C'était à nouveau carnaval. Des fêtards déguisés passaient devant sa fenêtre.

— Cette année, pour carnaval, je me consacre au second anniversaire de la nuit où La Fenice s'est transformée en coquille vide. Qui sait ? Elle restera peut-être à jamais une coquille vide.

Peu après, un trio masqué et costumé venu tout droit du XVIIIe siècle se joignit à nous. C'était Gianpietro Zucchetta, l'expert ès ponts, canaux, *acqua alta*, égouts et incendies, accompagné de son épouse et d'une femme blonde déguisée en courtisane. Après un apéritif, nous embarquâmes dans la gondole de Zucchetta, réplique de celle de Casanova, qu'il avait amarrée à un pilotis du Rio di San Barnaba. De Luigi avait pris une petite sacoche qu'il posa sous la *felze*, à l'abri des regards.

— C'est pour tout à l'heure, nous expliqua-t-il d'un air mystérieux. Nous allons faire un petit *scherzo*, une plaisanterie.

Puis, se tournant vers moi :

— Avez-vous déjà été arrêté par des *carabinieri*?

— Je n'ai pas eu ce plaisir.

— Eh bien, ce sera peut-être votre nuit !

— Pourquoi ?

— Parce que je vais enfreindre la loi, et toute personne se trouvant avec moi pourrait être considérée comme un complice.

De Luigi s'amusait tellement à faire durer le suspense que je ne lui demandai pas en quoi consistait son *scherzo*.

— Une arrestation, c'est excellent pour l'âme. J'ai déjà été arrêté pour avoir commis des « actes obscènes sur la voie publique », le jour où j'ai convié la Cicciolina à inaugurer ma statue de cheval sur la place Saint-Marc et qu'elle est arrivée seins nus. Un tribunal m'a qualifié de personne immorale, de personne peu recommandable !

Il gloussa à l'évocation de cet épisode.

— Mais, pour un artiste, avoir bonne ou mauvaise réputation, c'est la même chose. Un artiste veut être reconnu, attirer l'attention… Je suis devenu célèbre à Chicago le jour où des policiers ont retiré mes nus d'une galerie d'art sous prétexte que j'avais peint « des tétons agressifs ». Ça m'a rendu très populaire, là-bas.

De Luigi rit à nouveau, puis me regarda.

— La perspective de vous faire arrêter vous met-elle mal à l'aise ?

— Non, si c'est pour une bonne cause.

— C'est pour La Fenice.

— Eh bien, dans ce cas, parfait.

Pilotée par Zucchetta à la proue et un gondolier professionnel à la poupe, la gondole glissait sur le Grand Canal, en direction de la place Saint-Marc. De Luigi riait et plaisantait, mais je remarquai qu'il observait ce qui se passait sur le canal, ses yeux scrutant chaque bateau, notamment les vedettes de la police. Nous passâmes à la hauteur du musée Peggy-Guggenheim.

— Après la guerre, Peggy Guggenheim organisait de grandes réceptions. À la fin, les serveurs sortaient et nous donnaient des glaces et des cigarettes. Mes amis et moi, on restait sur le pont de l'Accademia et on regardait les invités danser sur la terrasse. Un soir, Peggy rejoua le naufrage du *Titanic* – pendant lequel son père était mort. Elle avança nue jusqu'au bord de la terrasse et se jeta à l'eau. Elle avait payé les musiciens de l'orchestre pour qu'ils sautent aussi. Ce sont des gondoliers qui les ont secourus. On ne trouve plus de gens fous comme ça en Amérique. Ils étaient très amusants, ils avaient le goût du spectacle. C'étaient des esprits inventifs, créatifs. De nos jours, les Américains ne sont plus aussi drôles. *Va bene.* Il ne nous reste plus qu'à nous amuser entre nous.

Droit devant nous se profilait la plate-forme où étaient stockés les bétonnières et le matériel du chantier de La Fenice. La gondole s'arrêta devant le mur en contreplaqué décoré d'une fresque. De Luigi sortit de sous la *felze* et se leva. Il tenait à la main un pot de peinture rouge et un pinceau. Il regarda à gauche puis à droite et nous demanda :

— Vous voyez un bateau de la police ?

— Pas encore, répondit Zucchetta en manœuvrant sa rame pour stabiliser la gondole le plus près possible de la fresque.

De Luigi plongea son pinceau dans le pot et, levant la main, me regarda.

— Vous qui êtes incollable sur l'incendie, où est-ce que le feu s'est déclaré ?

— Façade avant, fenêtre en haut à gauche.

De Luigi peignit alors en larges aplats de grandes langues luisantes de flammes écarlates jaillissant de la fenêtre. Il en peignit ensuite dans la fenêtre du milieu, puis dans la fenêtre à droite.

Un bateau-taxi passant derrière nous fit demi-tour et s'arrêta à côté de notre gondole pour permettre à ses passagers de mieux voir la scène. Les cris fusèrent.

— *Bravo ! Fantastico !*

De Luigi se tourna vers eux et les salua d'une révérence. Le bateau-taxi repartit, provoquant des remous qui agitèrent la gondole et nous firent trébucher. Un peu de peinture rouge coula du pot et tomba dans l'eau mais De Luigi reprit son équilibre. Il se remit au travail. Les flammes apparaissaient à présent aux fenêtres du rez-de-chaussée et à l'entrée principale, et bientôt toutes les ouvertures de la façade ne furent qu'un embrasement. Je m'aperçus que les flammes de la fresque étaient assorties aux flammes peintes sur le smoking. Le smoking embrasé et la fresque aux fenêtres rougeoyantes étaient devenus une œuvre d'art globale. De Luigi était la torche qui mettait le feu à La Fenice.

Deux autres bateaux s'arrêtèrent, puis un autre, et encore un autre. La gondole oscillait et gîtait parmi les rires, les applaudissements, les ronronnements des moteurs et les clapotis des flots. De Luigi continuait de peindre. Il se tenait à présent devant un écorché du foyer et des salles Apolinnee, et les flammes apparaissaient partout où son pinceau se posait. Il était en train de s'attaquer au grand escalier d'apparat quand la fresque se rehaussa des clignotements d'une lumière bleue. Une vedette de la police se frayait un chemin parmi la flottille d'embarcations amassées autour de nous. Très conscient de ce qui se passait, De Luigi continuait de peindre.

— Qu'est-ce que vous fabriquez ? cria un des policiers.

De Luigi se retourna, le pinceau coupable dans une main, le pot de peinture dans l'autre.

— Je dis la vérité, répondit-il d'un air de défi triomphal. La commande pour une nouvelle Fenice a surgi des flammes, et je donne à voir ce qu'elle est réellement.

— Oh, c'est vous *maestro* ? dit le policier.

— Eh bien, vous allez m'arrêter ?

— Vous arrêter ? Encore ?

— J'ai commis un acte de vandalisme sur cette fresque.

— Je ne dirais pas ça.

— Je ne suis pas un trouble à l'ordre public, peut-être ?

— *Maestro*, pendant le carnaval tout le monde est un trouble à l'ordre public. Les règles sont différentes. Revenez la semaine prochaine et recommencez ; alors, peut-être, nous vous arrêterons.

12

Attention, chute d'anges

Du haut d'un petit pont, Lesa Marcello regardait des ouvriers démonter le dernier échafaudage de l'église Santa Maria dei Miracoli. Le bâtiment, vieux de cinq cents ans, était resté enveloppé dans un cocon de toile pendant dix ans, le temps que les restaurateurs terminassent leur travail. À présent, il se dévoilait à nos yeux : un coffret à bijoux multicolore, pré-Renaissance, dans son étui marqueté de marbre et de porphyre.

Véritable bijou elle-même, Santa Maria dei Miracoli est sertie dans une minuscule niche, au cœur d'un dédale de rues tellement enchevêtrées et en dehors des parcours habituels que, le plus souvent, on tombe sur elle par hasard. Un petit canal la longe sur un côté, lui offrant ses reflets. En un mot, Santa Maria dei Miracoli est irrésistible. Même John Ruskin, qui détestait l'architecture de la Renaissance, admettait qu'elle était l'un des édifices les plus « raffinés » de Venise. Dès lors, rien d'étonnant à ce que Santa Maria dei Miracoli – Sainte-Marie-des-Miracles – soit depuis toujours l'église la plus prisée pour les cérémonies de mariage.

Sa restauration avait été financée par Save Venice, une organisation américaine à but non lucratif qui se consacre à la préservation des œuvres d'art et de l'architecture vénitiennes. En tant que directrice du bureau local, la comtesse Marcello était venue inspecter l'évolution des travaux chaque semaine pendant plusieurs années, discutant avec les artisans, les ouvriers, les entrepreneurs et les représentants de la municipalité. Certaines fois, elle était même montée sur les échafaudages pour y regarder de plus près.

Comme pour tous les autres projets vénitiens, il n'avait pas suffi de réunir l'argent et d'envoyer les artisans au travail pour lancer le chantier de restauration de l'église. Les bureaucrates de la ville partagent rarement le sentiment d'urgence des donateurs. S'ils sentent leur autorité ou leur expertise menacées, ils peuvent bloquer indéfiniment un dossier. Conscients de cette réalité, les responsables de Save Venice avaient eu la bonne idée de faire appel à la comtesse pour diriger leur bureau de Venise. Ils avaient également élu dans leur conseil d'administration plusieurs nobles vénitiens, y compris le comte Girolamo Marcello, époux de Lesa.

La comtesse Marcello, une femme d'une élégance paisible et discrète, s'est révélée exceptionnellement précieuse pour Save Venice. Elle connaît personnellement les responsables ; mieux, elle connaît les rivalités au sein de la bureaucratie et, par conséquent, sait manœuvrer avec adresse sans avoir à marcher sur des œufs. Elle est passée maîtresse dans l'art de négocier à la vénitienne, et a compris qu'on parvient mieux à ses fins autour d'un café au Florian que dans un bureau de la mairie. Au fil de la conversation, la comtesse sait aborder les problèmes. Elle trouve des compromis et, s'il arrive que les responsables de Save Venice laissent paraître quelque impatience – et c'est fréquent –, elle n'en tient jamais informés les Vénitiens.

— Ces affaires doivent toujours se traiter en privé, m'expliqua-t-elle durant l'entretien qu'elle m'accorda dans son bureau un après-midi. Jamais de façon officielle. Par exemple, si Save Venice finance la restauration d'un tableau, l'un des experts en œuvres d'art de son conseil d'administration peut venir à Venise et dire au responsable du travail : « Vous savez, vous ne devriez pas utiliser ce produit. » Le responsable, s'estimant attaqué, répondra : « C'est pourtant comme ça que nous avons l'intention de procéder. » Et le projet sera bloqué. Je préfère aborder le sujet en disant : « On m'a demandé si ceci ou cela était envisageable... » Ensuite, je compare les deux idées au lieu de les opposer.

C'est une différence très subtile, mais capitale. C'est notre nature, notre façon d'évoluer, de naviguer : en douceur, sans agressivité. Les responsables sont tout à fait prêts à discuter de nouvelles idées avec d'autres experts, mais seulement si nous présentons les choses en toute impartialité. Et, bien sûr, uniquement en privé.

— Qu'est-ce que vous entendez par « en privé » ?

— En tête à tête. Si une tierce personne est présente, alors ce n'est plus une conversation privée. C'est un entretien public, et le responsable a cette réaction très humaine : il se sent gêné.

En temps normal, Save Venice restaure les projets figurant dans une liste dressée par ces responsables. Mais dans le cas de Santa Maria dei Miracoli, l'idée vient directement de Save Venice. L'église ne figurait sur aucune des listes habituelles. À l'intérieur comme à l'extérieur, elle était devenue grise sous les couches de saleté graisseuse. Save Venice avait envisagé de recourir à une méthode expérimentale pour lui redonner son lustre, idée à laquelle le responsable des monuments s'était d'abord rigoureusement opposé. Avant d'autoriser le moindre travail de rénovation, il voulait entreprendre une étude complète et détaillée de l'ensemble de l'édifice, et cela aurait pu prendre des décennies. Finalement, Save Venice avait proposé de procéder par étapes : examiner une petite fraction de murs, voir ce qu'ils révéleraient et, à partir de là, décider de continuer ou non. Le responsable avait accepté et le chantier avait pu débuter.

Save Venice avait espéré qu'il s'achèverait deux ans plus tard, en 1989, juste à temps pour le cinq-centième anniversaire de l'église. Mais les propres experts de l'organisation avaient insisté pour que soient réalisées des études préalables qui avaient, à elles seules, duré deux ans. Des techniciens avaient analysé des échantillons de chaque matériau structurel, pris des mesures au laser pour réaliser des dessins à l'échelle, sondé les murs pour enregistrer leur température et leur taux d'humidité.

Quand ils détachèrent des murs en brique les premiers panneaux de marbre, ils découvrirent que le sel des canaux s'était infiltré dans les briques poreuses et avait imprégné le marbre. Les dalles de marbre présentaient un taux de salinité de 14 %, et beaucoup étaient sur le point de se fendre. Chaque morceau de marbre dut par conséquent être retiré et dessalé, en restant plusieurs mois dans des citernes en acier fabriquées spécialement pour l'occasion et remplies d'eau distillée pulsée.

La restauration avait duré non pas deux mais dix ans, et les coûts grimpé d'une estimation de 1 million de dollars à 4 millions. Mais, à présent, rien de tout cela n'avait d'importance. Santa Maria dei Miracoli était déjà saluée comme un chef-d'œuvre de restauration et un modèle de collaboration. C'était le projet le plus ambitieux jamais entrepris par l'un des trente organismes privés s'occupant de restaurer les monuments de Venise. Ce résultat spectaculaire avait entraîné un regain de bienveillance à l'égard de Save Venice. Les membres du prestigieux Ateneo Veneto, le conseil suprême de la communauté intellectuelle de la ville, avaient décidé de remettre sa plus prestigieuse récompense, le prix Pietro Torta, à Save Venice et à son directeur Lawrence Dow Lovett.

Un peu plus tôt dans la journée, Lesa Marcello avait annoncé à Lovett que l'attribution du prix lui avait été confirmée. Originaire de Jacksonville, en Floride, Lovett s'était fait apprécier des Vénitiens en achetant un palais du xixᵉ siècle sur le Grand Canal, en le restaurant puis en s'y installant. Le mobilier était somptueux et sa terrasse – la plus vaste de toutes les maisons bordant le canal – offrait une vue magnifique sur le Rialto. Lovett organisait souvent des réceptions raffinées pour vingt convives ou plus, où un escadron de serveurs en gants blancs apportaient des plats préparés par le Harry's Bar.

La comtesse Marcello avait également envoyé un message au président de Save Venice, Randolph « Bob » Guthrie, qui vivait à New York, pour lui annoncer la nouvelle. Guthrie, chirurgien esthétique réputé et co-inventeur de la chirurgie reconstructrice du sein, vivait avec sa femme Bea dans une maison de l'Upper East Side de Manhattan, dont le rez-de-chaussée abritait le quartier général de Save Venice.

D'excellente humeur, Lesa Marcello quitta l'église pour se rendre au bureau de Save Venice. Elle savait qu'à sa façon elle avait contribué au succès de la restauration de l'église. En arrivant, elle trouva un fax signé Bob Guthrie. Elle lut la première phrase. Elle la relut. « L'annonce de l'attribution du prix Torta à un individu est choquante. »

Elle lut la suite, sentant son cœur vaciller.

« Merci d'expliquer au président de l'Ateneo Veneto que la restauration de l'église Santa Maria dei Miracoli est le fruit des efforts d'un grand nombre de membres de Save Venice et que la décision du comité de distinguer un individu est inacceptable aux yeux du conseil d'administration de Save Venice. Si la récompense doit être décernée, qu'elle le soit à l'organisation Save Venice dans son ensemble. Dans le cas contraire, Save Venice demandera officiellement qu'aucune récompense ne soit décernée pour son travail. »

Sans jamais nommer Larry Lovett, Guthrie demandait à Lesa de préciser aux membres du comité que « la personne » choisie pour recevoir son prix n'était pas le président de Save Venice depuis près de dix ans et que, de toute façon, il serait très présomptueux d'accepter à titre individuel un prix récompensant un travail de groupe.

Le message de Guthrie était direct, péremptoire et sans appel. En conclusion, Guthrie expliquait à Lesa qu'elle ne devait en aucune façon coopérer avec les membres de l'Ateo Veneto ou leur transmettre des informations, des photos ou toute autre sorte de documents, sauf si le comité acceptait de changer d'avis. « Je veux que notre position soit clairement comprise à Venise. »

Les raisons pour lesquelles Guthrie avait envoyé ce fax étaient nombreuses et compliquées, et la comtesse en avait bien conscience. Mais, dans l'immédiat, ce message signifiait une seule chose : un comité de Vénitiens éminents avait décidé par vote de distinguer Save Venice et son directeur, Larry Lovett, en leur décernant son prix le plus prestigieux, et Bob Guthrie, président de Save Venice, était sur le point de le leur renvoyer à la figure.

Les rapports entre le directeur et le président de Save Venice s'étaient détériorés en deux ans, depuis 1995. Le premier signe extérieur fut si infime que peu de personnes le remarquèrent : pour la première fois, le nom de Bob Guthrie apparut au-dessus de celui de Larry Lovett dans la liste du conseil d'administration de Save Venice publiée dans le magazine sur papier glacé de l'organisation, dont le rédacteur en chef n'était autre que Guthrie. Ce brusque changement de hiérarchie avait désagréablement surpris Lovett.

Les racines de cette opposition croissante plongeaient au début des années soixante, avant la première rencontre entre les deux hommes. À l'époque, un colonel retraité de l'armée américaine déclara, lors d'une réception à Rome, qu'il était possible de stabiliser l'inclinaison de la tour de Pise en gelant le sous-sol. Sa remarque ne passa pas inaperçue : le commissaire aux Beaux-Arts et aux Antiquités d'Italie déclara au colonel James A. Gray que son idée était ingénieuse et méritait d'être essayée si une étude confirmait sa faisabilité. Gray se mit aussitôt au travail.

En fin de compte, la tour fut stabilisée d'une autre façon mais, au terme de ses recherches, le colonel s'était transformé en un fervent partisan de la protection des œuvres d'art et de l'architecture mondiales. Après s'être renseigné, il s'aperçut qu'il n'existait aucune organisation privée à but non lucratif spécialisée dans cette activité. En 1965, il créa donc l'International Fund for Monuments, qu'il dirigeait depuis son appartement new-yorkais du National Arts Club, sur Gramercy Park. (Vingt ans plus tard, après avoir prospéré, l'organisation du colonel Gray serait rebaptisée World Monuments Fund.) Son choix de projets était un peu saugrenu et éclectique, allant des mystérieuses statues de l'île de Pâques aux pierres funéraires gravées dans les collines d'Éthiopie.

Et puis, le 4 novembre 1966, la conjonction de pluies continues, de vents violents et de secousses sismiques sous les fonds marins de l'Adriatique ont provoqué des marées extrêmement fortes qui ont inondé le nord de l'Italie et plongé Venise sous un mètre et demi d'eau pendant plus de vingt-quatre heures.

À la suite de cette inondation, les regards se tournèrent rapidement vers Florence, où l'Arno était sorti de son lit de plus de 6 mètres, tuant quatre-vingt-dix personnes et abîmant ou détruisant des milliers d'œuvres d'art. Les amateurs d'art du monde entier formèrent des comités pour envoyer des fonds et de l'assistance. Aux États-Unis, le Committee to Rescue Italian Art fut fondé avec, pour présidente honoraire, Jacqueline Kennedy.

À Venise, où peu d'œuvres d'art avaient été touchées par l'inondation et où l'on ne déplorait aucune perte humaine, il apparut pourtant rapidement que la situation était beaucoup plus préoccupante qu'à Florence. La ville avait été bâtie sur des millions de piliers en bois enfoncés dans la vase au fond de la lagune. Au fil des siècles, à mesure que la ville s'enracinait dans la terre et que le niveau de la mer montait, ses fondations étaient devenues instables. Lorsque les experts se penchèrent sur le problème, ils se rendirent compte que la plupart de ses bâtiments et presque toutes ses œuvres d'art étaient dans un état déplorable, résultat de deux siècles d'abandon consécutifs à la capitulation de la ville devant Napoléon. À travers toute la ville, les tableaux étaient noircis par la suie, moisis et présentaient des fissures. La plupart des chefs-d'œuvre se trouvaient dans des églises, sans protection contre les éléments à cause des trous dans les plafonds. Beaucoup d'édifices présentaient des façades croulantes et des fondations érodées. Il y avait toujours un risque de voir se fracasser dans la rue des fragments de murs, des briques, des morceaux de marbre, de corniches et d'éléments décoratifs. Toute la façade ouest de la Chiesa dei Gesuiti menaçait de s'effondrer dans le canal contigu. Après qu'un ange de marbre fut tombé du parapet de la très décorée mais très délabrée église Santa Maria della Salute, Arrigo Cipriani, propriétaire du Harry's Bar, installa un écriteau sur le parvis : « Attention, chute d'anges ».

Constatant que l'existence même de Venise était menacée, le colonel Gray créa un « Venice Committee » au sein de l'International Fund for Monuments. Pendant que les opérations de sauvetage s'achevaient à Florence, Gray engagea le responsable du Committee to Rescue Italian Art, le professeur John McAndrew, en tant que directeur du Venice Committee.

Professeur en histoire de l'architecture, McAndrew était sur le point de quitter son poste au Wellesley College pour prendre sa retraite. Durant une vie aussi active que variée, il avait travaillé comme conservateur du département d'architecture du musée d'Art moderne de New York après avoir occupé à Mexico pendant la Seconde Guerre mondiale le poste de coordinateur des affaires interaméricaines pour le ministère des Affaires étrangères. Spécialiste de Frank Lloyd Wright et d'Alvar Aalto, il avait publié de nombreux articles pour des revues universitaires.

Dans les années soixante-dix, grâce à McAndrew, un groupe d'intellectuels et de mécènes vint grossir les rangs du Venice Committee. Parmi eux se trouvaient Sydney J. Freedberg, spécialiste de la Renaissance et directeur de la section Beaux-Arts de Harvard ; Rollin « Bump » Hadley, directeur du musée Isabella Stewart Gardner de Boston ; le collectionneur suisse Walter Bareiss et Gladys Delmas, une Américaine philanthrope passionnée par Venise. À la même période, des organisations similaires naquirent dans d'autres pays : en Grande-Bretagne, Venice in Peril ; en France, le Comité français pour la sauvegarde de Venise ; en Suède, Pro Venezia. Au bout du compte, trente-trois organismes privés à but non lucratif virent le jour, fédérés par un même bureau de liaison à l'Unesco, l'Association of Private Committees.

Durant les quatre premières années, le Venice Committee fut à l'origine d'une dizaine d'importants chantiers de nettoyage et de restauration, à commencer par celui de la façade de la Ca' d'Oro, un palais gothique au bord du Grand Canal. En témoignage de gratitude pour l'action de Save Venice, les aristocrates vénitiens firent quelque chose d'extraordinaire – du moins, pour les Vénitiens : ils invitèrent les Américains aux réceptions qu'ils organisaient dans leurs palais. Ce geste en apparence minime fut le signe d'une révolution sociale à Venise. D'ordinaire, les Vénitiens n'invitent personne chez eux hormis les membres de leur famille et leurs amis intimes. Lancer des invitations au-delà de ce cercle fermé représentait un véritable sacrilège. Cette nouvelle forme d'hospitalité est un bon indicateur de l'estime dans laquelle les Vénitiens tenaient Save Venice. C'était aussi la première occasion d'accéder à de somptueux sanctuaires à jamais fermés aux touristes.

Très vite, pourtant, le fossé se creusa entre la personnalité énergique du colonel Gray et la préciosité des membres de Save Venice. Gray était un homme d'action aux manières directes, d'un charme indéniable, mais manquant cruellement de distinction aristocratique. Ancien ingénieur en électricité et parachutiste ayant sauté des centaines de fois en Italie pendant la guerre, il n'avait aucune expérience du monde de l'art. Quand l'envie l'en prenait, il s'exprimait avec verdeur et se fendait de plaisanteries grivoises aux moments les plus mal choisis.

Gray devenait une gêne pour McAndrew, Hadley et Bareiss, qui commencèrent à prendre leurs distances. Gray, pour sa part, les considérait comme des dilettantes mondains qui passaient leur temps à boire du *prosecco* dans des cocktails au bord du Grand Canal. Quand le Venice Committee lança l'idée d'organiser une réception à Boston pour lever des fonds, Gray la rejeta, la considérant comme une perte de temps. Pour lever des fonds, prétendait-il, il suffisait de s'asseoir à la terrasse du Gritti à 17 heures, de siroter une vodka et de bavarder avec les riches clients de la table voisine. Au moment de partir, on avait en poche un chèque de 10 000 dollars à l'ordre du Venice Committee. Il avait lui-même plus d'une fois éprouvé l'efficacité de cette méthode.

Pour les membres du Venice Committee, le colonel Gray n'appartenait tout simplement pas à leur monde. Leurs relations devinrent de plus en plus hostiles. Bump Hadley détestait le colonel et ne lui adressait pour ainsi dire plus la parole. Finalement, McAndrew proposa à Gray, en 1971, que le Venice Committee fasse scission d'avec l'International Fund for Monuments pour devenir un organisme indépendant uniquement tourné vers la sauvegarde de l'architecture et de l'art vénitiens. Gray ne formula aucune objection. « Pourquoi ne l'appelleriez-vous pas Save Venice ? » suggéra-t-il.

Le Venice Committee devint donc Save Venice Inc., avec McAndrew comme directeur et Bump Hadley comme président. Cette organisation à but non lucratif était constituée d'un conseil d'administration mais ne comportait aucun membre, seulement des donateurs. Dans les dix années qui suivirent, Save Venice supervisa des projets relativement modestes : restauration de tableaux et de statues, réparation urgente des toits, des murs et des sols de plusieurs bâtiments. À la fin des années soixante-dix, Bump Hadley contacta Larry Lovett, un ancien camarade de Harvard, et lui demanda d'entrer au conseil d'administration de Save Venice en tant que trésorier.

Érudit et sympathique, Larry Lovett était aussi héritier de la chaîne d'épiceries Piggly Wiggly, et donc très riche. Il avait quitté Jacksonville pour New York avec une soif de reconnaissance sociale, et avait eu la chance d'être pris sous l'aile de Mme John Barry Ryan, doyenne de la haute société new-yorkaise. Il était devenu directeur de la Metropolitan Opera Guild puis, plus tard, de la Chamber Music Society du Lincoln Center. Il vivait depuis plusieurs mois à Venise lorsque Hadley lui proposa d'entrer à Save Venice, et il accepta. Puis, en 1986, Hadley offrit le poste de directeur à Lovett, et Lovett se mit à chercher quelqu'un pour le remplacer à celui de trésorier.

Lovett connaissait Bob et Bea Guthrie depuis plus de dix ans. Lorsqu'il dirigeait le Metropolitan Opera Guild, il avait travaillé avec Bea qui était chargée d'apporter la touche finale aux projets de développement. Bea Guthrie, née Phipps, était la nièce d'Ogden Phipps, propriétaire d'une écurie de chevaux de course. Elle était sortie du Smith College diplômée d'histoire de l'art, *summa cum laude*. Comme Lovett, les Guthrie étaient fascinés par Venise. Avec son activité très prenante de chirurgien plasticien, Bob hésitait à accepter le poste de trésorier, mais Lovett parvint à le convaincre. Lorsque Bob reçut les livres de comptes de Save Venice, il constata que l'organisation était dans une confusion totale. Et sa liste de donateurs était inutile : la moitié des personnes qui y figuraient avaient déménagé ou étaient décédées. Sur les milliers de noms, seuls quatre-vingt-quatre correspondaient à des contributeurs actifs. En tout, l'organisation récoltait chaque année, au mieux, 40 000 à 50 000 dollars. Guthrie expliqua à Lovett que Save Venice était pratiquement morte.

Mais Lovett avait une idée. Chaque année, à la fin de l'été, pendant le festival du film de Venise et les concours de régates, toute une colonie de personnalités internationales s'installait à Venise : Nan Kempner, Deeda Blair et leurs amis. Lovett les connaissait bien, et il était persuadé que, si Save Venice organisait un dîner et un bal suffisamment glamour dans un palais du Grand Canal, ils accourraient et ce petit noyau attirerait d'autres personnes désireuses de s'afficher à leurs côtés. Après de multiples discussions, le choix s'arrêta sur un gala de quatre jours proposant également des visites guidées, des récitals, des conférences et, grâce à la récente bienveillance des Vénitiens qui acceptaient d'ouvrir leurs maisons aux bienfaiteurs de la ville, des soirées dans des *palazzi* privés.

Séduit par l'idée d'un gala luxueux de collecte de fonds à Venise, le conseil d'administration décida que Save Venice devait monter en puissance pour atteindre une ampleur que personne n'aurait imaginée. Au lieu de restaurer chaque année quelques tableaux, Save Venice lèverait des fonds pour se lancer dans la restauration d'édifices complets. Le premier de ces projets ambitieux serait l'église Santa Maria dei Miracoli et nécessiterait la collecte d'un million de dollars.

Réorganiser Save Venice à cette échelle nécessiterait les services d'un professionnel des collectes de fonds : Bea Guthrie accepta le poste de directrice adjointe.

Un an plus tard, en 1987, le premier Save Venice Regatta Week Gala attira quatre cents personnes qui payèrent chacune 1 000 dollars pour avoir le privilège d'y prendre part. Elles eurent droit à des visites privées menées par Gore Vidal, Erica Jong et l'historien anglais John Julius Norwich, ainsi qu'à des déjeuners, des cocktails et des dîners dans cinq palais privés différents. Elles furent invitées au palais des Doges pour assister à la présentation de la dernière restauration en date financée par Save Venice, le monumental *Paradis* du Tintoret. Elles furent conduites en gondole le long des canaux sinueux pour voir le prochain chantier, l'église Santa Maria dei Miracoli. Le dernier soir, elles se rendirent au Palazzo Pisani-Moretta pour un dîner suivi d'un bal animé par Peter Duchin et son orchestre, complété à l'étage par un spectacle de cabaret signé Bobby Short.

La haute société avait répondu présent à l'invitation, comme on pouvait le constater à tout moment. Le programme officiel du gala insistait bien sur la nécessité de se rendre aux différents événements muni de son ticket numéroté, en raison des consignes très strictes de sécurité « dues à la présence de nombreux ambassadeurs, ministres et autres personnalités officielles ». Aux réceptions, on rencontrait Hubert de Givenchy, le prince Amyn Aga Khan, Evangeline Bruce, Michael York, l'ambassadeur des États-Unis Maxwell Rabb et Leurs Altesses royales le prince et la princesse Michael de Kent.

Avec l'aide de sponsors issus de l'univers du luxe – Tiffany, Piaget, Escada, Moët & Chandon –, Save Venice récolta cette année-là 350 000 dollars.

Le Regatta Gala devint un événement bisannuel qui affichait toujours complet, même lorsque le prix des tickets grimpa à 3 000 dollars. Une année sur deux, Save Venice sponsorisait des croisières de luxe en Méditerranée, où des historiens et des experts en art proposaient des conférences, des visites guidées et, dans l'ensemble, donnaient à la croisière une petite touche pédagogique. Les revenus annuels bruts atteignirent bientôt le million de dollars, et Save Venice prit en charge la moitié des chantiers de restauration financés par l'ensemble des trente comités privés.

Tout au long des années quatre-vingt, la vie de l'organisation se déroula en parfaite harmonie. Les Guthrie, à la tête d'une petite équipe, veillaient à sa bonne marche quotidienne depuis le rez-de-chaussée de leur maison. Lors des événements organisés par Save Venice, le très sociable Bob Guthrie circulait parmi les convives, se présentait à eux et s'assurait que chacun passait une bonne soirée. Compte tenu de ses connaissances en histoire de l'art, Bea Guthrie consacrait une énergie considérable aux aspects didactiques des activités prévues pour les galas.

De son côté, Larry Lovett faisait la cour aux Européens les plus riches, les plus en vue et les plus titrés. Il en persuadait certains de faire partie du conseil d'administration, d'autres de participer à différents événements en tant qu'invités d'honneur. Ses efforts se traduisaient par des articles de presse généralement truffés de « Son Altesse royale », « Son Altesse sérénissime », « Son Excellence », « le Duc », « la Duchesse », « le Comte », « la Comtesse », « le Baron », « la Baronne », « le Marquis », « la Marquise ». Ces titres, ô combien romantiques, attiraient des centaines de personnes vers Save Venice, ses galas et ses bals.

En 1990, Lovett, qui commençait à trouver ses obligations présidentielles trop prenantes, demanda à Guthrie d'accepter son poste de président et de lui céder celui de directeur de l'organisation. Guthrie accepta. À ce moment-là, les Vénitiens chérissaient sans réserve Save Venice. Lovett continua de remplir son rôle d'hôte accueillant sur la scène sociale pendant que les Guthrie étaient admirés de tous pour leurs efforts inlassables – images très positives pour l'organisation. À vrai dire, Bob Guthrie était devenu un héros depuis son intervention décisive lors de l'accident sanglant et effrayant dont avait été victime une marquise – en l'occurrence, le visage d'une marquise.

La marquise, nommée Barbara Berlingieri, était une aristocrate que Guthrie avait longuement courtisée avant qu'elle accepte d'entrer au conseil d'administration de Save Venice. Sans elle, jamais la société vénitienne et ses palais n'auraient ouvert leurs portes à Lovett et à l'organisation. Ce rôle déterminant lui avait valu d'accéder à la vice-présidence de Save Venice. Barbara et son mari Alberto accueillaient fréquemment le prince et la princesse Michael de Kent dans leur palais sur le Grand Canal, et les Kent les invitaient en retour. Comme l'avait souligné, avec un peu d'ironie, le *Corriere della Sera*, les Berlingieri passaient pratiquement leur vie à Kensington Palace.

Barbara Berlingieri était l'une des plus belles femmes de la haute société vénitienne. Son visage aux traits classiques était rehaussé d'une paire d'yeux bleus pleins de vivacité, et de cheveux blonds relevés en chignon et pris dans un nœud de velours noir. Le Palazzo Treves, où vivaient les Berlingieri, était très réputé pour son intérieur néoclassique et ses deux gigantesques statues de Canova représentant Hector et Ajax trônant au milieu d'une salle à colonnes spécialement conçue pour les accueillir.

Un après-midi, au lendemain du gala de quatre jours organisé par Save Venice, Barbara Berlingieri était dans son palais quand le téléphone, situé dans une alcôve à l'autre extrémité du long hall central, se mit à sonner. En courant pour aller décrocher, la marquise glissa sur le sol en granito et tomba contre un lourd rideau, heurtant la fenêtre juste derrière. La vitre se brisa et un long morceau de verre, en traversant le rideau, lacéra le visage de Barbara Berlingieri de l'œil gauche à la bouche, entaillant la pommette. Le visage en sang, elle hurla à son mari : « Appelle Bob Guthrie ! »

Guthrie était en train de faire ses bagages pour partir à New York. Il se précipita aussitôt au Palazzo Treves.

— Barbara était dans sa chambre, me raconta-t-il. Il y avait du sang partout. Alberto aspergeait frénétiquement le visage de la malheureuse d'un cicatrisant à séchage rapide utilisé pour les petites coupures. Mais là, il s'agissait d'une plaie béante, et tout ce qu'il faisait, c'était de couvrir sa peau d'un épais pansement gorgé de sang.

En quelques minutes, un bateau-ambulance vint les chercher et les emmena à toute vitesse à l'hôpital San Giovanni e Paolo. Le chirurgien en chef qui allait opérer la marquise vint les accueillir. Mais ce n'était pas un chirurgien plasticien.

— La coupure du visage de Barbara a provoqué deux problèmes sérieux, se rappelait Guthrie. Elle a tranché un muscle zygomatique et le bord de sa lèvre supérieure, ce qu'on appelle le vermillon labial. Si les zygomatiques n'étaient pas recousus correctement ensemble, Barbara risquait de se retrouver avec un sourire de travers, un côté de la bouche levé et l'autre plat. Et si le bord de la lèvre était cousu en ligne droite, il y aurait un pli sur son vermillon labial. Il fallait donc tracer une petite encoche pour préserver la courbure du bord de la lèvre. Le problème, c'est que le chirurgien n'avait jamais pratiqué cette opération auparavant. Alberto lui a expliqué qui j'étais et a insisté pour que j'opère moi-même. Le chirurgien a répondu que, malheureusement, ce serait illégal : je n'avais pas d'autorisation de pratiquer en Italie ou dans cet hôpital, il ne pouvait donc pas me laisser faire. Alberto, qui est en temps normal un homme très modéré dans ses actes, a alors saisi le chirurgien par la cravate et lui a dit : « C'est ma femme ! Vous allez laisser le Dr Guthrie opérer, ou bien... » Je suis resté silencieux, car je savais que le docteur avait raison. Il a eu l'air un peu remué, puis il a dit : « Eh bien, je ne vois pas pourquoi le Dr Guthrie ne pourrait pas être présent dans le bloc opératoire en tant qu'observateur. » Alors je suis allé me stériliser les mains et nous sommes allés au bloc. Le docteur allait commencer l'opération quand il s'est tourné vers moi en me disant : « Dr Guthrie, pourquoi ne nous feriez-vous pas une démonstration de votre technique ? » Cette proposition étant parfaitement adéquate, j'ai procédé moi-même à l'intervention et tout s'est admirablement déroulé.

Après la résolution héroïque de cet incident, Save Venice et toutes les personnes qui y étaient liées ont été submergés d'une vague de gratitude de la part des Vénitiens. Barbara Berlingieri déclara publiquement que Bob Guthrie avait sauvé son visage, et lui avait sauvé la vie.

Pendant les quatre ou cinq années qui suivirent, les affaires reprirent leur cours paisible et heureux. Compte tenu du succès global des projets de Save Venice, ni le président Guthrie ni le directeur Lovett ne choisirent de voir dans certaines irritations naissantes les prémices d'un véritable problème.

Guthrie découvrit ainsi que Lovett faisait des déclarations publiques et prenait des engagements au nom de Save Venice sans l'en informer au préalable ; parfois, il annulait même des ordres donnés par Guthrie. En outre, son nom figurant en tête de liste du conseil d'administration, lui seul recevait les bulletins de l'Association of Private Committee, le bureau de liaison de l'Unesco. Or, ces bulletins contenaient des informations primordiales sur les chantiers de restauration de Save Venice et des autres comités. Malgré cela, et pour des raisons qui demeurent obscures, Lovett refusait de les communiquer à Guthrie. Guthrie se sentit vexé quand Lovett accepta une médaille décernée en hommage au travail effectué par Save Venice pour la basilique Saint-Marc et ne l'invita pas à la cérémonie – il ne prit du reste même pas la peine de lui annoncer la nouvelle. Guthrie n'apprécia pas non plus le fait que Lovett fasse graver son nom sur une plaque commémorant la restauration des fonts baptismaux de l'église San Giovanni, à Bragora, plaque qui serait dévoilée lors d'une cérémonie où Lovett avait convié des journalistes et des amis choisis, mais pas Bob Guthrie. C'était la première fois qu'une plaque commémorative de Save Venice portait le nom d'un donateur vivant, même si les donateurs avaient pour habitude de procéder à des dons nominatifs pour un chantier bien précis, comme ç'avait été le cas pour Lovett et l'église San Giovanni.

De son côté, Lovett ne protesta pas quand Bob Guthrie, devenu président, adopta des manières de plus en plus autocratiques, parlant au nom de l'ensemble du conseil d'administration sans prendre la peine de sonder auparavant ses membres, ou déclarant qu'il ferait un discours – à la place de Lovett – à tel ou tel événement. Et Lovett cachait mal son envie de rentrer sous terre lorsque Guthrie présentait des demandes extravagantes aux autorités vénitiennes – insistant par exemple pour qu'elles autorisent Save Venice à utiliser des bateaux à moteur bien plus grands que des bateaux-taxis pour transporter ses invités sur le Grand Canal, alors même que ces bateaux étaient interdits à cause de l'engorgement des voies navigables et pour atténuer les risques d'usure, par les vagues et les remous, des fondations des édifices bordant le Grand Canal. (À cause de l'argent investi dans la ville par Save Venice, les autorités répondaient en général favorablement à de telles demandes, mais en serrant les dents.)

Pour le moment, la bonne entente était de rigueur. Mais un jour, tout bascula : Bob Guthrie apprit que Larry Lovett l'avait traité, lui et son épouse Bea, de « simples extras ». C'est ce qui le décida à inscrire son nom au-dessus de celui de Lovett dans l'organigramme du conseil d'administration de Save Venice. C'était la salve d'ouverture de ce qui allait devenir une bataille ouverte, de plus en plus sanglante.

* * *

On pourrait difficilement imaginer plus différents en tempérament et en stature que Larry Lovett et Bob Guthrie.

Lawrence Dow « Larry » Lovett était l'expression même du raffinement, dans sa façon de parler, d'agir, de s'habiller, d'évoluer dans son cadre de vie. Enfant, il avait rêvé d'être pianiste concertiste et, à dix-sept ans, avait fait une tournée en Afrique du Sud devant un public restreint. Mais un trac pathologique l'avait finalement contraint de renoncer à une carrière. Il était sorti diplômé de l'université de Harvard puis de la Harvard Law School. Il occupa plusieurs postes de cadre dans les entreprises de son père – compagnies maritimes et pétrolières – avant de prendre sa retraite à l'âge de cinquante ans pour se consacrer à ses loisirs, le mécénat d'art et la fréquentation des cercles les plus huppés de la haute société. Il réussit son plus grand « coup » en 1995 quand Diana, princesse de Galles, présente à Venise à l'occasion de l'ouverture du pavillon britannique de la Biennale, vint déjeuner dans le palais de Lovett, charriant derrière elle l'essaim habituel de journalistes et de caméras de télévision.

Peu après son repas triomphal avec Lady Di, Lovett ouvrit son exemplaire du Save Venice Regatta Week Gala et découvrit le nom de Bob Guthrie imprimé au-dessus du sien.

Randolph H. Guthrie Jr était un homme grand. Plus exactement, un homme massif : lorsqu'il marchait, même très lentement, on avait toujours l'impression qu'il avait besoin de plusieurs pas pour s'arrêter. Fils d'un éminent avocat new-yorkais (le Guthrie du cabinet d'avocats de Richard Nixon : Nixon, Mudge, Rose, Guthrie, Alexander & Mitchell), il avait fait ses études à la Saint Paul's School avant d'en être renvoyé pour avoir fait exploser une bombe dans un des dortoirs. Il avait poursuivi son parcours à Andover, Princeton puis à la Harvard Medical School. C'était un être brillant, sûr de lui, motivé, extrêmement déterminé et animé d'un sens des responsabilités qui faisait de lui un chef naturel. Le contrepoint de ces qualités était sa tendance à gérer les conflits dans l'affrontement, le choc frontal, ce qui lui avait valu d'être révoqué de nombreux conseils d'administration. La lenteur avec laquelle les affaires se traitaient à Venise le désolait, et, plus d'une fois, on l'avait entendu dire « Venise serait tellement mieux sans les Vénitiens » ou « les Vénitiens sont les plus gros parasites du monde ». Il était également connu pour intimider ou humilier ses subordonnés en public.

Lors d'une rencontre en tête à tête avec Guthrie, Larry Lovett reprocha violemment à son collègue l'interversion de leurs noms dans l'organigramme de Save Venice. Dans le récit de cette conversation, telle que Guthrie s'en souvient, ce dernier répondit à Lovett qu'il n'avait à s'en prendre qu'à lui-même : après tout, c'est lui qui avait ébranlé la confiance de Guthrie en s'autorisant des déclarations et des engagements publics au nom de l'organisation sans l'en avoir d'abord avisé. Guthrie le prévint aussi qu'il procéderait au même changement de nom sur l'en-tête des courriers de Save Venice si Lovett persistait dans cette attitude. Lovett menaça Guthrie de démissionner s'il mettait cette menace à exécution, et Guthrie n'insista pas, satisfait d'avoir dit ce qu'il avait à dire. Il proposa alors à Lovett de lui laisser reprendre la présidence de l'organisation, mais Lovett répondit qu'il n'avait pas assez de temps pour s'y consacrer pleinement et qu'en outre il refusait d'assumer la moindre responsabilité légale.

— Dans ce cas, il est hors de question que tu organises des inaugurations et des cérémonies, que tu fasses des déclarations ou que tu prennes des engagements au nom de Save Venice, que tu acceptes des médailles ou que tu t'attribues le mérite des succès de Save Venice sans m'en avertir à l'avance. Je serais ravi de me mettre en retrait et de te laisser le siège de président mais, tant que j'y suis, tu vas devoir marcher au pas !

Lovett jeta un regard furieux à Guthrie.

— En tant que directeur, j'ai certaines prérogatives !

— À vrai dire, en tant que directeur tu n'as rien du tout.

Guthrie tendit à Lovett une copie des statuts de Save Venice.

— Tiens, regarde ça. Nulle part il n'est fait mention d'un directeur. C'est très clair : le président est l'unique responsable de Save Venice. Quand tu as décidé de te nommer directeur – toi qui aimes tant les titres –, tu t'es condamné au néant. Tu n'existes pas.

Quelques personnes remarquèrent le froid entre les deux hommes six mois plus tard, lors du bal masqué organisé dans la Rainbow Room la nuit de l'incendie de La Fenice. Une fois encore, leur querelle était d'ordre privé.

Leurs rapports se détériorèrent encore durant les mois suivants. À Venise, Lovett continuait de se présenter comme l'homme à la tête de Save Venice. Il prévint Guthrie qu'il ne « s'abaisserait pas » à révéler à l'Unesco et aux autres organismes privés qu'il n'était en réalité que le directeur.

— Très franchement, dit Guthrie à Lovett, personne ne t'aime à Venise. Il faut toujours que je nettoie tout derrière toi.

Guthrie proposa à nouveau à Lovett la présidence de Save Venice, et à nouveau Lovett déclina l'offre. Guthrie commença à laisser échapper des remarques désinvoltes sur l'inutilité de Lovett. C'était un paresseux, disait-il, qui passait ses journées à ne rien faire. Pourquoi le garder comme directeur ?

L'affaire prit un tour plus sérieux au début de 1997, lors d'une réunion du conseil d'administration. L'un de ses membres, Alexis Gregory, s'interrogea sur la possibilité de malversations financières de la part du couple Guthrie. Allié de Larry Lovett, Gregory était le propriétaire de Vendome Press, une maison d'édition spécialisée dans les livres d'art. Il cita en exemple les 100 000 dollars dépensés par Bea Guthrie en frais de représentation et se plaignit de ce que les Guthrie facturaient beaucoup trop de voyages et de sorties au restaurant sur le compte de Save Venice. Il contesta l'utilité de louer des locaux à Venise pour 50 000 dollars annuels, quand les bureaux occupaient seulement deux pièces, les Guthrie vivant dans le reste du bâtiment – une maison d'un étage avec trois chambres. Gregory fit remarquer qu'avec l'aide de l'Unesco des bureaux pouvaient être loués à Save Venice pour seulement 5 000 dollars annuels. Larry Lovett accusa Guthrie de « manquer de transparence » dans les comptes de l'organisation. « Chaque fois que l'on demande à Bob Guthrie des précisions sur les finances de Save Venice, ironisa-t-il, il vous assied devant une pile de quatre cents pages et vous laisse regarder par vous-même. »

Deux experts d'Ernst & Young furent dépêchés pour établir un audit serré des comptes, et constatèrent qu'il ne manquait pas le moindre dollar. Pendant ce temps, les membres du conseil d'administration cherchaient un moyen de régler à l'amiable un conflit mesquin et avilissant qui, selon eux, commençait à prendre des proportions gênantes.

À la mi-1997, la scission au sein de Save Venice s'accrut. En mai, lors d'une réunion du conseil d'administration, Lovett cueillit à froid Guthrie en arrivant avec toute une liasse de procurations, grâce auxquelles il remporta le vote pour l'établissement de sous-comités dans lesquels il plaça tous les gens qu'il considérait comme loyaux à sa cause. C'était la première fois que des procurations étaient utilisées dans le conseil d'administration de Save Venice.

Quelques semaines après cette réunion, Barbara Berlingieri invita Guthrie à prendre le thé dans son palais. Elle se plaignait depuis un certain temps de la transformation de personnalité qu'elle avait remarquée chez Guthrie depuis qu'il était devenu président.

— Avant, me confia-t-elle, nous avions l'habitude de discuter des problèmes, mais voilà qu'il se mettait à nous lancer des phrases comme : « Je suis le président. J'ai tous les pouvoirs. Je vous donnerai mes ordres et je n'ai de permission à demander à personne. » Je lui disais : « Bob, pourquoi y a-t-il trente membres dans le conseil d'administration ? Nous ne servons à rien du tout. » Et il me répondait : « Ah, vous ne comprenez pas parce que vous êtes italienne – c'était son excuse favorite –, mais en Amérique le président est seul à décider, il n'a pas besoin de demander l'autorisation. »

Guthrie savait parfaitement que la comtesse était l'alliée la plus fidèle de Lovett. C'était une adversaire redoutable, bien plus rusée encore que Lovett. C'était elle qui avait récolté les procurations pour Lovett. Elle était l'associée d'une autre Vénitienne dans une petite affaire, Venezia Privata, qui proposait des visites, des réceptions, ainsi que l'accès à des palais privés. Depuis des années, elle et Lovett insistaient pour que l'organisation des galas bisannuels soit confiée au bureau vénitien, et non plus au quartier général à New York. Guthrie s'y était toujours opposé car, d'une part, il sentait venir le coup de force et, d'autre part, il soupçonnait la *marchesa* d'y voir une opportunité pour ses affaires personnelles.

Barbara Berlingieri et Bob Guthrie étaient assis dans le salon du *piano nobile*. Barbara attaqua bille en tête :

— Bob, vous savez très bien que nous détenons suffisamment de voix pour vous exclure du conseil d'administration.

Guthrie la dévisagea de l'autre côté de la table basse. La lumière provenant des fenêtres donnant sur le Grand Canal éclairait son profil gauche, là où sa pommette et sa lèvre supérieure avaient été profondément entaillées. Il avait recousu la plaie avec tant d'adresse que la cicatrice était imperceptible, et serait passée inaperçue de toute personne ignorant l'accident de la marquise.

— Mais nous ne vous ferons jamais une chose pareille, reprit-elle en souriant d'un sourire parfaitement symétrique.

Bob Guthrie restait assis, admirant le visage toujours beau de Barbara Berlingieri, admirant son propre travail et, tandis qu'il se laissait bercer par ses pensées, il l'entendit lui dire, à travers ce sourire qu'il était parvenu à sauver :

— Voilà ce que nous acceptons de vous laisser : la présidence du Junior Committee et celle du comité consultatif que nous avons l'intention de créer.

Guthrie garda le silence quelques instants, examinant la proposition volontairement humiliante de la marquise et laissant son esprit vagabonder : que se serait-il passé si, à l'hôpital, il s'était effacé pour laisser le chirurgien l'opérer ? Et si le chirurgien avait un peu trop resserré les muscles de sa joue, la laissant avec un rictus méprisant à la place d'un sourire naturel ? Et s'il avait recousu le vermillon labial en ligne droite, laissant un pli définitif sur sa lèvre ? Non. Bob Guthrie avait eu raison d'enfreindre la loi. Parce qu'à présent, et jusqu'à la fin de sa vie, Barbara Berlingieri se regarderait dans le miroir tous les matins, dans le reflet des vitrines des boutiques, dans son poudrier le temps d'une retouche maquillage, et qu'à chaque fois, chaque jour, elle ferait face à son image, une image qui lui rappellerait le génie de Bob Guthrie et l'extraordinaire ingratitude dont elle avait fait preuve envers lui.

— Barbara, répondit-il, vous avez foiré votre coup.

— Pardon ?

— Vous avez gâché vos procurations. Vous n'auriez pas dû en parler avant notre réunion de la rentrée, après le gala, quand nous élisons nos directeurs. C'est ce vote-là qui est important. Mais, maintenant que vous avez abattu votre jeu, j'ai tout le temps de récupérer mes propres procurations. Alors, nous verrons qui détient vraiment le plus de voix.

À la fin de l'été 1997, plus de trois cents personnes se retrouvèrent à Venise à l'occasion du gala Save Venice. Comme d'habitude à cette période, les joailliers de la place Saint-Marc restaient ouverts plus tard car, avec les membres de Save Venice en ville, ils savaient que cette semaine avait toutes les chances d'être la meilleure de l'année. Dix années s'étaient écoulées depuis le premier gala, quand l'organisation avait jeté son dévolu sur l'église Santa Maria dei Miracoli. L'inauguration de l'église restaurée était prévue pour l'automne. Durant cette décennie, Save Venice avait vu sa stature et ses succès s'accroître. Ses galas affichaient toujours complet, malgré un droit d'entrée de 3 000 dollars, vol et hébergement en sus. Son organigramme affichait fièrement treize personnalités titrées. Et, cette année, huit monarques étaient présents au gala en tant qu'invités d'honneur. Le programme de quatre jours incluait la visite de trois vignobles sur le continent, des soirées dans des palais privés, ainsi qu'un assortiment complet de chasses aux trésors, visites et conférences à thématique culturelle. La compagnie de La Fenice prêta des accessoires et des éléments de décor pour l'un des dîners, et, une fois encore, Peter Duchin et Bobby Short assurèrent l'animation musicale du bal officiel.

Le temps était, comme à son habitude, étouffant et l'air saturé d'un mélange capiteux de santé, de luxe, de privilèges et de pouvoir. Mais cette année s'y mêlait une fragrance de rumeurs concernant les déchirements au sein de Save Venice. Quoique officiellement infondés, les soupçons de détournement de fonds par le couple Guthrie n'en étaient pas moins largement évoqués autour de la piscine du Cipriani. Bea Guthrie remarqua – se l'imaginait-elle ? – que certaines personnes se détournaient à son arrivée. Lors d'un déjeuner sur l'île de Torcello, Bob Guthrie accueillit la princesse Michael de Kent, qui avait été souvent invitée par Save Venice pendant ces dix années. Comme il l'avait toujours fait, il l'appela par son prénom, Marie-Christine. Elle se raidit aussitôt et lui dit : « Vous êtes censé m'appeler Madame. »

À la réunion du conseil d'administration qui fit suite au gala, Bob Guthrie et Larry Lovett apportèrent leurs procurations, chacun espérant renverser l'équilibre des forces à son profit. Toutefois, certains administrateurs n'étaient apparemment pas prêts à assister au règlement de comptes et s'abstinrent, privant ainsi les deux camps d'une majorité. Le duel des procurations se solda par un compromis.

Peu importe : une toute nouvelle controverse venait d'éclater. On avait découvert que, quelques années auparavant, Larry Lovett avait discrètement renoncé à sa nationalité américaine. Il était désormais citoyen irlandais et ne payait plus d'impôts en Amérique. La nouvelle suscita la fureur de plusieurs membres du conseil d'administration. « Si vous voulez jouer les philanthropes et mener une vie luxueuse, fort bien, dit l'un d'eux, mais vous devez d'abord payer vos impôts. » Terry Stanfill, directrice du comité de nomination et femme de l'ancien dirigeant de la 20th Century Fox et de MGM, annonça à Larry Lovett qu'en toute conscience elle ne pouvait pas le désigner pour un nouveau mandat de directeur. Lovett protesta, mais la bataille était perdue : les administrateurs sentaient qu'il serait mal venu de confier la direction d'un organisme américain à but non lucratif – exempté d'impôts – à un homme que les services fiscaux pourraient considérer comme un évadé fiscal. À la place, Lovett fut donc élu au tout nouveau poste de « directeur international » de Save Venice.

Voilà quelle était la situation le jour où Lesa Marcello reçut la bonne nouvelle de l'attribution du prix Pietro Torta à Save Venice et à Larry Lovett.

Après avoir lu le fax de Guthrie exigeant l'attribution du prix à Save Venice dans son ensemble, la comtesse Marcello s'assit à son bureau et écrivit sa réponse. Elle lui expliqua que le prix Torta était toujours décerné à un individu et que le récipiendaire devait être une organisation, alors le prix serait attribué à « une personne » représentant cette organisation, en l'occurrence Larry Lovett. Elle ajoutait qu'elle ne voyait aucun moyen de transmettre le message de Guthrie aux jurés sans leur faire injure et révéler l'existence de dissensions gênantes au sein de Save Venice. Elle concluait en espérant que les problèmes internes à l'organisation pourraient trouver une résolution privée.

Guthrie ne flancha pas. Depuis le début, il soupçonnait Barbara Berlingieri d'avoir intrigué pour que le prix soit décerné à Lovett. Alexis Gregory l'avait pour ainsi dire avoué en déclarant avec jubilation que « Barbara avait tout manigancé pour lui ». Guthrie voyait là une autre preuve de l'insatiable soif de reconnaissance de Lovett. Il décrocha le téléphone, appela l'un des membres du prix Torta et fit clairement comprendre son point de vue.

La nouvelle du coup de fil de Guthrie se répandit rapidement à Venise. Il s'était apparemment montré « intimidant ». Lesa Marcello lui envoya un nouveau fax pour l'avertir que les membres du comité étaient « très choqués » par sa démarche et abasourdis qu'il envisage de refuser le prix. « C'est exactement la situation que je craignais d'avoir à affronter. Nos affaires se présentent mal, très mal. »

Les jurés attribuèrent finalement le prix à Guthrie, mais à contrecœur. Ils retirèrent le nom de Lovett de la déclaration d'attribution du prix mais une photo de lui, accompagnée d'une légende flatteuse, figurait dans le programme de la cérémonie de remise.

Guthrie était à présent convaincu que Lovett et Barbara Berlingieri avaient « corrompu » Lesa, lui donnant l'impression qu'elle n'était plus en charge des affaires à New York. Cela expliquerait ses réticences à répercuter aux jurés les objections de Guthrie et ses explications concernant l'attribution traditionnelle du prix à un individu – c'était là la règle mais, avait remarqué Guthrie, elle avait déjà connu quelques exceptions. Guthrie soupçonnait Larry et Barbara de se servir de Lesa ; elle leur transmettait des informations, elle l'espionnait pour leur compte. Il décida de passer à l'action, et c'est ainsi que, au cours d'une brève conversation téléphonique un matin de janvier 1998, elle apprit qu'elle était renvoyée.

C'est en réalité Paul Wallace, directeur du comité exécutif, qui l'avait appelée, mais sa démarche portait la signature de Guthrie. Et, si Wallace avait proféré tous les soins appropriés – le superbe travail de Lesa... réduction nécessaire des coûts... nous espérons que vous accepterez une avance de six mois de salaire comme consultante... Save Venice tient à vous dédier un de ses prochains projets de restauration –, le message était clair : la comtesse Marcello avait été virée sans préavis et serait bien gentille de vider son bureau avant midi. Guthrie envoya un fax lapidaire à l'Unesco pour donner le nom du nouveau directeur du bureau de Venise, sans même mentionner Lesa Marcello.

En quelques jours, la nouvelle de la révocation brutale de la comtesse se répandit comme une traînée de poudre dans tous les cercles de Venise et au-delà, jusqu'à des gens qui ne connaissaient aucun des protagonistes et n'avaient qu'une vague notion de ce qu'était Save Venice. L'histoire que l'on se racontait dans les bars à vin et les trattorias ne s'embarrassait pas de détails : une organisation de riches Américains avait renvoyé une comtesse vénitienne exempte de tout reproche. Ce qui avait commencé comme une vile chamaillerie mesquine s'était métamorphosé en une insulte publique à Venise et aux Vénitiens.

Cette révocation ébranla le conseil d'administration de Save Venice. L'un de ses membres – le professeur

Wolfgang Wolters, un historien d'art qui avait travaillé en étroite collaboration avec Lesa Marcello sur le projet Santa Maria dei Miracoli – démissionna dès qu'il apprit la nouvelle.

Girolamo Marcello, l'époux de Lesa et l'un des administrateurs de Save Venice, ne démissionna pas. Il s'arrangea discrètement pour assister à la réunion suivante du conseil d'administration, à New York. Il n'avait jamais assisté à une des sessions de New York, seulement à celles de Venise. Quand il franchit le seuil de l'University Club, il vit Bea et Bob Guthrie échanger un regard surpris. Apparemment, Larry Lovett et Barbara Berlingieri étaient les deux seules personnes à savoir ce qui allait se passer.

Mais, avant toute chose, les administrateurs écoutèrent les comptes rendus détaillés de dix-huit projets de Save Venice, dont la restauration d'un tableau de Carpaccio et de la façade de la Scuola Grande di San Marco. Le conseil vota l'achat d'une nacelle élévatrice de dix mètres de haut, la participation à l'achat d'un lecteur-imprimante de microfilms pour les Archives d'État de Venise, et étudia la proposition d'attribuer une bourse de recherches à un jeune conservateur désireux de travailler auprès des meilleurs artisans-restaurateurs de Venise.

Puis le comte Marcello entra en scène. Il distribua des photocopies de sa déclaration traduite en anglais et se prépara à la lire en italien.

— Mon anglais est très médiocre, m'expliqua-t-il, et j'étais tellement remonté... Je ne me serais sans doute pas exprimé très clairement.

Il ajusta ses lunettes et commença son allocution.

« Je suis venu ici aujourd'hui pour vous parler d'une situation très préoccupante pour Venise et pour vous. Ces derniers mois, un détestable conflit interne a empoisonné les rapports délicats entre Save Venice et Venise elle-même. Cela doit cesser. Les préjudices pour la réputation et l'image de Save Venice sont bien plus graves que vous pouvez l'imaginer depuis New York. »

Le comte Marcello évoqua la démarche pleine d'arrogance de Bob Guthrie, annonçant aux jurés du prix Torta que le conseil d'administration de Save Venice risquait de refuser leur récompense.

« En tant que membre du conseil d'administration de Save Venice, je sais que Bob Guthrie parlait sans notre autorisation. »

Concernant le renvoi de son épouse, si le comte reconnaissait à un employeur le droit de se séparer d'un collaborateur, il contestait en revanche la façon de procéder de Guthrie.

« Peut-être ne savez-vous pas qu'à Venise la rupture *sans préavis* d'une relation de travail qui a duré six ans implique automatiquement une faute grave et la malhonnêteté de la personne renvoyée. C'est ce qui s'est passé pour Lesa, et ça m'est insupportable. »

Il marqua une pause et reprit :

« Être Vénitien, savoir comment vivre à Venise est un art. Et notre façon de vivre est sans équivalent dans le reste du monde. Venice est bâtie non seulement sur de la pierre, mais aussi sur un fin réseau de paroles, celles que l'on prononce, celles dont on se souvient, d'histoires et de légendes, de récits faits par des témoins oculaires ou colportés par le bouche à oreille. Travailler à Venise, diriger une affaire à Venise nécessite avant tout de comprendre ses différences, la fragilité de son équilibre. À Venise, nous nous déplaçons avec délicatesse, en silence. Et avec une grande subtilité. Nous sommes très byzantins, sur ce plan, et ce n'est assurément pas facile à comprendre. »

Marcello jaugea son auditoire. À l'exception de deux ou trois hommes capables de comprendre son italien, tous étaient en train de lire sa déclaration en anglais. L'atmosphère était solennelle. Les administrateurs de Save Venice qui se considéraient comme les bienfaiteurs de Venise, des êtres raffinés et versés dans les arcanes de leur ville d'adoption, étaient en train de se faire sermonner comme s'ils ne valaient pas mieux qu'une bande de touristes laissant derrière eux un sillage de papiers gras.

« Je dois vous dire comment les récents bouleversements de Save Venice ont été perçus à Venise : comme une preuve que, pour quelques membres du conseil d'administration, notre organisation n'est pas constituée d'amis désireux de travailler pour le bien de Venise, mais de personnes cherchant à accroître leur prestige et leur pouvoir. Nous autres, Vénitiens, considérons notre ville avec le même sens civique que lorsque nous l'avons édifiée, le même sens civique avec lequel nous l'avons gouvernée et aimée au fil des siècles, et c'est très douloureux de la voir utilisée à ces fins. Si nous sommes extrêmement reconnaissants envers Save Venice pour son extraordinaire générosité dans le passé, nous autres, Vénitiens, préférons refuser l'aide de ceux qui nous respectent si peu. »

Marcello conclut sa déclaration en disant : « Quelle décision doit prendre le conseil d'administration ? Je vous en laisse le choix, mais j'ai la conviction que le Dr Guthrie devrait être dépouillé de tous ses pouvoirs. »

Une fois de retour à Venise, Marcello me montra son discours. Il était long, assez décousu par endroits, mais portait la marque d'une colère froide et implacable.

— Comment ont-ils réagi ?

— Certains ont secoué la tête en disant « enfin ! », d'autres étaient en colère. Un homme m'a déclaré en italien : « Vous avez du culot de venir ici et de nous parler comme ça ! » Je lui ai répondu : « Vous savez, quand il est nécessaire de parler comme ça, il est nécessaire d'avoir du culot. »

Je lui rendis son discours.

— Impressionnant... Mais ne m'avez-vous pas dit, un jour, qu'il faut toujours comprendre l'inverse de ce que les Vénitiens disent ?

Le comte Marcello sourit.

— C'est vrai. Et quand je vous ai dit ça, je pensais exactement le contraire.

* * *

La stratégie était claire. Le mandat de trois ans de Bob Guthrie expirait quatre mois plus tard, lors de la réunion du conseil d'administration à Venise en septembre 1998. Alors, il devrait se présenter pour être réélu et aurait besoin d'une majorité parmi les vingt-neuf membres du conseil pour garder son siège. Tout vote inférieur aurait pour effet son éviction immédiate de Save Venice.

Pendant l'été, les administrateurs discutèrent entre eux de cette crise et un autre problème, souterrain celui-là, ne tarda pas à se greffer sur la lutte de pouvoir entre Guthrie et Lovett. Certains partisans de Lovett commençaient à sentir que Save Venice perdait peu à peu son aura d'exclusivité ; depuis que les Guthrie contrôlaient la liste des invités, beaucoup de personnes achetant des tickets pour les soirées et les galas n'étaient… « pas de leur monde ». Ce problème faisait écho au hiatus social qui, au début des années soixante-dix, avait entraîné la scission de l'ancien Venice Committee du colonel Gray, puis la création de Save Venice.

L'un des premiers administrateurs à reconnaître qu'il ne faisait peut-être pas vraiment partie du « monde » de Lovett était Jack Wasserman, un avocat d'affaires international originaire de New York et associé de l'expert en rachat d'entreprises, Carl Icahn. L'attachement de Wasserman à Venise était né de sa fascination, depuis l'université, pour la vie et l'œuvre de lord Byron. Wasserman était le président de la Lord Byron Society of America et possédait une impressionnante collection d'éditions originales du poète. Pourtant, s'il était passionné par Byron et montrait une réelle érudition sur le sujet, il n'avait rien d'un universitaire.

— Sa poésie m'a été très utile lors de mon premier voyage scolaire en Italie, il y a quarante ans. Deux vers signés Byron suffisaient à coucher tous les soirs avec une fille différente !

Wasserman m'avait proposé de le retrouver au Harry's Bar pour un déjeuner sur le tard. Il me présenta son caniche noir, un chien très bien élevé assis sous la table, près d'un bol d'eau, qui portait le nom d'un ministre de la Guerre ami, compagnon de voyage et exécuteur testamentaire de lord Byron, John Cam Hobhouse.

— Save Venice a été ma première expérience de ce qu'on appelle la haute société. Avec mon épouse, nous avions l'habitude de participer à des galas et de rencontrer – en tout cas de voir de près – ces gens si attirants, le « haut du panier ». Aussi, quand ils m'ont proposé d'entrer dans le conseil d'administration, car ils cherchaient un juriste pour répondre aux nombreuses questions légales qui accompagnaient leur expansion croissante, j'ai tout de suite répondu : « Pas de problème. » Vous comprenez, je m'impressionne moi-même ! Je suis membre du conseil de Save Venice, je siège avec Oscar de la Renta... Ce sont des gens qui me font de l'effet, je l'avoue. Quant à ces deux types, Larry et Bob, de mon point de vue... eh bien, Larry c'est le glamour incarné, un homme merveilleux socialement, et très séduisant. Vous savez, face à un homme comme lui, on se sent toujours à la fois plein d'admiration et un peu craintif. Il a cette espèce de halo qui l'entoure... Mais le parcours de Bob et son style de vie sont tellement extraordinaires qu'on écoute toujours attentivement ce qu'il a à dire. Bob et Bea Guthrie travaillent comme des dingues de 6 heures du matin à minuit. Comme des dingues ! Ils parlent avec tout le monde. Des gens les appellent : « Je n'aime pas la table où j'étais assis hier », Bob et Bea s'en occupent, et avec le sourire. Pas de problème. Larry ne travaille pas tous les jours pour Save Venice. Ni même tous les mois. Ce n'est pas son job. Son job, c'est d'être M. Glamour et, vous savez, de ramener dans nos soirées des tas de gens tellement célèbres que trois cents personnes accepteront de payer leur entrée rien que pour se trouver dans la même pièce qu'eux. C'est son boulot, et Dieu sait s'il est fructueux ! Mais, dans ces soirées, il ne travaille pas de la même façon que Bob. Larry est plus distant. *Distant !* On croirait Dieu en personne ! Je veux dire, il fait une apparition, habillé sur son trente et un, à l'arrière d'un bateau à moteur, en compagnie d'une princesse ou de je ne sais quoi. Il débarque, il se déclare ravi que tout se passe bien, puis il retourne dans son bateau rejoindre sa princesse, et il disparaît. C'est très beau à voir. C'est impérial. Comme je vous disais : on est admiratif et craintif. Putain, c'est comme être avec le doge ! Mais tout ce barouf autour de la royauté... Quelqu'un m'a donné un jour la définition du snobisme. On peut être snob par le haut, en se rapprochant de personnes situées plus haut que soi sur l'échelle sociale, ou snob par le bas en excluant toutes les personnes situées en dessous. Larry fait preuve

300

d'une obsession parfois effrayante envers les membres de l'aristocratie. Effrayante, vraiment ! Je pense que Larry est persuadé d'avoir du sang bleu... Par exemple, pendant un de nos galas, un membre de la famille royale anglaise est mort, je ne me rappelle plus qui. Larry m'a dit – *à moi*, comme si ça pouvait m'intéresser ! – : « Le palais a décrété que personne ne devait participer à des réceptions. » C'était juste avant un cocktail de Save Venice. Je lui ai répondu : « Mais Larry, ça ne vous empêche pas d'aller au cocktail. Ce décret ne vous concerne pas. » Il s'est écrié : « Oh, je ne peux pas faire une chose pareille ! Ce sont mes amis... Le roi de Grèce, et tous les autres... » Donc il n'est pas venu. Il est resté chez lui avec Barbara Berlingieri parce que la noblesse européenne était interdite de réceptions... J'ai pensé : « waouh ! »

L'après-midi juste avant le bal officiel, je suis passé voir les Guthrie dans leur maison rouge, au pied du Ponte dell'Accademia. Avec ses chaises recouvertes de chintz et ses canapés, elle évoquait plus un appartement de l'East Side de Manhattan qu'une résidence vénitienne. Bob et Bea se trouvaient dans la salle de séjour, assis devant un grand tableau posé sur un chevalet. Ils examinaient les noms écrits sur des étiquettes punaisées sur des cercles représentant des tables.

— Vous avez déjà fait des plans de table pour des réceptions de trois cent cinquante invités ? me demanda Bob. Essayez quand une demi-douzaine de personnes appellent au dernier moment en disant : « Nous devons absolument être assis à côté de Untel et Unetelle... » Vous devez *tout* recommencer !

— J'imagine que ce doit être particulièrement difficile quand tout ça se déroule au beau milieu d'un combat à couteaux tirés...

Guthrie parut pris de court par ma franchise, mais se ressaisit vite.

— Dois-je comprendre que vous êtes au courant ? dit-il avec un petit rire.

— Tout comme la moitié de Venise.

Il regarda à nouveau le plan de table.

— Bah, nous avons pour ainsi dire terminé – pour le moment, du moins. Que diriez-vous d'un petit tour en bateau ?

Nous sortîmes et marchâmes jusqu'au bateau des Guthrie, un Boston Whaler amarré au bord d'un petit canal juste devant le portail de la maison. Bob prit les commandes et fit machine arrière jusqu'au Grand Canal, puis exécuta un demi-tour et mit le cap sur le Rialto. Il parlait fort pour couvrir le bruit du moteur.

— Sur un certain plan, en effet, c'est une querelle entre Larry et moi. Mais c'est l'arbre qui cache la forêt. Il existe des différences fondamentales entre la plupart des administrateurs et le petit groupe de dissidents qui soutient Larry. Les membres de notre conseil sont, d'habitude, des gens qui ont réussi. Save Venice est un hobby pour eux, pas la principale activité dans leur vie. Ils s'apprécient mutuellement, ils aiment Venise, et ils sont heureux de pouvoir aider à préserver cette ville ; ils consacrent plus de temps et d'argent à Save Venice qu'ils n'en retirent. Bref, ils *donnent*. Les dissidents forment une espèce bien différente. Ils ont de l'argent mais pas d'activité importante, pas de véritable réussite à leur actif. Save Venice occupe une trop grande importance dans leur vie, c'est leur seul titre de gloire. Leur unique cheval. Ils se présentent comme des membres de Save Venice, ils ont besoin de mettre en avant les succès de l'organisation pour prouver leur importance, même s'ils n'y ont pas contribué directement. Les gens qui travaillent d'arrache-pied, ils les appellent des « simples extras ». Bref, ils *prennent*. Save Venice les aide à développer leur vie sociale, la seule qu'ils aient vraiment. Ils invitent gracieusement à nos réceptions leurs amis haut placés et ceux dont ils veulent se faire des amis, puis ils se font inviter dans des croisières ou à la campagne, pour des week-ends de chasse. Ces invités non payants finissent par constituer un problème. Ils sont de plus en plus nombreux, et les dissidents leur mettent tout de suite le grappin dessus. Ils louent des limousines pour les emmener dans des réceptions à la campagne, alors que nous nous déplaçons en bus. Ils arrivent tard et partent tôt. Ils restent assis tous ensemble, snobant les invités payants. Et ils se moquent bien de paraître insultants pour les autres gens...

— J'ai cru comprendre, remarquai-je, que ces invités non payants confèrent à vos soirées cette touche de glamour qui attire les invités payants...

— C'est le cas, mais c'était surtout important quand Save Venice a commencé. Aujourd'hui, notre organisation est tellement célèbre que son seul nom suffit à attirer des invités. Nous n'avons plus besoin de ces gens-là.

Nous passions devant le Palazzo Pisani-Moretta, qui accueillerait le bal dans la soirée. À la porte d'eau, l'équipe du traiteur déchargeait les caisses entassées sur des bateaux. Guthrie indiqua le palais.

— Ce sont les dissidents qui insistent toujours pour être placés près des fenêtres l'été ou près des cheminées l'hiver. Ce sont des gens très exigeants, qui réclament toujours quelque chose. Bon sang, je pratique la chirurgie dix-huit heures par jour, je n'ai vraiment pas besoin de ça !

— Pourquoi vous ne démissionnez pas ?

— Bea et moi y avons sérieusement réfléchi. Nous avions déjà écrit nos lettres de démission quand nous avons été accusés de malversations financières. Ç'a été une grossière erreur de la part des dissidents car, dès lors, nous ne pouvions plus démissionner. Impossible de partir quand les nuages s'amoncelaient. Nous devions rester pour nous laver de tout soupçon.

Peu après le pont du Rialto, Bob nous engagea dans un petit canal transversal. Réduisant de moitié la vitesse, il prit les virages et croisa des canots et des gondoles venant en sens inverse. Après plusieurs minutes, notre bateau passa sous un petit pont et, de l'autre côté, apparut Santa Maria dei Miracoli. Le doux marbre satiné de sa façade resplendissait dans la lumière de l'après-midi.

— Voilà à quoi servent toutes les réceptions que nous organisons : à restaurer des édifices comme celui-ci.

— Je pense que tout le monde sera d'accord avec vous.

— Vous vous trompez ! Pour les dissidents, c'est exactement l'inverse : ils estiment que nos travaux de restauration ne sont qu'un prétexte pour organiser des cocktails et fréquenter les têtes couronnées !

Quand je répétai cette phrase à Larry Lovett quelques heures plus tard, son seul commentaire fut : « C'est absurde ! »

Le matin de la réunion du conseil d'administration, à Venise, une semaine après le gala de septembre, les deux camps arrivèrent à l'hôtel Monaco armés de leurs procurations. Les partisans de Lovett étaient d'ores et déjà furieux, car Guthrie avait refusé de reporter la réunion à l'après-midi pour permettre aux trois membres qui se trouvaient à New York de voter par téléphone. Dans l'état actuel des choses, il serait 4 heures du matin à New York au moment du vote.

Dix sièges du conseil d'administration devaient être pourvus, et les candidatures seraient examinées l'une après l'autre. Dès que le vote débuta, de nouvelles protestations s'élevèrent dans le camp Lovett. Guthrie votait par procuration pour un homme qui avait démissionné du conseil plusieurs mois auparavant. Quand les cris s'atténuèrent, Guthrie expliqua qu'il avait convaincu cet homme de retirer sa démission, de signer une procuration et d'autoriser Guthrie à accepter sa démission au moment approprié. Et ce moment n'était pas encore arrivé. Lovett demanda son avis à Wasserman, qui connaissait le règlement mieux que quiconque car il avait participé à la rédaction des nouveaux articles. Il confirma la validité de la procuration.

D'autres cris se firent entendre quand Guthrie se servit des procurations signées par deux hommes qui avaient été élus quelques minutes plus tôt nouveaux membres du conseil d'administration. Guthrie expliqua que, si les signataires n'étaient pas encore membres quand ils lui avaient remis leur procuration, lesdites procurations avaient été utilisées *après* leur élection. Là encore, Wasserman valida la manœuvre.

Les procurations de Lovett n'étaient pas non plus sans reproche. L'une était signée par la comtesse Anna Maria Cicogna, la fille de Giuseppe Volpi, le ministre des Finances de Mussolini et la demi-sœur de Giovanni Volpi. Elle avait plus de quatre-vingt-dix ans et ses facultés mentales étaient, de notoriété publique, très chancelantes. Ce qui n'empêchait pas d'utiliser une procuration de la vieille dame pour la troisième fois en deux ans dans un vote de Save Venice. La première fois, c'était l'une des procurations surprises réunies par Barbara Berlingieri pour le compte de Lovett un an et demi plus tôt. Interrogée par la suite à ce sujet, la comtesse expliqua ne pas se souvenir de ce document et douter de l'authenticité de sa signature. Soucieux de ne pas être en reste, les Guthrie firent appel à elle pour la réunion suivante. Ils la traquèrent jusque dans la chambre d'hôpital où elle était soignée pour un rhume. Mais les partisans des Lovett eurent vent de cette démarche et se précipitèrent au chevet de la malade, pour constater que cette nouvelle procuration la laissait à peu près aussi perplexe que la précédente. Ils obtinrent de la comtesse qu'elle écrive une lettre à Bea Guthrie pour lui demander à voir une copie du document qu'elle avait signé. « Comme vous le savez, écrivit-elle, ma mémoire me fait presque entièrement défaut. Je suis incapable de me rappeler exactement quel papier j'ai signé à l'hôpital et à qui j'ai remis ma déclaration écrite sous serment. »

Une autre année s'était écoulée depuis cette lettre et, une fois encore, malgré l'aveu plaintif de la comtesse concernant sa santé mentale, elle avait été convaincue de mettre son nom sur une troisième procuration – à nouveau en faveur de Lovett, même si la comtesse ne savait sans doute pas vraiment à qui ou pour quoi elle donnait sa voix.

Pourtant, malgré ce soutien, Lovett ne récolta que douze voix. Guthrie en avait dix-sept, en comptant les procurations de l'homme presque démissionnaire, des deux membres fraîchement élus et des trois membres de New York dont les procurations, trancha Wasserman, pouvaient être attribuées au management. Guthrie fut réélu, et les vaincus reportèrent leur frustration sur Wasserman. Ils affirmèrent que le vote avait été truqué et que toute l'opération cachait une manœuvre illégale pour prendre le pouvoir. Parmi les vociférations d'Alexis Gregory à l'encontre de Wasserman, on entendit les mots « corruption » et « voyou ».

— Si j'entends encore ces mots, répondit Wasserman, je vous fiche mon poing dans la figure.

Terry Stanfill, qui fut réélue en dépit de l'opposition de Lovett, quitta la salle en larmes, déclarant qu'elle ne pourrait plus jamais travailler avec des gens qui avaient parlé d'elle en termes aussi grossiers.

À ce moment-là, Alexis Gregory bondit de sa chaise et déclara : « Nous partons tous ! » Et il sortit sa lettre de démission ainsi que celles de huit autres administrateurs, à la stupéfaction de toutes les personnes présentes dans la salle – y compris des administrateurs démissionnaires eux-mêmes, ébahis de voir aussi rapidement annoncée la fin de la partie. Un peu hésitants, ils se levèrent à leur tour et sortirent de la pièce à la queue leu leu. Ils montèrent dans un bateau qui partit directement en direction du Cip's, le nouveau restaurant sur l'eau du Cipriani, où ils purent reprendre leurs esprits, mettre au point une stratégie et s'offrir un long déjeuner quatre étoiles avec vue sur la place Saint-Marc, de l'autre côté du canal, scintillant au soleil de midi.

Il ne restait plus aux journalistes qu'à apprendre la nouvelle et à s'en donner à cœur joie. À la une du *Gazzettino*, on lisait : « SAVE VENICE : LA FUITE DES ARISTOCRATES ! » L'article donnait l'impression d'une bataille rangée entre Vénitiens et Américains, alors que quatre des neuf démissionnaires étaient vénitiens (un cinquième était français et les autres américains). « Pendant trois heures, les membres réunis autour de cette table n'ont cessé de s'affronter, les Américains d'un côté, les Vénitiens de l'autre. Le management de Save Venice a été accusé de privilégier les événements mondains au détriment des projets de restauration. Le départ d'un petit groupe de Vénitiens a coupé l'organisation en deux comme une vulgaire pomme. »

Selon le *Gazzettino*, les dissidents ont accusé les dirigeants d'« utiliser la ville pour renforcer leur prestige et se donner en spectacle, transformant Save Venice en un club réservé à la jet-set ».

— Seigneur ! C'est exactement ce que j'aurais dit *d'eux* ! déclara au *Gazzettino* l'historien d'art Roger Rearick, l'un des administrateurs restés en place. Écoutez, les gens qui sont partis sont précisément ceux qui n'étaient intéressés que par les réceptions et les soirées VIP. La vérité, c'est qu'ils n'ont que très peu d'intérêt pour nos chantiers de restauration. Ils sont partis avec l'espoir que leur démission sonnerait le glas de Save Venice, mais ils prennent leurs rêves pour des réalités ! Save Venice continuera d'exister sans eux.

Lorsque la dernière démission fut acceptée, il ne restait plus un Vénitien dans le conseil d'administration de Save Venice. En tout, quinze membres étaient partis. Une rumeur disait que Larry Lovett s'apprêtait à lancer une organisation concurrente, et les dissidents prédisaient que les portes des palais vénitiens se refermeraient bientôt au nez des Guthrie et de Save Venice. Comme le nota le *New York Times* : « C'est grâce à Lawrence Lovett que Save Venice a pu accéder à la noblesse italienne, et c'est lui qui, à l'origine, a permis aux Américains les plus fortunés de franchir les portes de Venise. Aujourd'hui, ces portes pourraient bien se refermer. »

Si cela se produisait, l'organisation se trouverait dans une situation aussi étrange que hautement improbable : célébrée comme la plus généreuse bienfaitrice étrangère de la ville, repoussée comme la plus répugnante des parias.

* * *

Les premiers invités du grand dîner organisé par Larry Lovett sortirent sur la terrasse juste après le coucher du soleil, dans cette demi-heure magique où la douce lumière déclinante teinte du même rose nacré le ciel et l'eau, où les palais paraissent plus que jamais flotter à la surface du Grand Canal.

Assis sur une banquette matelassée, Hubert de Givenchy bavardait avec la New-Yorkaise Nan Kempner. Derrière eux, illuminé sur fond de ciel obscur, le pont du Rialto dressait sa silhouette spectaculaire. Un serveur portant des cocktails sur un plateau s'approcha du marquis Giuseppe Roi dont une remarque enjouée venait de faire tinter le carillon reconnaissable entre tous du rire de la comtesse Marina Emo-Capodalista. Dodie Rosekrans, l'une des grandes figures mondaines de San Francisco de retour d'une semaine en Dalmatie, saisit la comtesse par le poignet en s'écriant : « Devinez un peu... j'ai acheté un monastère ! »

Nous étions au début du mois de septembre. Une année s'était écoulée depuis la scission de Save Venice. Lovett avait monté sa propre organisation, baptisée Venetian Heritage. Il avait constitué son conseil d'administration comme un croupier ramassant les plus gros jetons, empilant une telle quantité d'aristocrates et de têtes couronnées que l'entête des documents de Venetian Heritage ressemblait au *Who's Who*. Sur ses cinquante membres, vingt et un étaient des aristocrates : un duc, un marquis, une marquise, une baronne, le lot habituel de comtes et de comtesses, et pas moins de six Altesses royales et sérénissimes. En comparaison, Save Venice ne pouvait plus se targuer que de son unique baronne. Lovett ne put s'empêcher d'y faire allusion dans une lettre adressée à Paul Wallace, président de Save Venice, à propos du gala d'hiver new-yorkais annoncé par Bob Guthrie « sous le patronage d'une aristocrate mineure de Savoie, faute de pouvoir mettre en avant un grand nom de la noblesse anglaise ».

Quelques mois plus tôt, Venetian Heritage avait organisé le premier de ses galas de quatre jours. Lovett l'avait programmé en juin pour coïncider avec l'ouverture de la Biennale de Venise et l'arrivée des sommités du monde de l'art international. Compte tenu du public ultra-sélect qui y avait accouru, des portes ultra-privées qui s'étaient ouvertes en grand pour ses invités et de l'argent qui avait été récolté, le gala, à 4 000 $ l'entrée, avait été un triomphe. Larry Lovett avait toutes les raisons d'être satisfait. Et c'était le cas. Pourtant, un détail lui restait en travers de la gorge : Save Venice existait toujours. À vrai dire, et il en avait conscience, Save Venice était très loin d'agoniser.

À l'époque du séisme qui avait ébranlé l'organisation, le Save Venice Regatta Week Gala devait se dérouler dans moins d'un an. On saurait donc très vite si Venise allait rester aussi accessible à Save Venice que par le passé. Les Guthrie s'apprêtaient à renouer des contacts et à passer des coups de fil quand leur téléphone sonna. Bea décrocha.

— C'est Volpi! gronda la voix du comte Giovanni Volpi, depuis sa villa sur la Giudecca. J'ai entendu ces clowns annoncer que les portes de Venise allaient vous être fermées!

— C'est ce que j'ai entendu dire, mais je ne suis vraiment pas...

— Et la raison qu'ils donnent de leur départ! Vous organisez trop de réceptions? Ils osent dire ça, ces Vénitiens qui vous harcelaient toujours pour être bien placés, ces parasites qui ne dépensaient jamais le moindre sou!

Le mépris proverbial du comte pour ses compatriotes vibrait dans chaque syllabe.

— Venise est une courtisane qui prend tout l'argent et ne donne rien en retour. Mesquins, avares, avides... ce sont des charognards! Ça ne leur suffisait pas de passer tout l'été à vous calomnier en vous traitant d'escrocs... Cette attitude est intolérable! Du lynchage moral! Ils peuvent s'estimer heureux que vous ne les ayez pas traînés en justice! Et franchement, de vous à moi, vous devriez y songer...

— Eh bien, Giovanni, ç'a été un cauchemar, c'est vrai, mais nous...

— Écoutez, je vous appelle car vous m'avez demandé, un jour, si vous pouviez organiser votre bal au Palazzo Volpi. J'ai toujours refusé... Eh bien, j'ai changé d'avis. Si cela peut vous aider, je serais honoré de vous prêter le palais pour votre prochaine soirée de gala, cet été.

Édifié au XVIe siècle au bord du Grand Canal, le Palazzo Volpi, avec ses soixante-quinze pièces, son jardin intérieur, ses halls et ses salons majestueux, est en réalité constitué d'un palais et demi. On y sent encore planer l'ombre d'un homme qui compta parmi les Italiens les plus entreprenants du XXe siècle : le comte Giuseppe Volpi, père de Giovanni, fondateur du festival du film de Venise, créateur de Mestre et de Marghera, ministre des Finances de Mussolini, « dernier doge de Venise ». Tout évoque son souvenir : la salle de bal tout en marbre et en dorures, que Volpi avait fait construire pour commémorer ses victoires militaires au poste de gouverneur de Libye dans les années vingt, un portrait en pied de Volpi en uniforme de diplomate, le canon qui trône au centre du *portego*, des meubles provenant du palais du Quirinal, à Rome, une photographie signée du roi Umberto de Savoie. Pendant des années, le Palazzo Volpi avait servi de superbe décor au bal Volpi, donné en septembre par la mère de Giovanni. Le dernier remontait à quarante ans, et depuis le palais était resté inutilisé – correctement entretenu mais pas habité.

C'était un lieu inaccessible depuis si longtemps que même les Vénitiens étaient curieux de le revoir. Sachant cela, les Guthrie osèrent un geste politique audacieux. Avec l'autorisation de Volpi, ils invitèrent gracieusement au bal des dizaines de Vénitiens, dont certains n'auraient jamais été acceptés par l'acariâtre Volpi. Toutefois, pour cette occasion, Volpi était enchanté de leur ouvrir ses portes. Son idée était de montrer que nul ne pouvait se retrouver « banni » de Venise simplement parce qu'une poignée de « clowns » l'avaient décidé. Si accueillir les Vénitiens dans son palais suffisait à tourner en ridicule ces sinistres personnages, c'était encore mieux.

Le soir du bal, les fenêtres du Palazzo Volpi s'illuminèrent pour la première fois depuis longtemps. Une armada de bateaux à moteurs allaient et venaient devant la porte d'eau, débarquant des centaines de convives – parmi lesquels des Vénitiens – en robe et en tenue de soirée.

La signification du bal Volpi-Save Venice dépassa les murs du Palazzo. Elle était en tout cas parfaitement perçue par Larry Lovett, dont le grand dîner en terrasse se déroulait le même soir. Comme tout le monde l'avait compris, la soirée de Lovett avait pour unique but d'éclipser le bal de Save Venice en le privant de ses invités vénitiens. On savait également que Lovett avait insisté pour que ses hôtes viennent en « tenue de travail » pour les empêcher de rejoindre directement le Palazzo Volpi et les obliger à repasser chez eux pour se changer. Même ses amis concédèrent que ce dîner constituait un faux pas rare chez Lovett ; d'autres y virent une marque de méchanceté puérile qui prouvait avec éclat que Lovett se préoccupait davantage de son prestige personnel et de sa stature sociale que de préserver l'architecture et les œuvres d'art de Venise.

Giovanni Volpi n'en avait cure. Pendant que Peter Duchin faisait danser dans la grande salle de bal et que Bobby Short enchaînait les chansons de crooner à l'étage, Volpi se tenait devant la porte de son jardin – à l'écart, comme d'habitude.

— Je ne sais pas... Save Venice, Venitian Heritage... quelle différence? Au bout du compte, si on y réfléchit bien, ils proposent la même chose : de prestigieux voyages organisés. Je me demande pourquoi les Américains sont incapables de venir à Venise et d'y passer un moment agréable, au lieu de se complaire dans les *mea culpa*... Vous voyez ce que je veux dire? Leur manie de toujours venir ici *en mission*. Pourquoi se sentent-ils obligés de sauver Venise? C'est très bien, évidemment, qu'ils donnent de l'argent. Mais ça n'a rien à voir avec la générosité. Ça montre surtout qu'ils veulent se donner de l'importance. Alors qu'entre nous c'est juste une goutte d'eau dans l'océan. Ils feraient mieux d'essayer de passer un séjour agréable, point final. Pas vrai? Se promener, admirer quelques tableaux, dîner dans de bons restaurants, bref, tout ce qu'ils font dans les autres villes. Les Américains ne viennent pas à Paris pour sauver Paris, n'est-ce pas? Quand on regarde une maison vénitienne vieille de cinq cents ans, d'accord, elle a l'air mal en point, peut-être même en danger. Mais on ne peut pas dire qu'elle est « en train de pourrir »! Elle a *tenu le coup* pendant cinq cents ans! La « Venise en décomposition » est un gigantesque mythe. C'est à ça que je pense quand je parle de Save Venice. Laissez tomber! Venise se sauvera très bien elle-même. Allez sauver Paris!

13

L'homme qui aimait les autres

La première fois que je remarquai le graffiti – parmi de nombreux autres –, je traversais le marché du Rialto par un après-midi d'hiver. Quelques jours plus tard, j'en vis un nouveau près de San Marco, puis le lendemain un troisième près d'un restaurant, l'Osteria di Santa Marina. Ils étaient toujours écrits lisiblement, à la peinture en bombe rouge, et toujours sur des palissades en bois provisoires, où ils ne risquaient pas d'abîmer le support. Leur message mélancolique était chaque fois le même : LA SOLITUDE, CE N'EST PAS ÊTRE SEUL : C'EST VOUER AUX AUTRES UN AMOUR INUTILE (*Solitudine non è essere soli, è amare gli altri inutilmente*).

Contrairement à l'habitude, ces graffitis avaient un auteur : ils étaient signés « Mario Stefani ». Stefani était un écrivain connu à Venise, un poète qui animait cinq jours par semaine une brève chronique culturelle sur une chaîne de télévision locale, Televenezia. Son visage était souriant, avec des bajoues et une chevelure indomptable. La première fois que je tombai sur son émission, c'était par hasard. Il se livrait, comme à son habitude, à une sorte de monologue improvisé, passant avec décontraction du coq à l'âne. « Les Vénitiens étaient de grands navigateurs et de grands pirates. Ils volaient des choses et les rapportaient à Venise pour embellir la ville : sculptures en marbre venues d'Orient, or, pierres précieuses... De nos jours, les gens volent pour leur unique profit. C'est vraiment triste. » Puis, s'adressant à un hôte imaginaire : « Signore doge, voulez-vous un verre d'eau ? Non, vous préféreriez du vin. Je vous comprends. Aujourd'hui, boire un verre de vin à Venise coûte seulement 1 000 lires (0,50 euro). Une bouteille d'eau coûte trois fois plus cher. » Et il enchaînait sur un autre sujet : « Signore comte, vous venez vous promener avec moi jusqu'à San Marco ? Non ? Vous dites que vous n'**êtes** pas Moïse et que vous êtes incapable de séparer les eaux ? Certes, nous subissons des inondations et des *acqua alta* de plus en plus souvent. Voilà vingt ans que l'on discute et l'on ne s'est toujours pas décidé à construire des digues qui pourraient nous protéger des inondations. J'entends souvent dire que cette situation est entretenue par des gens ayant un intérêt financier à voir cette décision sans cesse reportée. » « Signore doge, vous semblez hésiter à prendre un bateau-taxi. Pourquoi cela ? Parce que ça coûte très cher ! Exact. Et vous avez sans doute remarqué que les gondoles aussi coûtent cher. Et les hôtels. Et les restaurants. Et toutes les installations pour lesquelles les touristes doivent payer. Ce sont ces gens-là qui ont le pouvoir, à Venise. Non, non, non, pas les touristes ! Les pilotes de bateau-taxi, les gondoliers, les propriétaires d'hôtels et de restaurants... Ce sont eux qui dirigent Venise, tout le monde vous le dira. »

L'émission de Stefani était une production à petit budget : une seule caméra, noir et blanc, chaque numéro durait cinq minutes maximum. Elle commençait toujours par l'indicatif de la *Panthère rose* et Stefani annonçant, face caméra : « Ragots et rumeurs de Venise ! Bavardages oisifs ! » Venise et les Vénitiens étaient ses thèmes de prédilection.

« Le Vénitien est un être d'habitude. On peut toujours savoir si l'on est en avance ou en retard en regardant certaines personnes dans la rue. Si l'on est à l'heure, on les verra dans tel ou tel *campo*. Si on les voit dans la rue avant ou après, alors on sait qu'on est en retard ou en avance. »

Stefani déplorait la disparition des institutions et des figures de Venise.

« Tous les chats ont disparu des rues de notre ville. Parce que les vieilles dames qui les nourrissaient ne sont plus. Elles me manquent, ces vieilles dames portant des châles dans lesquels s'emmêlaient leurs délicats colliers dorés.

L'une de mes préférées venait souvent dans un bar pour boire de la grappa. Elle disait : "Donnez-moi deux grappas ! Une pour moi, l'autre pour Franca." Elle payait, buvait son eau-de-vie puis regardait tout autour d'elle en disant : "Franca ? Où est Franca ? Elle a dû partir faire des courses... *Madonna*. J'en ai assez d'attendre. Tant pis, je bois son verre aussi." Cette scène se répétait chaque jour, Franca n'était jamais là et la vieille dame buvait toujours ses deux verres de grappa. Où est-elle passée, aujourd'hui ? Elle me manque. »

Stefani parlait des différents quartiers de Venise, en particulier du sien, le Campo San Giacomo dell'Orio, une ravissante place près de Santa Croce, bien à l'abri des principaux trajets touristiques.

« Le boulanger de notre *campo* a fait imprimer un de mes poèmes sur ses sacs en papier. Pas seulement par respect pour moi, par respect pour la poésie. Et maintenant, ses clients lui demandent deux petits pains et un poème. »

Mario Stefani adorait Venise. Il était d'une nature généreuse, accueillante.

« Tout homme qui aime Venise est un vrai Vénitien. Même un touriste, à condition que son séjour dure suffisamment longtemps pour lui permettre d'apprécier la ville. S'il reste juste un jour, histoire de dire qu'il est allé à Venise, alors non. »

Stefani enseignait la littérature dans une école sur le continent, et son nom était fréquemment cité dans le *Gazzettino*. Il signait des critiques d'art et des critiques littéraires, et participait souvent à des lectures publiques et à d'autres événements culturels. Sa célébrité locale devait beaucoup au plus cité de ses vers : « Si Venise n'avait pas de ponts, l'Europe serait une île. » Cette phrase constitue d'ailleurs le titre de l'un de ses recueils de poèmes.

Chaque année, pendant le carnaval, Stefani participait aux lectures de poèmes érotiques organisées sur le Campo San Maurizio. Il considérait que 20 % de ses textes relevaient du genre érotique. Ils exprimaient également une homosexualité débridée. Ses poèmes contenaient de multiples références à la musculature, aux lèvres, à la beauté et au regard des beaux jeunes hommes. Il parlait de s'agenouiller devant eux en signe d'adoration. Il se rappelait un garçon qui avait frotté son entrejambe contre lui dans le bus, et d'autres qu'il retrouvait tard le soir sur le *campo*.

Sa poésie érotique allait du registre ludique à un ton plus cru, mais il prenait très au sérieux son rôle d'homosexuel revendiqué.

« Dire la vérité est l'acte le plus anticonformiste que je connaisse. L'hypocrisie est le fondement, la base constitutive de notre société. Je n'ai jamais mené de double vie, j'ai toujours parlé librement de ce que j'appelais « ma croix et mon plaisir », autrement dit mon désir du mâle, de muscles puissants dans les corps adolescents, un désir qui m'a fait souffrir autant qu'il m'a donné de plaisir. »

L'honnêteté de Stefani lui avait valu le respect et l'approbation des Vénitiens. Il avait prouvé sa bonne foi, disait-il, et surmonté les préjugés à telle enseigne que les mères insistaient pour lui confier leurs fils et, plus important encore, l'éducation de leurs fils.

De temps en temps, je croisais Stefani dans la rue et dans les bars à vin autour du Rialto. Il était presque obèse, dans les soixante ans, et marchait d'un pas traînant. Il s'habillait avec une certaine recherche – bretelles rouge vif, baskets rouges, béret et pantalon ample – mais ses vêtements étaient souvent froissés et maculés de taches de nourriture. Il portait toujours deux sacs en plastique pleins à craquer de livres et de courses, un dans chaque main, qui lui donnaient des airs de vagabond. Il s'arrêtait très souvent pour saluer chaleureusement une connaissance, pour discuter, ou bien passait la tête dans une boutique pour échanger avec le commerçant quelques mots, une plaisanterie. Il aimait embrasser les femmes sur les joues, mais, à plusieurs reprises, j'en vis s'essuyer subrepticement le visage dès qu'il leur tournait le dos.

— C'est un homme adorable, charmant, gentil et généreux, me dit Rose Lauritzen. Mais quand je le vois avancer dans ma direction, je suis toujours prise entre deux sentiments parce que je sais qu'il va m'embrasser, et qu'il bave *à chaque fois !*

Dans les bars à vin, Stefani avait fini par tomber nez à nez avec lui-même. Un sculpteur local avait fabriqué des cruches bombées décorées d'un Bacchus ressemblant à Stefani, le crâne surmonté de grappes de raisin. L'artiste en avait réalisé une série de cent exemplaires, et avait offert au maire Cacciari le moulage original lors d'une cérémonie publique coïncidant avec la publication du nouveau recueil de Stefani, *Vino ed Eros* (« Le Vin et Éros »).

Lorsque je vis les murs de Venise se couvrir du graffiti rouge de Stefani, je me rendis compte que l'homme avait un don naturel pour l'autopromotion. Son message *« la solitude ce n'est pas être seul : c'est vouer aux autres un amour inutile »* était à la fois pertinent et plein de compassion. C'était aussi un de ses vers les plus connus. En quelques jours, la presse locale publia des photographies du graffiti en illustration de billets d'humeur évoquant le poète avec tendresse. Cette publicité ne lui avait rien coûté. Quand on lui posa la question, Stefani prétendit ne pas être l'auteur du graffiti. « Ce n'est pas moi. Sans doute un admirateur. J'en suis flatté, bien évidemment, et je serais très heureux de faire sa connaissance. »

Une histoire vraisemblable, pensai-je.

Et puis, le dimanche 4 mars 2001, un mois à peine après la première apparition du graffiti, Mario Stefani se pendit dans sa salle de bains.

Tout à coup, le message de son graffiti prit une signification nouvelle. Ce n'était plus l'observation éclairée d'un poète compatissant ; c'était un cri de douleur.

Les Vénitiens accueillirent la nouvelle avec incrédulité. Des remarques revenaient souvent : « Il souriait tout le temps », « c'était un homme tellement populaire, il avait tellement d'amis... »

La musicienne Carla Ferrara voyait les choses différemment :

— À Venise, la solitude passe plus facilement inaperçue. Elle est cachée, car quand on sort de chez soi on est obligé de marcher. Tout le monde marche à Venise, alors quand on voit vingt personnes que l'on connaît, on leur dit forcément bonjour. Mais quel que soit le nombre de personnes qu'on salue, on peut continuer de se sentir très seul. C'est le problème, dans les petites villes. On est entouré de personnes qui vous parlent, vous disent bonjour. Dans les grandes villes, on n'adresse jamais la parole à autant de personnes. La solitude est plus visible.

L'incrédulité était particulièrement sensible chez les habitants du Campo San Giacomo dell'Orio, les voisins de Stefani.

« Personne ici ne se doutait qu'il était si seul, expliqua Paolo Lazzarin, propriétaire de la Trattoria al Ponte, au rez-de-chaussée de la maison du poète. Il venait trois fois par jour, nous le considérions comme un membre de la famille. Il avait bien perdu un peu de poids ces derniers mois, mais il nous avait expliqué qu'il suivait un régime. Nous ne savions pas qu'il avait besoin d'aide. »

Les femmes du restaurant La Zucca, de l'autre côté du pont, face à la maison de Stefani, étaient tout aussi surprises : « On le voyait passer dans la rue avec ses sacs de courses, se rappelait Rossana Gasparini. Il passait au moins une fois par jour nous faire la bise et nous dire : "Vous avez entendu la nouvelle ?" Il avait l'air un peu fatigué ces derniers jours, mais nous n'aurions jamais imaginé que... »

« Il était toujours entouré de beaucoup de gens, disait le boulanger, Luciano Favero, mais peut-être qu'il avait très peu de vrais amis. Depuis quelques jours, il avait l'air pensif... »

Un samedi soir, la veille de sa mort, Stefani était allé à Mestre pour le vernissage d'une exposition d'un vieil ami, le peintre Nino Nemo.

« Il est arrivé tôt, se rappelait l'artiste, et il paraissait particulièrement de bonne humeur. L'exposition lui a plu, il m'a même promis d'écrire un compte rendu très favorable. Beaucoup de ses amis étaient présents, des écrivains, des peintres, des professeurs, et il a discuté avec tout le monde. Pourtant, j'ai remarqué quelque chose d'inhabituel : il est resté jusqu'à la fermeture. Ça ne lui ressemblait pas. D'ordinaire, il quittait ce genre de soirée avant la fin. Après, il est resté avec nous et nous sommes partis dîner en petit groupe, avant de rentrer à Venise. Quand nous nous sommes dit au revoir sur la Piazzale Roma, il nous a montré ce que contenait son sac : un poulet rôti, déjà préparé. C'était pour son dîner de dimanche. Il nous a expliqué qu'il resterait sans doute toute la journée chez lui car il avait beaucoup de travail. »

Le jour dit, une étudiante et amie de Stefani, Elena de Maria, devait le retrouver à 14 heures à la Trattoria al Ponte. Il lui avait promis des conseils pour sa thèse. Ne le voyant pas venir, elle téléphona chez lui, en vain. Elle réessaya tout l'après-midi. Enfin, vers 21 heures, elle prévint les pompiers. Lorsqu'ils arrivèrent et montèrent à son appartement, elle resta au pied des escaliers et attendit. Mario était son ami depuis des années mais, durant tout ce temps, pas une seule fois il ne l'avait invitée chez lui – sans doute, pensait-elle, à cause du désordre. Un bateau-ambulance stoppa dix minutes plus tard devant le quai, et des médecins montèrent avec un brancard.

— Quand ils sont redescendus avec le brancard vide, me dit-elle, j'ai compris que Mario était mort. Ensuite, les pompiers l'ont descendu dans un sac. Ils ne le portaient pas, ils le traînaient sur les marches...

Elena de Maria m'avait donné rendez-vous à la Trattoria al Ponte pour parler de son ami.

— Le dimanche était le seul jour de la semaine où l'absence de Mario n'aurait pas été remarquée aussi vite. Il aimait rester chez lui, en caleçon... N'importe quel autre jour, ses amis auraient commencé à s'inquiéter au bout de quelques heures s'ils étaient restés sans nouvelles. Le boulanger aurait remarqué son absence. Et avec lui tous les gens de la trattoria. La plupart des gens pourraient être morts depuis une semaine avant que leurs amis s'en aperçoivent. Mario se croyait seul, il ne l'était pas.

Antonio Miggiani, le procureur chargé de l'enquête sur la mort de Stefani, expliqua que le poète avait été retrouvé pendu à la rambarde de l'escalier menant de la cuisine au grenier, vêtu seulement d'un tee-shirt. Un mot était suspendu par une ficelle autour de son cou. La police ne révéla pas son contenu, précisant seulement que Stefani avait énuméré une série d'événements dramatiques – dont la mort récente de son père – qui l'avaient conduit à mettre fin à ses jours. Aucun indice ne laissait penser qu'il s'agissait en réalité d'un acte criminel.

Dans les éditoriaux de la presse et au fil des conversations, Venise faisait son introspection et se demandait comment elle avait pu passer à côté des nombreux messages désespérés du poète, notamment ceux peints en rouge. L'Ateo Veneto organisa une soirée d'hommage. Ce qui n'empêcha pas le prêtre de la paroisse de Stefani de déclencher une violente controverse en refusant que la cérémonie funéraire se déroule dans l'église San Giacomo dell'Orio, car Stefani s'était suicidé. Ludovico De Luigi et d'autres amis du poète accusèrent le prêtre de discrimination, disant qu'il invoquait une loi ancienne qui n'avait de nos jours plus aucune valeur. Ils organisèrent aussitôt une manifestation sur le *campo*. La situation se débloqua au bout d'une semaine, quand le prêtre de l'église San Giovanni e Paolo accepta de célébrer les funérailles. Des centaines de personnes y assistèrent.

J'étais assis à côté de De Luigi pendant l'office. Il était d'humeur caustique.

— Pendant toute cette semaine, Mario est resté dans un frigidaire. Je suis écœuré par la réaction du public : les gens s'intéressent plus à son homosexualité qu'à ses poèmes, à son cœur ou à son âme. Personne n'essaye de regarder au-delà de son aspect physique, parce que nous vivons dans une société matérialiste. La seule raison pour laquelle les gens pensent que Mario s'est suicidé, c'est son cul. Ils ne le comprennent pas. Moi, je vis dans la hantise qu'un jour ils me comprennent, car alors cela signifiera que je suis comme eux. Et ce sera la fin de ma vie, parce que toute ma vie j'ai voulu ne pas être compris.

Malgré la conviction de la police, certains amis de Stefani mettaient en doute l'hypothèse du suicide. Stefani en était physiquement incapable, prétendaient-ils. Il n'arrivait même pas à accomplir les petits gestes du quotidien. Comme l'a fait remarquer l'un d'eux : il n'était même pas capable d'accrocher un tableau, alors se pendre tout seul...

Ce qui laissait perplexe Maria Irma Mariotti, journaliste au magazine culturel *Il Sole 24 Ore* et amie de Stefani depuis

320

trente-cinq ans, c'était qu'on l'ait retrouvé presque entièrement nu.

— Mario était toujours très soucieux de son apparence. S'il avait décidé de se suicider, sachant que des inconnus verraient son corps, il se serait certainement arrangé de façon plus présentable.

Quelque temps après la mort de Stefani, son éditeur, Editoria Universatoria Venezia, sortit un volume de cinquante pages regroupant ses derniers poèmes, *Una quieta disperazione* (« Un désespoir silencieux »). En couverture, une photo montrant un Stefani fatigué, à l'image de l'atmosphère de ses poèmes. Il disait avoir un visage souriant mais un cœur lourd. Il était fatigué de vivre, la vie lui était un poids insupportable – un voyage solitaire en train, avec la mort au terminus.

Je dénichai un exemplaire d'un autre recueil, *Poesie segrete* (« Poèmes secrets »). Il avait été publié trois ans plus tôt, et même à l'époque son état d'esprit était on ne peut plus limpide : « Je continue à vivre mais c'est la mort que je désire. »

Il m'apparut évident que la plupart des connaissances de Mario Stefani n'avaient pas lu ses poèmes. Je m'assis et, pendant tout un après-midi, feuilletai son recueil. La moitié au moins de ses textes parlaient de la vie, de la mort, des souvenirs flétris, de la violence de l'amour et du désir.

Je décidai de téléphoner à l'éditeur de Stefani. D'après le nom sur la couverture – Editoria Universitoria Venezia –, j'avais imaginé une célèbre maison d'édition universitaire, mais je ne la trouvai pas dans l'annuaire. Après plusieurs tentatives, je découvris qu'il s'agissait d'une structure éditoriale gérée par un seul homme, Albert Gardin. Son bureau se trouvait dans la boutique de vêtements et de costumes appartenant à sa femme, Calle del Scaleter, une ruelle étroite non loin du Campo San Giacomo dell'Orio.

Jetant un coup d'œil par la fenêtre de la minuscule échoppe, je vis un amoncellement de robes, capes, poupées anciennes, vieux chapeaux, manteaux, foulards, parapluies montant jusqu'au plafond et des pans de tissus éparpillés, entassés, empilés, pliés ou suspendus – mais rien qui, de près ou de loin, révèle l'existence d'une maison d'édition.

J'entrai et demandai à une femme aux cheveux châtain mi-longs si elle pouvait me conduire jusqu'à Albert Gardin. À cet instant, un petit être barbu émergea de sous un block-haus constitué de couvre-chefs.

Je me présentai à Albert Gardin, lui expliquant que j'étais curieux de savoir quel homme était Mario Stefani. Il m'assura qu'il serait ravi de me dire ce qu'il savait de la poésie de son ami – en l'occurrence, beaucoup – et de sa disparition – en l'occurrence, pas grand-chose. Il m'indiqua un tabouret et je m'installai.

— La police ne nous dit rien. Nous ne savons même pas ce que Mario a écrit sur le mot qu'il portait autour du cou. Pour le moment, mes seules sources d'information sont les fuites. Un ami pompier m'a dit qu'ils avaient trouvé Mario un nœud coulant autour du cou et les pieds touchant le sol. Il n'était donc pas mort instantanément d'un coup du lapin mais au terme d'une longue et lente strangulation. Son visage était entièrement noir. Il s'était servi d'une sorte de corde en plastique utilisée en alpinisme, et elle s'était étirée. J'ai tout de même le sentiment qu'il est mort d'une autre façon et que son corps a ensuite été suspendu dans l'escalier pour faire croire à un suicide.

— Vous pensez qu'il s'agit d'un meurtre ?

— C'est une possibilité. Peut-être l'autopsie révélera-t-elle quelque chose.

— Mais la police dit que rien n'indique un acte criminel.

— Naturellement.

— Rien n'indique de vol non plus : l'argent, les tableaux, les objets de valeur ont été retrouvés à leur place.

— Les policiers ont peut-être trouvé de l'argent, des tableaux, des objets de valeur, mais comment peuvent-ils savoir que rien n'a disparu ?

— Vous ne trouvez pas que Mario Stefani a suffisamment laissé entendre qu'il voulait se suicider ? Je veux dire, quand on lit le recueil que vous venez de publier, c'est quasiment un parcours fléché jusqu'à son suicide.

— Mario m'a plus d'une fois parlé de la mort et du suicide. Mais ce n'était pas quelqu'un de suicidaire, et certains détails de sa disparition me semblent louches.

— Par exemple ?

— La veille de sa mort, il m'a téléphoné pour me demander de réserver ma soirée du 30 mars. Il organisait une soirée sur le Lido, je ne me rappelle plus quoi – un spectacle de lecture pour les enfants ou les personnes âgées… En tout cas, il était très enthousiaste. Pourquoi faisait-il des projets s'il avait l'intention de se tuer ?

— Peut-être s'est-il senti brusquement submergé par le besoin d'en finir ? Je crois savoir que ça arrive parfois, surtout chez les gens qui luttent contre des pulsions suicidaires.

Gardin secoua la tête.

— Je connaissais très bien Mario. Il prenait l'amitié très au sérieux. Je suis persuadé qu'il serait venu me voir une dernière fois, pour me dire adieu en personne. Ça lui aurait davantage ressemblé. Mario était…

Gardin se tut. Ferma les yeux. Puis, l'instant d'après, cligna des paupières pour éloigner les larmes.

— Je vous demande pardon. Je ne suis pas habitué à dire « Mario était ». Je voulais juste dire que Mario était un véritable ami, c'est tout. Il était déprimé, mais pas au point de mettre fin à ses jours.

— Pourquoi était-il déprimé ?

Gardin marqua une pause et regarda ses mains avant de répondre.

— Je crois qu'on le faisait chanter.

— Pourquoi ?

— Mario se vantait toujours de payer des coups à boire ou d'inviter à dîner les gens. Il disait souvent : « Je veux vous humilier avec ma fortune. » Et soudain, l'été dernier, il a cessé de le faire. Il m'a expliqué qu'il avait des soucis financiers et qu'il ne pouvait plus dépenser à tout-va, ou alors seulement sa part de l'addition. S'il voyait quelqu'un passer devant un bar d'un pas pressé, alors il lui proposerait de lui payer à boire sachant qu'il n'aurait pas le temps d'accepter. Je savais que ses problèmes financiers avaient une cause bien précise, et j'ai commencé à m'inquiéter. À un moment, je lui ai directement posé la question : « Est-ce qu'on te fait chanter ? — Non, non, non », m'a-t-il répondu, en me remerciant tout de même de le lui demander. Puis il a ajouté : « Un jour peut-être j'expliquerai tout. »

— Pourquoi quelqu'un voulait-il le faire chanter ? Il parlait très librement de son homosexualité.

— Oui, mais cette partie de sa vie restait cloisonnée. Il payait pour coucher avec des garçons. Ils étaient tous de condition modeste, certains avaient un passé criminel, d'autres se droguaient. Ils l'abordaient dans la rue et lui disaient qu'ils avaient besoin d'argent pour payer la facture d'électricité ; il leur répondait toujours : « Passe me voir à la maison ce soir. » Pour les garçons, c'était juste une façon de gagner de l'argent, mais Mario, lui, tombait souvent amoureux, et ça le rendait vulnérable. Il leur donnait tout ce qu'ils voulaient, et ils voulaient toujours de l'argent. C'est à ce genre de chantage que je pense...

Gardin s'inquiétait des dispositions prises concernant l'héritage de Stefani.

— Dix-sept artistes ont peint des portraits de Mario, y compris Giorgio De Chirico. Mario m'a dit un jour qu'il voulait que ses tableaux, ses écrits et ses milliers de livres soient légués au musée de la Fondation Querini Stampalia.

Se posait aussi la question du devenir des poèmes inédits de Stefani.

— Il écrivait toujours des poésies, il doit y en avoir des dizaines dans ses carnets, griffonnées sur des bouts de papier, achevées, inachevées. Pour un œil non averti, ces textes ne ressemblent à rien. Ils pourraient finir à la poubelle...

On avait d'abord pensé que Stefani n'avait qu'une seule héritière, une lointaine cousine qui le connaissait à peine. C'est elle qui avait organisé les funérailles, et elle seule avait été autorisée par les policiers à entrer dans l'appartement du défunt. Mais, peu après la mort du poète, deux associations à but non lucratif se firent connaître, chacune prétendant avoir été désignée par Stefani comme bénéficiaire testamentaire. La première participait à la recherche contre le cancer, la seconde était affiliée à l'Église de Waldensian. Le testament portant mention de cette dernière étant le plus récent, elle fut désignée héritière.

Cependant, un mois plus tard, un gros titre à la une du *Gazzettino* claironnait : « Le mystère du troisième testament. » La police avait trouvé dans l'appartement de Stefani un troisième testament portant une date plus récente que les deux autres. L'identité du bénéficiaire ne fut pas révélée, mais la police indiqua qu'il n'était cité dans aucun des documents précédents. Il restait à résoudre un problème : ce troisième testament était en réalité une photocopie, et n'avait par conséquent aucune valeur légale. Il fallait donc mettre la main sur l'original. Le procureur annonça qu'il demanderait au notaire de Stefani de déterminer si l'original avait été supprimé, caché ou bien détruit.

La révélation la plus surprenante de cette affaire était que les biens de Stefani comprenaient non seulement sa maison, mais six appartements de rapport situés à Mestre et deux *magazzini* dans le quartier du Rialto. La valeur de l'ensemble s'élevait à un million de dollars.

Le lendemain, le notaire de Stefani découvrit l'original du troisième testament caché dans un recueil de poèmes que lui avait apporté Stefani. Un quatrième testament y était joint, daté d'un mois plus tard, qui reprenait simplement les termes du troisième.

Et l'identité du bénéficiaire n'était toujours pas divulguée.

L'histoire prit un tour inattendu six semaines plus tard, avec une annonce surprise : l'héritière était une petite fille âgée de un an. Stefani l'avait aimée comme si c'était sa propre fille. Selon le *Gazzettino*, Stefani avait désigné le père de la fille comme héritier car elle était mineure. S'il l'avait désignée, *elle*, les tribunaux auraient bloqué l'héritage jusqu'à sa majorité. Mais les noms restaient toujours tenus secrets. Les parents de la petite fille étaient décrits comme des gens issus de la classe ouvrière, qui avaient accueilli la nouvelle de l'héritage avec stupeur et incrédulité.

Ce coup de théâtre suscita la perplexité de tous les proches de Stefani, à commencer par Albert Gardin. À la fin du mois de juin, je passai devant la boutique de sa femme et aperçus la tête de l'éditeur derrière une pile de chapeaux. J'entrai.

— Vous avez du nouveau sur la petite fille ? lui demandai-je.

— La petite fille n'existe pas.

— Quoi?

— Mario a légué tout ce qu'il possédait à un homme de trente-deux ans. Il ne parle que de lui dans son testament. Il ne parle pas du tout d'une petite fille.

— Comment avez-vous appris ça?

Gardin ouvrit un tiroir et en sortit une feuille de papier: la photocopie du troisième testament de Mario Stefani. Il était manuscrit, comme l'exige la loi italienne. L'« unique légataire universel » mentionné se nommait Nicola Bernardi.

— Qui est-ce?

— Un marchand de fruits et légumes. Il travaille dans la boutique familiale, du côté de San Marco. Lui et sa femme ont une petite fille, Anna. Mario a écrit un poème sur elle.

Je me rappelai alors avoir entendu à deux reprises Stefani parler dans son émission de télé d'une jolie petite fille qui l'avait aidé à sortir d'une terrible période de dépression. Gardin me montra un exemplaire du dernier livre de Stefani et l'ouvrit à la page du poème. Anna, écrivait-il, lui avait donné l'espoir et la volonté de continuer à vivre.

— Le *Gazzettino* s'est aussi trompé sur autre chose: ils disent que le notaire a trouvé le testament dans un livre de poèmes. Or, quand le notaire a enregistré le testament, il a précisé qu'il lui avait été *remis* par l'avocate de Nicola Bernardi, Cristina Belloni. J'ai ici les formulaires d'enregistrement.

— Qu'en dites-vous?

— Mes soupçons se confirment plus que jamais. Je vais vous montrer quelque chose de *vraiment* bizarre. Regardez comment le testament est écrit: il est truffé de fautes grammaticales. Mario n'aurait jamais écrit un texte pareil. Regardez, là, il passe de la première à la troisième personne, puis revient à la première: « *Je* soussigné, Mario Stefani, en pleine possession de *ses* facultés mentales, lègue tous *ses* biens et possessions ainsi que toute *ma* fortune... » Si ce n'est pas un faux caractérisé, alors Mario devait être sous le coup d'une émotion extraordinairement forte quand il l'a écrit. On a très bien pu le lui dicter. Si Mario a écrit ce testament de son plein gré, alors il s'est suicidé pour la seconde fois – un suicide littéraire. Entre nous, qu'est-ce que ce marchand de légumes sait de la poésie ? À supposer qu'il ne s'en fiche pas comme d'une guigne… Comment saurait-il distinguer un morceau de papier sur lequel est griffonné un poème d'un papier à jeter aux ordures ? Et c'est *lui* qui prendra les décisions concernant les droits littéraires et les traductions ? *Lui* qui négociera avec les éditeurs ?

— À ce propos, intervins-je, quelles sont les répercussions de cette affaire sur vous, son éditeur ? J'ai vu que, dans ses livres, Editoria Universitaria est désigné comme propriétaire du copyright.

Il haussa les épaules.

— Qui peut le dire ?

— Qu'allez-vous faire ?

— D'abord, je veux que toute la lumière soit faite sur ce mystère. Je vais officiellement demander au procureur de diligenter une enquête rigoureuse et transparente, et j'enverrai une copie de ma lettre aux journaux.

Une semaine plus tard, Gardin passa à l'action.

Le lendemain, le *Gazzettino* relaya comme prévu l'information, écrivant que la requête de Gardin « met en doute la nouvelle du suicide du poète vénitien telle que nous l'avons publiée ». Le journal citait l'intégralité du testament de Stefani, y compris les fautes de syntaxe, sans mentionner toutefois le nom de Bernardi. Il était évident qu'il n'était nulle part question d'une petite fille. Le journal mentionnait également qu'en enregistrant le testament, le notaire avait dit qu'il lui avait été remis par une avocate et non qu'il l'avait trouvé dans les pages d'un livre, comme le *Gazzettino* l'avait prétendu. Aucune explication n'était donnée sur ces informations divergentes.

Deux jours après la parution de l'article, mon téléphone sonna peu avant midi. C'était Gardin. Il paraissait en état de choc.

— Quelque chose de vraiment grave vient de se produire. Vous pouvez passer à la boutique ? Des policiers sont déjà venus.

— Vous allez bien ?

— Oui, oui. Vous verrez.

Un quart d'heure plus tard, je me trouvais devant le bureau de Gardin – c'est-à-dire devant le magasin de sa femme. Sur la vitrine, écrite au marqueur bleu, on pouvait lire l'inscription : NE NOUS CASSE PAS LES COUILLES AVEC LE TESTAMENT DE STEFANI.

Gardin me laissa le temps de lire et de comprendre la portée du message, puis effaça le texte avec un chiffon.

— Des journalistes de *Il Gazzettino* et de *La Nuova* étaient là il y a une heure. Ils ont pris des photos. Je suis allé porter plainte au commissariat.

— Je ne sais pas comment est ce marchand de fruits et légumes, mais il doit être particulièrement stupide pour ne pas comprendre qu'il est le principal suspect.

— C'est peut-être lui, ou un de ses amis, ou un membre de sa famille.

Le lendemain, les deux journaux publièrent un article sur le graffiti menaçant, illustré d'une photo de Gardin devant sa vitrine.

« Apparemment, ma requête auprès du procureur inquiète certaines personnes, déclarait-il à *La Nuova*, mais j'ai bien l'intention d'aller jusqu'au bout. » Il avait également déposé auprès de la police une demande pour que les patrouilles de nuit soient plus nombreuses aux abords de la boutique de sa femme. Le nom de Bernardi n'apparaissait toujours pas dans les articles.

Il fallut attendre trois semaines, à la fin du mois de juillet, quand Nicola Bernardi se fit lui-même connaître en se proclamant publiquement l'héritier de Stefani. Son avocate Cristina Belloni fit savoir qu'il avait l'intention de protéger l'héritage de Mario Stefani en léguant tous ses manuscrits, ses livres, sa correspondance et ses tableaux à la Fondation Querini Stampalia. Il avait engagé des experts pour que l'inventaire de tout ce qui se trouvait dans la maison du défunt soit bouclé à la fin de l'été.

Belloni affirma qu'aucun mystère ne planait autour du testament. Son client avait découvert qu'il était l'unique héritier de Stefani une fois le poète disparu, lorsque la police l'avait convoqué.

Albert Gardin ne s'en laissa pas compter. Trois jours plus tard, il tint une conférence de presse dans le hall de l'hôtel Sofitel et lança une nouvelle accusation spectacu-laire : « Le dernier rapport sexuel de Mario Stefani a pris la forme d'un jeu érotique dangereux qui a mal tourné et lui a coûté la vie. »

Il expliqua, faisant référence au meurtre du cinéaste Pier Paolo Pasolini en 1975, dont un prostitué avait été accusé :

— Je décrirai sa mort comme *pasolinienne*. Mario payait pour faire l'amour avec les garçons dont il parlait dans ses poèmes érotiques. La police devrait vérifier le compte ban-caire de Mario : il y a eu des transferts de fonds juste avant sa mort, et après le compte était vide.

— Beaucoup de gens, intervint un journaliste, pensent que vous avez des raisons personnelles pour attirer l'atten-tion sur cette affaire alors qu'elle semble résolue.

— Elle n'est *absolument pas* résolue. L'avocate de l'héri-tier est la seule à le croire.

Le lendemain matin, un nouvel avertissement apparut sur la vitrine de la boutique. Comme le premier, il était écrit au marqueur bleu : TU NE LIS PAS LES JOURNAUX ? IL N'Y A PAS DE MYSTÈRE AUTOUR DU TESTAMENT. SI TU CONTI-NUES À PARLER, TU VAS LE REGRETTER.

Gardin porta à nouveau plainte contre X, et renouvela auprès de la police sa demande pour des patrouilles noc-turnes redoublées.

Je passai une fois encore devant sa boutique pour exami-ner l'écriture sur la vitrine. Gardin et son épouse étaient à l'intérieur. Il me rejoignit dans la *calle*.

— Ma femme est terrifiée, me dit-il à voix basse. Elle veut que je renonce...

Il n'en fit rien. Il préféra organiser la célébration, à titre posthume, du soixante-troisième anniversaire de Stefani, le dimanche suivant, sur le Campo San Giacomo dell'Orio. Il envoya des invitations portant la devise « Les poètes ne meurent jamais », adressées à « Mes amis » et signées « Mario ». Une initiative d'un goût douteux, selon le *Gaz-zettino* : « C'est normal d'entretenir le souvenir du poète, normal que ses amis (les vrais) se réunissent, mais c'est une erreur d'exploiter sa mort. Laissons Mario en paix, comme il le souhaitait. »

L'anniversaire se déroula sur la place et rassembla une quarantaine de personnes. Il débuta comme un hommage délicat à la poésie de Stefani, mais se transforma rapidement en tribune où la dénonciation de la police alternait avec les spéculations sur ce qui s'était réellement passé.

La journaliste Maria Irma Mariotti imagina le scénario le plus extrême, en accord avec le point de vue de son ami Gardin : « Selon moi, dit-elle de sa voix éraillée de fumeuse, Mario a été assassiné. Je n'exclus pas la possibilité qu'il ait été victime d'un jeu érotique, avec asphyxie par un sac en plastique et une corde serrée autour du cou, puis simulacre de pendaison. »

Mariotti ajouta qu'elle s'était rendue avec Stefani à une exposition un an avant sa mort. Soudain, il avait fondu en larmes et, pris d'un tremblement incontrôlable, lui avait avoué qu'il était désespérément amoureux d'un jeune homme qui le menaçait de ne plus le voir s'il ne lui versait pas des sommes d'argent de plus en plus importantes. « Il détruit ma vie, mais je ne peux pas faire marche arrière. »

« J'ai conseillé à Mario de rompre avec cet homme, car la situation me semblait dangereuse. Mais il m'a dit qu'il avait déjà mis le nom de son amant sur son testament. "Déchire-le, lui ai-je dit. S'il s'en aperçoit, m'a-t-il répondu, je ne sais pas comment il réagira." Quand j'ai entendu ça, j'ai expliqué à Mario que s'il ne mettait pas immédiatement un terme à cette relation, il signait son arrêt de mort. Ce soir-là, en partant, je l'ai supplié de laisser tomber ce gigolo, je l'ai averti que je refusais de le revoir tant qu'il ne suivait pas mon conseil. Quelque temps plus tard, il m'a téléphoné et il m'a dit : "Calme-toi, c'est fini." Mais, à vrai dire, je ne l'ai pas cru. »

Le *Gazzettino* publia un compte rendu de cette soirée, comprenant un résumé des soupçons de Mariotti. Dix jours plus tard, cette dernière remit aux carabinieri un rapport détaillé de trois pages, et, deux jours plus tard, une troisième menace apparut sur la vitrine des Gardin – toujours au marqueur bleu, toujours dans la même écriture : TU ES LE SEUL À RACONTER CES CONNERIES SUR DES JEUX ÉROTIQUES ET À DIRE QUE MARIO STEFANI A ÉTÉ

ASSASSINÉ. IL S'EST SUICIDÉ COMPRIS? ON VA TE CASSER LA GUEULE. DERNIER AVERTISSEMENT.

Pour la troisième fois, Albert Gardin déposa une troisième plainte contre X et réclama davantage de patrouilles nocturnes.

L'affaire en était là quand je rendis visite à Aurelio Minazzi, le notaire qui avait prétendument trouvé le testament de Mario Stefani dans un recueil de poèmes. C'était un homme jeune et avenant. Il m'expliqua qu'il connaissait Stefani depuis trente-cinq ans, car il l'avait rencontré par l'intermédiaire de son père, quand celui-ci travaillait comme secrétaire du rédacteur en chef du *Gazzettino*.

— Vous avez réellement trouvé le testament glissé dans un recueil de poésie?

— Oui.

— Dans ce cas, pourquoi avoir déclaré que Cristina Belloni vous l'avait donné en vous demandant de l'enregistrer?

— C'était une formalité légale. La loi veut que quelqu'un *demande* à un notaire d'enregistrer un testament. Je n'aurais pas pu le faire de moi-même. J'aurais dû déposer le testament chez un autre notaire en lui demandant de l'enregistrer. Aussi, quand je l'ai trouvé dans mon livre, j'ai téléphoné à Cristina Belloni pour la prévenir. Elle est venue me voir avec Bernardi. J'ai remis le document à Bernardi, qui l'a donné à la signora Belloni, qui me l'a rendu en me demandant de l'enregistrer.

— Pourquoi ne pas avoir noté dans votre rapport que vous l'aviez trouvé dans un livre?

— Parce que ça n'avait rien changé. L'endroit où se trouvait le document avant d'être enregistré n'a aucune valeur. Mario aurait pu le déposer dans un coffre de banque, le donner à son éditeur ou le laisser dans un tiroir de bureau. Il n'était pas obligé de le remettre à son notaire.

— Dans ce cas, pourquoi le juge vous a-t-il immédiatement montré du doigt en lançant une enquête pour déterminer la raison pour laquelle vous n'aviez pas remis l'original?

— Parce qu'en tête de son testament Mario avait écrit: « À l'intention du notaire Aurelio Minazzi. » Le juge a donc cru, naturellement, que je possédais le testament original.

Je me rappelai en effet avoir vu cette mention sur le testament qu'Albert Gardin m'avait montré.

— Mais pourquoi avoir gardé ce document dans un recueil de poèmes ?

— Mario a écrit beaucoup de testaments, répondit Minazzi en souriant. Il changeait tout le temps d'avis. C'était... je ne dirais pas une manie, mais c'était sa façon de faire. Il me donnait un testament, puis il me téléphonait : « Il ne me convient pas... » Et il en écrivait un autre. Quand Mario est mort, j'ai vérifié les registres et trouvé un testament datant de 1984, dans lequel il lègue tous ses biens à une association pour la recherche contre le cancer. J'avais aussi un message qu'il m'avait envoyé, peu après, pour me dire qu'il voulait tout léguer à l'Église de Waldensian. Mais il n'a jamais vraiment écrit de testament le stipulant. Donc, à sa mort, j'ai expliqué au juge qu'il avait annulé le testament de 1984 sans en écrire un nouveau, pour autant que je sache. C'est là que le juge a envoyé des policiers fouiller chez Mario à la recherche d'un autre document, et qu'ils ont trouvé la photocopie du testament en faveur de Bernardi. Le juge m'a appelé pour me demander si je détenais l'original. Ma secrétaire et moi avons essayé de nous rappeler la dernière visite de Mario, et nous nous sommes souvenus qu'il était venu sans rendez-vous, comme toujours, en apportant une plante, des chocolats et un recueil de poèmes. C'est là que nous avons trouvé les deux testaments.

— Combien en a-t-il écrit, en tout ?

— Franchement ? Je ne pourrais pas vous répondre avec certitude. Pour tout vous dire, après sa mort, un homme – un pompier – est venu m'apporter un testament entièrement en *sa* faveur. Mario l'avait écrit en 1975, avant que je débute dans le métier. J'ai été obligé de lui dire que son document n'était plus valide, d'autres avaient été écrits depuis. Mario avait des problèmes... peut-être cette habitude d'écrire des testaments était la façon qu'il avait trouvée de les résoudre.

Cristina Belloni, une séduisante brune habillée avec élégance, me reçut dans son bureau du Campo Santo Stefano. Elle alla droit au but.

— Mon client Nicola Bernardi a été convoqué par le procureur dans le cadre de l'enquête sur le suicide de Mario Stefani. Le procureur lui a expliqué que ce serait une conversation purement informelle, mais elle s'est vite transformée en interrogatoire. Nicola est directement venu me voir en sortant du tribunal. Il était très ébranlé. Il venait d'apprendre que Mario Stefani l'avait désigné comme son unique héritier, et jamais il n'aurait imaginé une chose pareille. Mais on lui avait aussi dit que le testament était une simple photocopie et n'avait par conséquent aucune valeur légale. Le choc était donc double pour Nicola. J'ai dû agir vite car je pensais que quelqu'un avait pu trouver le testament original et le détruire. Les journaux avaient écrit que les policiers avaient trouvé, posé sur la table de la cuisine de Mario, un paquet enveloppé avec le numéro de téléphone de Nicola : c'était un cadeau d'anniversaire pour Anna, sa fille. Aussitôt, j'ai foncé chez le procureur et je lui ai demandé s'il avait ouvert le paquet. Non. Je lui ai demandé si, par hasard, il avait envisagé la possibilité que l'original du testament s'y trouve. Non. J'ai insisté pour qu'il ouvre le paquet, et je lui ai dit que s'il refusait je soumettrais une requête au procureur général pour qu'au moins le paquet soit remis à la personne indiquée : Anna. Le procureur m'a répondu sèchement qu'il pouvait faire traîner l'enquête pendant encore trente jours et qu'il ne se gênerait pas si j'interférais d'une façon ou d'une autre. La balle était dans mon camp : j'ai envoyé au notaire de Mario une lettre certifiée dans laquelle j'avais écrit, non pas « je sais que vous n'avez pas le testament », mais « je me demande si vous, un ami de Mario Stefani, possédez son testament signé. Merci de me le confirmer et, le cas échéant, de l'enregistrer immédiatement, car je suis l'avocate de la personne citée dans ce document. » Vingt-quatre heures plus tard, le notaire m'a appelée : « Je l'ai trouvé ! »

— Vous pensez qu'il l'a bien trouvé glissé dans les pages d'un livre, ou qu'il le cachait pour je ne sais quelle raison ?

— Y croire ou pas, ça ne me concerne pas. Mon seul but était de protéger mon client. Le notaire m'a dit : « Je ne peux pas encore l'enregistrer car j'ai besoin de plusieurs autres documents certifiés. » Je lui ai répondu : « Demain matin vous les aurez, et vous les enregistrerez *tout de suite* pour moi ! »

L'agressivité de Cristina Belloni était surprenante, et quelque peu glaçante. Elle me confirma ce que m'avait dit Minazzi : le testament était passé des mains du notaire à celles de Bernardi, puis de Cristina Belloni, avant de revenir au notaire, à qui elle avait demandé de l'enregistrer.

— Le notaire m'a donné un certificat. Munie de ce document, je suis allée voir le procureur et je lui ai dit : « Maintenant, vous allez tout débloquer. » Il a essayé de gagner du temps, mais, au bout de quarante-huit heures, il a reçu l'ordre, par décision judiciaire, de lever les scellés sur l'appartement de Mario.

— Comment la nouvelle qu'Anna était l'héritière a fini par arriver aux oreilles du public ?

— Nicola vend des fruits et des légumes. C'est quelqu'un de simple, qui ne sait pas trop quelle attitude adopter. Les journalistes ont dû le harceler et il a pris peur. Alors, j'ai passé une sorte de contrat avec les journalistes pour qu'ils ne divulguent pas son nom, le temps qu'il se ressaisisse. Il faut compter environ vingt jours pour que l'enregistrement d'un testament devienne public.

— Vos manœuvres en cachette semblent avoir rendu les gens encore plus soupçonneux.

— Les médias ont relayé toutes sortes d'informations malveillantes – et infondées – sur Mario et Nicola. J'ai conseillé à mon client de ne pas répliquer. La situation n'aurait fait qu'empirer. Alors nous avons attendu le début du travail d'inventaire de l'œuvre de Mario et la validation du don à la Fondation Querini Stampalia pour organiser une conférence de presse.

— Que pensez-vous de l'hypothèse du chantage dont Stefani aurait été victime ? Apparemment, on en voulait à son argent...

— J'ai découvert qu'il était poursuivi en justice par une femme vivant à Mestre. Elle demandait un remboursement de travaux suite à un dégât des eaux provoqué par une fuite dans l'appartement dont il était propriétaire, au-dessus du sien. C'était une grosse somme, et apparemment ça le tracassait beaucoup.

— Les accusations et les soupçons perdurent.

— Oui, et ils proviennent tous d'Albert Gardin, qui se présente comme l'éditeur de Mario Stefani. J'ai fait des recherches sur lui à la chambre du commerce. Gardin a exercé plusieurs métiers dans sa vie, mais sa maison d'édition n'existe tout simplement pas. Elle n'a pas d'adresse. J'ai trouvé la trace d'un contrat d'édition en 1991, mais elle a fermé juste après. J'ai commencé à le soupçonner quand il a publié ce recueil juste après la mort de Stefani, sans se soucier de contacter ses ayants droit. Ses livres n'ont pas de code-barre, par conséquent il est impossible de savoir combien d'exemplaires il en vend. Et il semble très désireux de faire parler de lui.

— Vous pensez que les messages au marqueur bleu sur la vitrine des Gardin ont été écrits par Nicola, ou par ses amis?

— Absolument pas.

— Qui, alors?

— Peut-être bien Gardin lui-même.

Avant même que Nicola Bernardi soit identifié par la presse comme l'héritier de Mario Stefani, son nom et ses coordonnées circulaient parmi les amis du poète. Un cortège ininterrompu de curieux passait devant le magasin de sa famille pour y jeter un coup d'œil. Certains, se faisant passer pour des touristes, prenaient des photos, d'autres entraient et achetaient une livre de tomates. Puis ils échangeaient leurs impressions. Bernardi était grand, assez quelconque; plutôt frêle; des cheveux fins coupés court; un long visage chevalin.

Une amie de Stefani expliqua : « Il a des petits yeux qui bougent très vite, comme ceux d'un lézard. Son sourire est un peu trop systématique, je trouve; il se force, un peu comme ces enfants marocains, mexicains, indiens qui vous réclament de l'argent. Sa bouche s'ouvre à la moindre occasion. Les enfants des milieux aisés ont des sourires plus discrets. Ils rient moins souvent – et c'est toujours un rire naturel. »

Une journaliste coréenne se rappela que Stefani avait plusieurs fois insisté pour qu'elle l'accompagne dans le magasin de Bernardi. « L'endroit semblait exercer sur lui une attirance irrésistible, mais Mario avait peur de s'y rendre seul. Quand nous arrivions, il expliquait que nous passions par hasard dans le quartier... J'étais surprise de voir quel accueil lui était réservé. Ce n'était pas du tout amical, et ça me mettait mal à l'aise. Ils lui adressaient à peine la parole, il n'y avait aucune communication entre eux, pas même un rire ou un sourire. Le jeune homme, Nicola, vaquait à ses occupations et faisait comme s'il ne le connaissait pas. On aurait surtout dit que la présence de Mario le gênait. »

Nicola Bernardi vivait avec sa femme Francesca et leur fille dans un studio au rez-de-chaussée d'une maison près des Frari. C'était une pièce aux dimensions modestes ; la porte sur rue ouvrait directement dans le salon. Je leur rendis visite un an après la mort de Mario Stefani, par l'entremise de Cristina Belloni. Je m'assis sur un canapé en face de Nicola, qui portait un jean et des baskets. La chevelure auburn de Francesca encadrait son visage lumineux où perçait un regard clair et paisible. Elle aidait Anna à enfiler un pull rose. La petite fille avait deux ans et de beaux cheveux blonds.

— Nous avons fait la connaissance de Mario, commença Nicola, parce qu'il venait tout le temps acheter ses légumes dans notre magasin. Il nous saluait, mes parents, mon frère et moi. Sa banque était juste à côté. C'était un bon client, tellement que nous lui faisions des réductions, mais il refusait toujours. « *Mamma mia !* disait-il, avec le métier que vous faites ! Vous vous levez tous les jours si tôt... Je ne veux pas de réduction. »

Cette amitié chaleureuse parmi les cageots de fruits et légumes ne cadrait pas avec l'indifférence presque hostile dont parlait la journaliste coréenne. Quelle version croire ? Comme Nicola, Francesca considérait Mario comme un membre de la famille.

— Quand Anna est née, Mario est venu nous voir à l'hôpital. Il était aussi présent au baptême. Nous l'avions invité à l'anniversaire d'Anna et il nous a répondu qu'il ferait son possible pour venir, mais il s'est tué avant.

— Il est déjà venu ici?

— Il nous téléphonait quand il était dans le quartier, répondit Nicola. Souvent, il avait un cadeau pour Anna, ou bien un lot de casseroles pour nous. Si nous étions absents, il laissait les paquets sur le rebord de la fenêtre et fermait les volets. Il était comme ça, Mario. On rentrait chez nous et on trouvait les cadeaux. À un moment, on a dû lui demander d'arrêter. Je lui ai dit : « Mario, tu ne peux pas continuer à nous faire des cadeaux. On n'a besoin de rien. »

Nous étions convenu avec les Bernardi, une fois que je les aurais rejoints, d'aller nous promener du côté de l'appartement de Mario. Francesca installa Anna dans sa poussette puis lui donna son ours en peluche.

— Anna, tu te rappelles qui t'a donné l'ours? Oncle... oncle... oncle qui? Oncle Mario! Tu te souviens d'oncle Mario...

Anna ne réagit pas.

En chemin, Anna sortit de sa poussette pour traverser à pied les quatre ponts. Nicola et moi marchions devant.

— Cette histoire remonte à un an. En quoi votre vie a-t-elle changé depuis que vous avez hérité?

— Nous n'avons plus de problèmes d'argent. Quand une facture d'électricité doit tomber, nous ne sommes plus inquiets. Et si je veux laisser branchée la climatisation pendant tout l'été, maintenant, je peux. Mais le travail n'a pas changé : je me lève toujours à 4 h 30, je prends le bateau pour aller chercher des fruits et des légumes que je rapporte au magasin. La seule différence, c'est que je n'ai plus besoin de demander de l'argent à mes parents.

— Vous travaillez sans salaire?

— Personne ne m'y oblige. Je pourrais très bien me passer de travailler, mais je me sens des obligations morales envers mes parents et mon frère. C'est une bonne chose, qu'on continue de travailler ensemble.

Bernardi parlait en toute décontraction et candeur. Il avait une sorte de charme paisible et, de temps en temps, lâchait un sourire désarmant – ce qui, au vu des circonstances, était surprenant. Après tout, il avait été accusé d'entretenir une liaison secrète avec Mario et d'avoir joué un rôle dans sa mort. Et nous étions en route pour le lieu supposé du crime. Nicola aurait eu toutes les raisons d'être mal à l'aise, que les accusations soient vraies ou totalement fantaisistes. Mais il ne paraissait absolument pas gêné.

— Des gens ont dû vous demander des prêts, non ?

— Non, mais Francesca et moi avons les moyens, maintenant. Dès que nous pourrons, nous rénoverons l'appartement de Mario pour nous y installer. Nous n'avons pas encore commencé : pour l'instant, tout est encore comme du vivant de Mario, les livres et les papiers en moins puisqu'ils sont triés en ce moment.

— Est-ce que vous ou Francesca avez vu l'appartement avant la mort de Mario ?

— Nous ne savions même pas où il habitait ! La première fois que j'y suis allé, c'était avec Cristina et la police. La porte était verrouillée, c'est un policier qui a dû nous ouvrir. À l'intérieur, il y avait un cadeau pour Anna et de l'argent, mais l'appartement était vraiment en bazar : des bouquins partout, tout un tas d'affaires empilées, éparpillées... Ça avait quelque chose de gênant.

— Vous connaissez les poèmes de Mario ?

— Je n'ai jamais été un grand lecteur. Quand j'étais petit, sur le chemin de l'école, je n'oubliais jamais de déposer une pièce dans le tronc du saint de la calle Bembo pour ne pas avoir de mauvaises notes. Mais j'ai lu le poème sur Anna. C'était sérieux. Et puis, j'ai enregistré certaines émissions de télé de Mario.

— Que pensez-vous de toutes ces spéculations à propos de la mort de Mario, de son testament et de votre rôle dans cette histoire ?

— Ça m'a rendu furieux. Les gens disaient que je l'ai obligé à écrire son testament et que j'avais une liaison avec lui. Ces conneries m'ont vraiment énervé. Je voulais riposter, mais tout le monde me disait de rester calme, sinon je risquais d'être à nouveau dans le *Gazzettino*.

— Bien sûr.

— Et d'abord, qui sont ces gens ? Soi-disant des amis de Mario, mais dès qu'ils prenaient la parole en public, ils racontaient des choses terribles sur lui : qu'il payait pour coucher avec des garçons et qu'il jouait à des jeux sexuels dangereux... Au bout du compte, j'ai compris que Mario était l'ami de tout le monde et en même temps l'ami de personne.

— Et les menaces sur la vitrine d'Albert Gardin?

— Pourquoi je ferais un truc aussi dingue? Un de ces graffitis a même été écrit un jour où j'étais parti à la montagne...

Arrivés au Campo San Giacomo, nous attendîmes Francesca et Anna puis nous montâmes tous les quatre à l'appartement de Stefani. Tout en haut d'un escalier de pierre abrupt, deux portes en bois ouvraient sur une pièce obscure sentant le renfermé. L'appartement avait un haut plafond, de grandes fenêtres, des meubles en chêne massif et un papier peint taché et décollé par endroits. Des tableaux encadrés, notamment plusieurs portraits à la plume de Stefani, était accrochés apparemment au hasard sur les murs. Nous passâmes de pièce en pièce.

— Anna, regarde! s'exclama Francesca. C'est l'appartement de qui, ici? Tu le sais... D'oncle Mario!

Je me fis la réflexion que ces commentaires sur « oncle Mario » s'adressaient sans doute autant à moi qu'à Anna. Nicola était un marchand de fruits et légumes très chanceux, c'était évident. Mais cette manne d'un million de dollars, il l'avait payée au prix fort: le soupçon permanent de l'avoir décrochée en recourant à des stratagèmes abominables dont lui et sa famille auraient à se disculper pour le restant de leurs jours.

Dans la cuisine, je regardais l'escalier étroit menant au grenier et la rambarde en bois où Mario Stefani avait noué la corde qui l'avait étranglé jusqu'à ce que mort s'ensuive. Un poster punaisé au mur, à mi-chemin des marches, montrait deux jeunes soldats souriants en train de s'embrasser, surmontés d'un slogan: « Faites l'amour, pas la guerre. »

— Nous n'avons pas encore commencé les travaux de rénovation, répéta Nicola. Jamais nous n'aurions vendu cet appartement. C'est chez Mario, ici.

Dans la salle à manger, je remarquai une statuette en verre sur une commode. À première vue, on aurait dit une sorte de plante, mais à y regarder de près on reconnaissait un phallus. Posé à côté, un autre objet en forme de phallus, mais en marbre celui-là. Un carton par terre était rempli d'autres pénis, dans un esprit moins pornographique que joyeusement trivial : des pénis-bougies surmontés d'une mèche, des pipes en terre, des salières, des pénis en céramique dans des cendriers en forme de pénis, des heurtoirs de portes...

— J'imagine que ces objets ne figureront pas dans les archives permanentes de Mario, dis-je à Nicola.

Son rire fut léger, spontané et, me sembla-t-il, parfaitement sincère.

Un an plus tard, la collection Mario Stefani fut inaugurée à la Fondation Querini Stampalia, une bibliothèque-musée située dans un ravissant palais du XVIᵉ siècle. L'œuvre d'une vie avait été sauvée du désordre sordide de l'appartement de Mario pour être installée dans un endroit où elle serait préservée et accessible aux personnes désireuses de l'étudier. Elle comprenait les écrits de Stefani, ses tableaux, ses portraits, ses souvenirs et sa correspondance avec des personnalités telles qu'Alberto Moravia, Giorgio De Chirico, Pier Paolo Pasolini, et d'autres encore. Curieusement, on n'y trouvait aucun poème inédit. Les amis de Stefani virent là leurs pires craintes confirmées : Bernardi avait dû jeter des morceaux de papier au hasard avant que la controverse sur l'héritage devienne publique et l'oblige à engager des experts pour examiner tous les écrits du poète d'un œil professionnel.

Les bibliothécaires de la Querini Stampalia étaient cependant très heureux de l'acquisition des 6 800 volumes de la bibliothèque de Stefani, dont beaucoup étaient des recueils de poètes locaux peu connus. La collection était la plus importante du genre. Quant à la poésie de Stefani lui-même, la bibliothécaire Neda Furlan m'expliqua qu'il serait difficile de se prononcer sur sa valeur tant qu'elle n'aurait pas fait l'objet d'analyses universitaires.

— Il était très connu sur le plan local et national, et certains de ses poèmes sont magnifiques, mais, tout au long de son existence, on ne lui a jamais reconnu de génie particulier. Peut-être est-il trop tôt pour se prononcer. Pour que son œuvre soit interprétée objectivement, le recul du temps est sans doute nécessaire.

Pour sa part, depuis deux ans, l'héritier de Stefani travaillait toujours bénévolement pour ses parents. Il se levait toujours à 4 h 30 et vivait toujours dans le même studio, mais désormais avec sa femme et leurs *deux* enfants. La rénovation de l'appartement de Mario n'avait pas encore commencé.

— Nicola s'occupe d'une chose à la fois, m'expliqua Cristina Belloni. Il a payé les experts qui ont travaillé pour l'inventaire, et, grâce à eux, Mario est désormais reconnu comme un poète, un écrivain, un critique et un artiste qui a été l'un des premiers à parler publiquement de son homosexualité. Ils ont même réussi à classer l'ensemble de sa bibliothèque érotique.

Quelque temps après avoir été officiellement reconnu héritier de Mario Stefani, Nicola Bernardi commanda une pierre tombale qui fut placée sur la niche funéraire de Stefani, sur l'île-cimetière de San Michele. Puis il demanda aux experts ayant catalogué les écrits de Stefani de trouver une citation qui puisse servir d'épitaphe. Ils en trouvèrent une dans un de ses discours, et Nicola la fit graver dans la pierre : « Plus encore que d'un poète, j'aimerais laisser le souvenir d'un homme qui aimait les autres. »

Les protestations et les accusations d'Albert Gardin à propos de la triste fin de Mario Stefani s'atténuèrent jusqu'à ne plus être qu'un murmure. En 2003, il prit part à une polémique retentissante : le Comité français pour la sauvegarde de Venise venait de faire don à la ville d'une statue de Napoléon de 2,50 mètres de haut. Pour certains, cette statue devait être acceptée car Napoléon faisait partie de l'histoire de Venise, pour le meilleur et pour le pire. D'autres, en revanche, dont Alberto Gardin s'était fait le porte-parole, s'y opposaient avec véhémence : Napoléon était un terroriste, un pillard, un traître, un barbare et un vandale. Le camp des anti-Napoléon s'apprêtait d'ailleurs à le traîner devant un tribunal posthume façon Nuremberg.

Je me promenais sur la calle del Scaleter quand j'eus envie de passer voir Gardin et de discuter avec lui de cette controverse. J'arrivai devant la boutique de sa femme et, comme d'habitude, j'aperçus la tête de Gardin derrière une pile de chapeaux et de boîtes. Mais, posant la main sur la poignée de la porte, je remarquai quelque chose qui arrêta aussitôt mon geste : les mots « Vêtements anciens, soldes sur les chapeaux et les châles » avaient été écrits sur la vitrine – au marqueur bleu.

14

L'*Inferno* revisité

Laura Migliori se trouvait dans une des salles de réception de La Fenice et regardait les murs noircis par la suie. Nous étions en janvier 2000, quatre ans après l'incendie, et La Fenice n'avait toujours pas de toit. L'entrée du théâtre était une fosse boueuse. La signora Migliori savait que, sous la crasse des murs de cette salle – la salle Dante –, se cachaient les fragments d'une fresque dépeignant, comme un fait exprès, l'*Inferno*. En tant que conservatrice de musée, elle avait été sollicitée pour superviser la restauration de ce qui restait des six fresques de la salle, qui toutes dépeignaient des scènes de *La Divine Comédie*.

— Ce ne sont pas juste les flammes et la fumée qui ont tout abîmé. Les pompiers ont dû pomper l'eau des canaux à marée basse pour éteindre l'incendie, et les fresques ont été aspergées pendant des heures par de l'eau salée et limoneuse. Et puis, sans toit, il n'y a rien eu pour protéger les murs de la pluie pendant des années.

— Par où allez-vous commencer ?

Les murs noircis étaient recouverts d'une pellicule huileuse.

— La première chose à faire, avant même de nettoyer la boue, est de protéger la fresque. Elle s'est détachée du mur par endroits : on compte jusqu'à un centimètre entre les fragments de peinture et le mur derrière. Alors il faut avant toute chose la recouvrir d'un très fin papier japonais pour empêcher les morceaux de tomber. Ensuite, nous injecterons de minuscules doses de plâtre à travers la fresque pour remplir les interstices et la recoller au mur. Quand ce sera fini, nous retirerons le papier et prélèverons des échantillons de couleur. Puis nous pourrons passer au nettoyage proprement dit, en tapotant doucement la surface de la fresque avec des tampons imbibés d'eau distillée mélangée à différentes substances. Personne ne sait vraiment ce que nous allons trouver car, depuis vingt-cinq ans, les fresques ont été cachées par les tableaux de Virgilio Guidi qu'on avait accrochés par-dessus. Durant tout ce temps, personne ne les a vues, et les seules photographies sur lesquelles on pourrait se fonder sont trop anciennes et trop floues.

Mais Laura Migliori ne pouvait pas commencer la restauration immédiatement. Huit mois après avoir débuté, le chantier de La Fenice s'était complètement arrêté en février 1998, le contrat remporté par Impregilo et Fiat ayant été invalidé par décision de justice. Le chantier avait alors été confié au concurrent arrivé deuxième du concours, Holzmann-Romagnoli, mais la reprise des travaux avait encore été ajournée, le temps d'acquérir des appartements privés, d'approuver les plans et de boucler d'épineuses négociations contractuelles. Au final, pas moins de seize mois s'écoulèrent avant que le chantier redémarre – et, dès le premier jour, les complications se multiplièrent.

Des désaccords éclatèrent à propos de l'argent, du planning et des changements de plan autorisés par la municipalité. En novembre 1999, cinq mois après la reprise des travaux, Holzmann, la moitié allemande du consortium Holzmann-Romagnoli, annonça une faillite imminente.

Philip Holzmann AG était l'une des plus grandes entreprises de construction d'Europe, et l'annonce de sa prochaine banqueroute fit chuter de 90 % le cours de son action sur le marché allemand. Venise paniqua. Le chancelier Gerhard Schröder convoqua une réunion de crise avec le parlement allemand et réunit une subvention de 50 millions de dollars pour Holzmann. De quoi apaiser Venise – un peu. Les travaux continuaient de prendre du retard, et la date butoir dut être repoussée une fois encore. Puis, d'autres délais lui succédèrent en raison de la découverte de sites archéologiques sous La Fenice – deux puits, une arche, un pilier. Holzmann-Romagnoli réclama une rallonge financière et de nouveaux délais, mais la municipalité refusa.

En mai 2000, tandis que les travaux étaient interrompus à cause des problèmes d'installation d'une nouvelle grue, le maire Cacciari décida de ne pas se représenter aux élections. Venise se dota d'un nouveau maire, Paolo Costa, un économiste de stature internationale qui avait déjà été ministre des Travaux publics et recteur de l'université Ca' Foscari. Cheveux blancs, lunettes et dépourvu, en apparence, d relief, le maire Costa plongea courageusement les mains dans le bourbier de La Fenice. Il osa, fait sans précédent, demander à être désigné commissaire en charge du chantier de reconstruction, ce qui faisait de lui le responsable de la réussite ou de l'échec du projet. Costa mettait dans la balance son poste et sa réputation, et il découvrit rapidement que les chances n'étaient pas de son côté. Peu de temps après son élection, il s'offrit une visite d'inspection surprise à La Fenice et constata qu'il n'y avait qu'un seul ouvrier sur le chantier.

Costa occupait le siège de maire depuis six mois quand une vingtaine d'employés de La Fenice s'embarquèrent sur une péniche et descendirent le Grand Canal en protestant bruyamment. Nous étions le 29 janvier 2001, cinquième anniversaire de l'incendie. Les manifestants chantaient et scandaient des slogans en agitant une banderole portant l'inscription COM'ERA, DOV'ERA, IN QUAL ERA? (« Comme elle était, où elle était, mais quand? » ou, littéralement, « à quel ère? »). Arrivés devant la Ca' Farsetti, l'hôtel de ville, ils nouèrent la banderole à la façade et furent rejoints par une centaine d'autres manifestants munis de sifflets, cors, cloches, et portant une maquette en carton de La Fenice enfumée par un fumigène. Un air d'opéra faisait trembler les haut-parleurs, et la foule reprit en chœur le *Di quella pira* du *Trouvère* de Verdi, dans lequel le ténor chante : « De ce bûcher l'horrible feu / Brûle, enflamme tout mon être / Impies éteignez-le ou bien moi-même / Dans votre sang je l'éteindrai! / [...] Aux armes, aux armes! »

Costa fit le point sur l'avancement du chantier : 60 % du temps imparti s'était écoulé, mais seulement 5 % des travaux avaient été accomplis. Les fondations n'étaient même pas terminées, et Holzmann-Romagnoli continuait de demander des délais supplémentaires et de l'argent. Costa était convaincu qu'à moins de passer à l'action il serait encore en train de discuter délais et argent dans cinq ans. Il annonça à Holzmann-Romagnoli qu'il mettait fin à leur contrat et qu'ils étaient renvoyés. Ils avaient trente jours pour démonter leurs équipements, ou bien la municipalité les saisirait.

Costa tenta d'expliquer à la population qu'aussi absurde que cela paraisse c'était la façon la plus rapide et la plus logique d'achever enfin les travaux. En tant qu'ancien ministre des Travaux publics, il disait à ses administrés : faites-moi confiance. Toute la procédure allait devoir se remettre en branle, avec un nouvel appel d'offres. Le coup de génie de Costa fut de déclarer que les plans architecturaux d'Aldo Rossi étaient la propriété de Venise et non de Holzmann-Romagnoli. Par conséquent, c'est Venise qui allait reconstruire La Fenice, en travaillant avec les associés milanais de Rossi, sans Holzmann-Romagnoli. Costa était confiant : en cas de bataille juridique, son point de vue l'emporterait.

Holzmann-Romagnoli se démena, se débattit, et refusa de quitter le site. Costa envoya la police pour le faire évacuer. Le 27 avril 2001, Venise reprit possession de La Fenice, mais le chantier était pour ainsi dire entièrement interrompu. Il ne restait plus sur place qu'une seule société, occupée à travailler sur les fondations, quand Costa partit en quête d'un nouvel entrepreneur.

Ils furent huit à monter un dossier pour le nouvel appel d'offres. Le dernier, toutefois, arriva quinze minutes après la date limite de dépôt, et Costa dut le refuser. Il n'était plus d'humeur à tolérer les retards.

C'est la société vénitienne Sacaim qui fut choisie, car ses équipes étaient habituées à évoluer dans l'environnement complexe de Venise. La Sacaim s'était déjà illustrée sur des chantiers importants, notamment ceux du Palazzo Grassi et du Teatro Malibran. Et elle était déjà familière de La Fenice : c'était la principale entreprise chargée de la rénovation en cours la nuit de l'incendie.

Au début de mars 2002, après un hiatus de onze mois, le maire Costa fit installer devant La Fenice une grande horloge digitale indiquant aux passants et aux ouvriers le nombre de jours restants avant le 3 novembre 2003, date de fin de chantier fixée à la Sacaim. Quand les premières machines furent installées sur le site, le 11 mars, l'horloge indiquait 630 jours.

Elle en indiquait 614 lorsque j'enfilai un casque et rejoignis Laura Migliori dans la salle Dante. Deux ans s'étaient écoulés depuis sa première inspection des murs noircis, mais seulement deux semaines depuis que les travaux avaient pu commencer. Avec ses assistantes, elle avait déjà retiré des fresques la couche de boue et de suie. À présent, ils allaient s'attaquer aux taches plus profondes et raviver les couleurs. Seuls des fragments de fresque apparaissaient sur cinq des six panneaux, mais les deux tiers de l'*Inferno* subsistaient. On distinguait un homme en tunique rouge, dans son entier, et les moitiés inférieures de deux autres personnages.

— Je suis à peu près sûre que l'homme en rouge est Dante, et nous pensons que l'un des deux autres est Virgile. Nous espérons que les tests de couleur nous le diront : si nous trouvons du vert, ce sera sans doute lui, car Virgile est toujours représenté ceint d'une couronne de laurier.

L'essentiel de la rénovation serait réalisé en dehors de La Fenice, puis les fresques seraient rapportées au théâtre et réinstallées. Guerrino Lovato, de la boutique de masques Mondovino, s'était vu confier la réalisation de l'ensemble des modèles pour les ornements tridimensionnels du théâtre. Il loua un *magazzino* situé en face de sa boutique pour en faire son atelier où il sculpterait des modèles en argile pour les satyres, nymphes, sylphides, cariatides, anges, animaux, fleurs, pampres, feuilles, treillis, coquillages, cornes, rouleaux, soleils, lunes, masques, plis et spirales qui décoreraient les balustrades des loges ainsi que les murs et les plafonds de La Fenice. À partir des originaux, ses assistants fabriqueraient ensuite un moule en plâtre, sorte de négatif dans lequel les motifs seraient réalisés en papier mâché et en plâtre par les artisans de Mogliano. Un autre moule, positif celui-là, servirait de modèle aux sculpteurs sur bois de Vicence. Pour être certain que ses pièces s'ajusteraient parfaitement aux contours sinueux de l'habillage du théâtre, qui n'existait pas encore, Lovato les vérifiait sur la maquette grandeur nature d'une moitié de La Fenice montée dans un entrepôt à Marghera.

Laura Migliori et ses deux assistantes seraient obligées de restaurer les fresques de l'*Inferno* sur place, au milieu des ouvriers manipulant d'encombrants éléments structurels, installant les conduits d'air conditionné et les câbles électriques, et s'attelant à des tâches aussi diverses que peindre, plâtrer, souder, appliquer des feuilles d'or et couvrir le sol de granito ou de parquet. Autrement dit, elles travailleraient dans un environnement chaotique – et dans la bonne humeur.

— Nous sommes vraiment folles de joie, me confia Laura.

Tout comme les autres artisans du chantier, elle s'efforcerait de recréer La Fenice telle qu'elle existait avant l'incendie de 1836, de sorte que, ainsi que l'écrivait à l'époque l'architecte Giambattista Meduna, « nul détail ne perde en magnificence, au point que ceux qui verront le théâtre diront de la splendeur des ornements de Versailles qu'elle ne la surpasse en rien ».

Quant à savoir si la magnificence, la splendeur et la somptuosité passées pourraient être reconquises, Laura Migliori se contentait de dire :

— Nous avons fait un premier pas : nous avons retiré la boue.

La musique déversée par les haut-parleurs des manifestants, le jour du cinquième anniversaire de l'incendie de La Fenice, traversa le Grand Canal pour parvenir jusqu'au palais de justice, où le procureur Felice Casson était précisément en train de livrer ses conclusions dans le procès d'Enrico Carella et de Massimiliano Marchetti. L'accusation de tentative de meurtre avait été rejetée lors d'une session préalable.

Assis seul à une table dans la salle d'audience, vêtu d'une robe noire enfilée par-dessus une chemise sans col, il parla devant trois juges pendant près de cinq heures, passant en revue toute l'affaire. Les accusés et leurs avocats étaient assis derrière lui. Enrico Carella portait un costume sombre, une cravate en soie et des chaussures impeccablement cirées ; Massimiliano Marchetti avait, lui, enfilé une veste de sport, un pantalon en velours côtelé, une simple cravate et des chaussures d'atelier. Ils affichaient tous les deux une expression maussade, et Carella se tortillait nerveusement sur sa chaise.

Casson raconta le scénario du drame dans les moindres détails, avec un talent oratoire éblouissant : les ouvriers quittant l'opéra en fin de journée, Carella répandant des solvants sur une pile de planches dans le *ridotto*, Carella et Marchetti se cachant en attendant le départ du dernier des ouvriers, Carella se servant d'une lampe à souder pour mettre le feu aux planches pendant que Marchetti faisait le guet, le feu se propageant à toute vitesse à travers le théâtre. Le récit de Casson était illustré par une animation informatique en 3D diffusée sur quatre grands écrans disposés à chaque coin de la salle d'audience.

Durant son exposé, Casson fit clairement comprendre qu'il avait placé les deux jeunes électriciens sous une surveillance quasi permanente, presque obsessionnelle.

Une de leurs conversations avait été enregistrée à leur insu à l'aide d'un micro-espion caché dans la voiture de Marchetti. Les deux hommes s'y étaient retrouvés après un long interrogatoire au commissariat de police, et leur comportement à cette occasion était particulièrement révélateur, selon Casson :

— Ils sont montés dans la voiture et, après l'interrogatoire qu'ils venaient de subir, on se serait attendu à ce qu'ils s'écrient, comme aurait fait n'importe quelle personne innocente : « Ils sont dingues ! C'est de la folie ! On n'a rien à voir avec cette histoire ! » Au lieu de quoi Carella a juste dit : « J'espère que Mauro racontera la même histoire que nous... » Ils s'inquiétaient de ce qu'un certain Mauro pourrait dire. Ils nous l'avaient caché. Massimiliano a expliqué à Enrico qu'il n'avait pas mentionné le nom de Mauro aux policiers, et Enrico a répondu : « Bien. Parfait. »

C'est sur cet enregistrement que Casson avait pour la première fois entendu parler de Mauro Galletta, un poissonnier habitant près de La Fenice. Selon Casson, Marchetti et Carella voulaient dissimuler son existence pour deux raisons. Tout d'abord, quelques heures avant l'incendie, Galletta était venu à La Fenice à la demande de Carella pour prendre des photos de l'état d'avancement des travaux d'installation électrique ; or, comme on le découvrirait plus tard, ces photos prouvaient le retard pris par la Viet. Carella avait toujours nié ce retard, dans lequel Casson voyait le mobile de l'incendie. Il était donc capital pour la défense de prouver que Carella n'était pas sous le coup d'une amende pour avoir dépassé les délais. La seconde raison, c'était qu'après avoir quitté La Fenice Marchetti et Carella ne s'étaient *pas* rendus directement au Lido mais chez leur ami Galletta pour fumer des joints et manger une pizza. Selon le poissonnier, ils avaient sonné à sa porte peu après 21 heures. Il était donc impossible qu'ils soient arrivés au Lido à 21 h 15, comme ils le prétendaient.

Casson estimait à 22 heures, au plus tôt, le moment où Marchetti et Carella étaient partis pour le Lido, là où Carella disait avoir reçu le coup de fil lui annonçant l'incendie.

— Lorsqu'ils traversaient la lagune en direction du Lido, le ciel était déjà tout embrasé ! Comment auraient-ils pu ne *pas* savoir ce qui se passait ?

Carella, ajouta Casson, s'en était tiré par une explication absurde : ils *tournaient le dos* à La Fenice.

La surveillance de Marchetti et Carella valut à Casson deux autres aveux virtuels. Un policier en civil assis derrière eux dans un vaporetto entendit Marchetti dire à Carella : « T'inquiète, je ne te balancerai pas. » Puis, lors d'une conversation enregistrée après un interrogatoire particulièrement éprouvant, Marchetti s'était exclamé : « On va finir tous les deux en prison ! » À quoi Carella avait répondu : « Il nous ont coincés. Il nous ont bien coincés. » Le procureur expliqua aux juges, d'un ton pince-sans-rire, qu'il s'était permis d'omettre les jurons dont ces deux déclarations étaient truffées.

L'un des coups les plus rudes portés à la crédibilité de Carella provint – à la surprise générale - de son père, Renato

Carella. Quand on lui avait demandé comment il avait appris l'incendie de La Fenice, ce dernier avait répondu que son fils l'avait appelé à 22 h 10, l'ayant lui-même appris par quelqu'un qui avait entendu la nouvelle à la télévision. Or, le drame ne serait pas évoqué à la télévision avant 22 h 32. Renato Carella était-il sûr de l'heure? Absolument, assura-t-il.

Pour tout dire, Renato Carella était devenu la figure mystérieuse de cette affaire. Il avait monté la société de son fils dans l'unique but de décrocher le contrat avec Argenti à Rome. Puis il avait été engagé par Argenti pour servir d'intermédiaire avec La Fenice. Lorsque Casson avait donné sa liste des accusés en 1998, son nom n'y figurait pas. Mais il avait annoncé que trois suspects faisaient encore l'objet d'une enquête. Les premiers étaient deux parrains de la mafia napolitaine, le troisième Renato Carella. Les parrains avaient finalement été mis hors de cause, mais le père de Carella restait toujours dans le viseur de Casson.

— Moi aussi, j'aimerais bien en savoir plus sur Renato Carella, me dit Giovanni Seno, l'avocat de Massimiliano Marchetti durant la pause d'une heure aménagée dans les conclusions de Casson.

J'étais sorti du palais de justice pour me promener du côté du marché du Rialto et avais emboîté le pas à Seno sans m'en rendre compte. Nous avions commencé à discuter. Il affichait toujours cet air de confiance impudente, mais je sentis son inquiétude poindre. Le dossier de Casson tenait la route et Seno avait compris qu'il valait mieux ne plus chercher à défendre la thèse de la négligence humaine. À présent, il expliquait que l'infortuné Marchetti était dans le flou complet concernant « ce qui s'est passé cette nuit-là ». En revanche, il ne tenait pas le même discours à propos d'Enrico Carella et reconnaissait nourrir des soupçons envers Renato.

— Écoutez, je vais vous dire des choses que vous ne savez sans doute pas. Sur la façon de décrocher des contrats et des sous-traitances en Italie, par exemple. Derrière ces gros contrats – et ça reste entre vous et moi –, il y a presque toujours des histoires de favoritisme, des pressions politiques et peut-être même des dessous-de-table. Je ne dis pas que c'est ce qui est arrivé dans notre affaire, mais le contraire serait étonnant. Voici comment les choses se passent : une grande société comme Argenti remporte un contrat puis répartit tout le travail entre les sous-traitants les moins chers qu'elle peut trouver. La société en elle-même ne fournit aucun travail, n'envoie aucun ouvrier. Supposons qu'elle touche 750 millions de lires (390 000 euros) et redistribue le travail à des sous-traitants pour, disons, 600 millions de lires (310 000 euros). Elle engrange des bénéfices conséquents sans lever le petit doigt. Ça se passe tout le temps comme ça, et ça n'a rien d'illégal. Seulement, dans notre affaire, certaines personnes pensent que c'est, peut-être – je dis bien *peut-être* –, Renato Carella, le modeste contremaître, qui a décroché en secret le contrat pour Argenti.

— Comment ?

— Il était peut-être informé de l'intérieur, par quelqu'un qui le tenait au courant des coûts ou des propositions des différents concurrents. Comme il n'était pas lui-même officiellement déclaré comme entrepreneur, il ne pouvait pas entrer en lice. Donc, il a transmis ces informations à Argenti, qui a pu parfaitement calibrer sa proposition et ainsi remporter l'appel d'offres. En remerciement, Argenti sous-traite une partie du chantier à l'entreprise que Renato a montée pour son fils – une entreprise qui, notez-le bien, n'existait pas auparavant, dont on ne trouve la trace dans aucun registre. Après quoi Argenti engage Renato comme contremaître. Vous me suivez ?

Seno se pencha vers moi.

— Voici comment je vois les choses : c'est Renato Carella, l'oncle de mon client, qui contrôlait tout, c'est lui qui, en réalité, détenait le pouvoir. Je ne sais pas encore comment, je n'ai pas d'informations précises, mais je suis sûr que ce type est au cœur de l'affaire. Juste après le drame, alors qu'il était encore soupçonné d'incendie criminel, Renato Carella a remporté un autre contrat public, cette fois avec l'Arsenal. Et, à nouveau, il a mis Enrico dans le coup.

— Mais quel rapport avec l'incendie de La Fenice ?

— Je vous brosse juste le tableau général. Renato Carella est un homme qui est en cheville avec beaucoup d'entreprises. Pas seulement avec Argenti.

— Je vois.

— Mais, dans ce tableau général, on tombe sur des détails très curieux. Ainsi, nous savons qu'à la date de l'incendie, le fils Carella avait 150 millions de lires de dettes (77 500 euros). Bizarrement, sept mois après l'incendie, Renato Carella lui verse de quoi régler son ardoise. C'est dans son livre de comptes. Comment un simple contremaître peut-il se permettre ça ? Où a-t-il trouvé l'argent ?

— Si je vous comprends bien, vous pensez que la somme provenait de l'homme qui a payé Carella pour mettre le feu à La Fenice, à supposer que cet homme existe.

— Non, non ! répondit Seno en levant la main droite comme s'il prêtait serment. Comprenez-moi bien. Ce n'est pas ce que je dis ! Je n'ai jamais dit ça. Je vous laisse tirer vos propres conclusions.

Il regarda autour de lui.

— Mais tenez, un autre fait curieux : Renato Carella s'est payé l'un des avocats les plus chers d'Italie, un type au service du Premier ministre, Silvio Berlusconi.

— Sérieusement ?

— Pour assurer sa propre défense.

— Et pour celle de son fils ?

— Rien.

— De son neveu ?

— Encore moins.

Quand il eut terminé de livrer ses conclusions, Casson demanda à la cour de déclarer Carella et Marchetti coupables d'incendie criminel et de les condamner à sept ans de prison. Il ajouta qu'une enquête était toujours en cours pour identifier d'éventuels commanditaires de l'incendie, et qu'elle aboutirait peut-être à un autre procès.

Avant que les juges ne rendent leur verdict, le procès entrait dans sa seconde phase : les charges de négligence et de manquement au devoir visant huit accusés.

Casson commença par expliquer que l'incendie criminel n'excluait pas nécessairement la négligence humaine.

— S'attaquer au patrimoine artistique, en particulier aux théâtres, n'est malheureusement pas inhabituel en Italie. Depuis octobre 1991, date de l'incendie du Teatro Petruzzelli de Bari, on a enregistré une dizaine de cas d'incendies criminels visant des salles de spectacle et des galeries d'art. Par conséquent, en 1996, il était possible de craindre une attaque similaire contre La Fenice, et les personnes en charge de la sécurité du bâtiment auraient dû faire preuve de vigilance. Mais personne ne s'en est préoccupé.

Il lut le nom des accusés et la peine de prison qu'il demandait pour chacun. En tête de liste, l'ancien maire Massimo Cacciari : neuf mois de prison – une peine purement symbolique, puisque toute condamnation à moins de deux ans de prison était automatiquement assortie de sursis. Le seul autre accusé pour lequel Casson requérait une peine inférieure à deux ans était le gardien de La Fenice, Gilberto Paggiaro. Casson estimait que son absence la nuit de l'incendie était une négligence moins grave, car elle n'avait pas eu d'incidence directe sur la situation désastreuse du théâtre avant l'incendie. Casson demandait pour Paggiaro, qui depuis la nuit du drame avait survécu à deux crises cardiaques et à une dépression, une peine de dix-huit mois de prison.

Les six autres accusés se virent attribuer une longue liste de manquements et d'actes malveillants, de l'incapacité à contrôler la manipulation et le stockage des produits inflammables à l'autorisation de désactiver l'alarme antifumée et les détecteurs de chaleur en attendant leur remplacement.

Le principal accusé, aux yeux de Casson, était l'ingénieur en chef de la municipalité de Venise, qui était le cadre supérieur responsable de la rénovation de l'opéra. Casson requérait contre lui quatre ans de prison ferme ; contre ses deux assistants, deux ans ; enfin, trois ans contre la direction de La Fenice, à savoir le directeur général et le secrétaire général.

Les arguments des avocats de la défense présentaient tous un point commun : le rejet de toute responsabilité. Les officiels en haut de l'organigramme pointaient du doigt vers les côtés et vers le bas ; ceux du bas de l'organigramme désignaient ceux au-dessus d'eux.

La défense la plus inédite fut proposée par l'avocat de Gianfranco Pontel, directeur général de La Fenice. L'avocat de Pontel expliqua longuement, sans se départir de son sérieux, que son client était responsable de la sécurité de l'opéra de La Fenice, or si La Fenice ne donnait plus de représentations, elle cessait d'être un théâtre pour devenir un simple ensemble de bâtiments vis-à-vis duquel son client n'avait aucune obligation légale. L'opéra n'existait plus, du moins pour Gianfranco Pontel, et réapparaîtrait lorsqu'il accueillerait à nouveau des soirées d'art lyrique. La plaidoirie provoqua des rires dans l'assistance, et aurait pu aisément trouver sa place dans *Alice au pays des merveilles* ou dans une opérette de Gilbert et Sullivan. La désignation de Gianfranco Pontel au poste de directeur général avait été une décision politique, et ce choix avait toujours semblé étrange : Pontel n'avait aucune espèce d'expérience dans le monde de la musique et passait l'essentiel de son temps à Rome. Et, de toute façon, depuis l'incendie, Pontel occupait les fonctions de secrétaire général de la Biennale de Venise.

Une fois achevée la seconde phase du procès, les juges se retirèrent pour délibérer. À la fin du mois, le président du tribunal put lire le verdict devant une salle d'audience archicomble : Enrico Carella, reconnu coupable d'incendie criminel, condamné à sept ans de prison ; Massimiliano Marchetti, reconnu coupable d'incendie criminel, condamné à six ans de prison ; les huit accusés de négligence, acquittés. Seul l'incendie criminel était retenu.

Giovanni Seno était furieux. « Le verdict était écrit dès la fin de la première journée d'audience ! » vociféra-t-il devant les journalistes. Carella, qui n'avait pas assisté à la lecture du verdict, déclara au *Gazzettino* qu'il était innocent. Marchetti garda le silence. Les deux hommes, qui faisaient appel, restaient en liberté.

Deux mois plus tard, les juges déposèrent leur *motivazione*, le rapport dans lequel ils expliquaient leurs décisions. Ce document contenait une révélation explosive :

« Carella et Marchetti ne sont pas les seuls coupables. Ils ont agi pour le compte d'autres personnes qui restent dans l'ombre et représentent des intérêts financiers tellement colossaux qu'en comparaison le sacrifice d'un opéra ne représente pas grand-chose. »

Les juges affirmaient, avec tout le poids de leur autorité, que des personnes non identifiées avaient commandité et payé l'incendie. « Pour les juges, écrivit le *Gazzettino*, ce qui était auparavant considéré par les enquêteurs comme une simple conjecture est devenu une certitude. »

Le faisceau de présomptions menait tout droit à Renato Carella. Mais trois mois plus tard, il mourait, emporté par un cancer du poumon. Je téléphonai à Casson, dans son bureau du tribunal, pour lui demander quelles étaient les conséquences de ce rebondissement sur l'enquête.

— Il n'y a plus d'enquête, répondit-il simplement. Renato Carella était la cible de toutes nos recherches, nous pensions qu'il faisait le lien entre les deux garçons et l'argent. Il était en contact avec de nombreuses entreprises en dehors de Venise. Nous enquêtions sur lui ainsi que sur les sociétés et les sous-traitants travaillant sur le chantier de La Fenice, mais nous n'avions pas encore trouvé de preuve concrète. Maintenant qu'il est mort, toutes les traces ont disparu.

— Et les deux électriciens ? Est-ce qu'ils ont l'air de vouloir parler ?

— À plusieurs reprises, ils nous ont dit qu'ils avaient des informations à nous communiquer sur lui, mais à chaque fois ils ont changé d'avis. Et, malheureusement, beaucoup d'autres affaires nous attendent. Sauf élément nouveau – une déclaration de Carella ou Marchetti, par exemple –, le dossier ne sera pas rouvert. Nous n'avons tout simplement plus de temps à lui consacrer…

— Le père est mort, la piste effacée, et le mystère demeure, commenta Ludovico De Luigi avec un petit rire. Et, comme d'habitude, c'est une histoire d'argent. Pas d'amour : d'argent. Le dénouement parfait, pour Venise.

De Luigi était assis dans son atelier, devant une toile en cours représentant une robe ornée de pierres précieuses flottant au-dessus d'un paysage aride, comme portée par une femme invisible.

— C'est le portrait de l'amour-propre de Peggy Guggenheim, m'expliqua-t-il. Avec la robe en or Poiret immortalisée par Man Ray, dans la célèbre photo des années vingt.

La photo dont il parlait figurait sur la jaquette de *Ma vie et mes folies*[1] – l'autobiographie de Peggy Guggenheim –, que De Luigi avait punaisée sur un montant de son chevalet.

— Pourquoi « le dénouement parfait »? Il reste encore des questions en suspens.

— Oui, mais c'est le genre de dénouement dont Venise peut se satisfaire, pour toujours.

Il plaça quelques touches de peinture dorée sur sa toile.

— Regardez les ingrédients de l'histoire : un grand incendie, un désastre culturel, des responsables officiels se donnant en spectacle en s'accusant mutuellement, une sordide course aux fonds pour reconstruire l'opéra, la satisfaction d'un procès se soldant par des peines de prison pour les coupables, la fierté de voir renaître La Fenice et…

Il retira son pinceau et leva les yeux vers moi.

— … un mystère non résolu. De l'argent qui change de mains en secret. Des coupables inconnus qui restent tapis dans l'ombre. Ça stimule l'imagination, les gens peuvent imaginer tous les scénarios qui leur passent par la tête… Que demander de plus?

L'horloge digitale devant La Fenice indiquait 537 jours lorsque Laura Migliori découvrit des traces de peinture verte exactement là où elle espérait en trouver. Le personnage à demi effacé à l'arrière-plan était effectivement Virgile. Le même jour, à 13 heures, une cour d'appel à Mestre confirma le verdict de culpabilité d'Enrico Carella et Massimiliano Marchetti. Les avocats des deux hommes annoncèrent qu'ils avaient l'intention de porter l'affaire à Rome, devant la cour de *cassazione*, pour un ultime recours en appel.

---

1. Perrin, 2004.

Un an plus tard, au cœur de l'été 2003, l'opéra ressemblait à une maquette grandeur nature en contreplaqué : plafonds nus, murs nus, et cinq rangées de box nus. Il paraissait impossible que La Fenice soit achevée dans quatre mois, mais les chefs de chantier assuraient aux journalistes que le délai serait respecté. À 140 jours de la fin, peu après midi, on apprit que la cour de *cassazione* de Rome avait rejeté le dernier appel de Carella et Marchetti. Ils iraient bien en prison.

Des policiers vinrent chercher Marchetti chez lui à 16 heures et lui passèrent les menottes avant de l'emmener.

— Les juges de cette cour de *cassazione*, ce sont vraiment des enfoirés, vitupéra Giovanni Seno lorsque je lui téléphonai une semaine plus tard. En général, ils laissent au condamné quelques jours, le temps qu'il rassemble ses affaires, avant de le mettre sous les verrous. Des enfoirés, je vous dis ! L'an dernier, un de mes clients a été condamné à neuf ans de prison pour trafic de drogue et ils l'ont laissé un mois en liberté avant de venir le chercher. Et encore, ce n'est rien ! Mon associé défend une femme qui est à la fois une prostituée, une droguée et une voleuse, et elle est toujours libre parce que, depuis un an et demi, les juges n'arrivent plus à mettre la main sur les documents de la cour d'appel nécessaires pour finaliser la sentence ! Marchetti, ils lui ont laissé à peine quelques heures. Entre nous, vous croyez qu'il allait s'enfuir en laissant derrière lui une femme et leur petite fille qui vient de naître ? Alors que Carella...

Enrico Carella n'était pas chez lui quand la police était venue le chercher, pas plus que le lendemain ou le surlendemain. Deux mois plus tôt, il avait déclaré à Gianluca Amadori, du *Gazzettino*, qu'il avait bien l'intention d'accomplir sa peine si son pourvoi échouait. L'avocat de Carella, dès qu'il avait appris la décision de la cour de *cassazione*, avait annoncé qu'il avait parlé avec son client et qu'il se rendrait bientôt aux autorités. Le troisième jour, la police de Venise déclara que Carella avait « disparu », non qu'il était « en fuite ». À la fin de la semaine, il fut officiellement considéré comme « fugitif ».

— Alors, qui a versé la caution ? Et à combien s'élevait-elle ?

— Quelle caution ? Nous n'avons pas de système de caution en Italie. Nous avons essayé, pendant deux ou trois ans, mais comme nous n'avions pas de prêteurs de caution, comme vous en Amérique, seuls les riches accusés pouvaient payer. C'est devenu un problème social.

— Vous pensez que la police est toujours à sa recherche ?

— Bien sûr, qu'elle le cherche toujours. De toute évidence, c'est une situation plutôt humiliante pour elle. Les policiers n'ont pas réussi à attraper un coupable ! Selon moi, Carella se comportait comme quelqu'un qui allait s'enfuir. Il s'y préparait. Même l'interview qu'il a donnée au *Gazzettino* faisait partie de son plan. Mais ce n'est pas terminé. Je suis dans le métier depuis trente ans et je n'ai pas l'habitude de perdre des affaires. Moi, je n'ai pas classé le dossier. J'ai tous les éléments sur mon ordinateur, et je vous promets que, s'il y a du nouveau, je vous tiens au courant. Je ne vous ai pas tout dit. Je suis honnête avec vous : je ne vous ai pas tout dit.

Quelles que soient les informations que Giovanni Seno me réservait, elles ne risquaient pas de réconforter Massimiliano Marchetti, qui avait été envoyé à la prison de Padoue – cette même prison de laquelle le mafieux Felice « Face d'Ange » Maniero, un ancien client de Seno, s'était évadé quelques années plus tôt.

Je rendis visite à la famille de Marchetti, à Solzano. Ils m'accueillirent dans la cuisine, où ils étaient en train de boire du Coca-Cola – comme lors de notre première rencontre.

— À cause de « Face d'Ange » Maniero, me dit son père, ils laissent les prisonniers enfermés toute la journée dans leur cellule.

S'ils étaient marqués par la souffrance et déprimés, je sentis que les Marchetti éprouvaient aussi le soulagement de savoir que le compte à rebours de leur cauchemar avait commencé et qu'il cesserait enfin un jour. S'il se conduisait bien, Massimiliano pouvait espérer sortir d'ici deux ans et huit mois.

— Mais ils ont quand même trouvé d'autres moyens de le torturer, m'expliqua sa mère. La semaine dernière, il a reçu un courrier officiel lui annonçant une erreur dans le calcul de sa peine : il devrait rester en prison quatorze jours de plus.

— Ils lui ont aussi envoyé une facture pour les frais de justice : 2 528 euros.

La signora Marchetti secoua la tête.

— Vous avez des nouvelles de votre neveu, Enrico Carella ?

— Non, répondit la signora Marchetti.

— Que pense votre sœur de sa disparition ?

— Je ne lui ai pas parlé.

— Vraiment ? Depuis quand ?

— Ça va faire trois mois. Depuis que Massimiliano est en prison, en fait. Elle a cessé de me parler. Pas un coup de fil.

— Parce que vous considérez qu'Enrico est responsable de tous vos malheurs ?

— Nous aurions juste voulu qu'il ne propose jamais ce travail à notre fils, intervint le signor Marchetti.

En rentrant à Venise, je partis sur la Giudecca voir Lucia Carella, la mère d'Enrico. Elle n'avait plus entendu parler de son fils depuis qu'il s'était évanoui dans la nature.

— Je préfère ne pas avoir de nouvelles, me dit-elle. Si j'en ai, ça veut dire que quelque chose est arrivé. Pas de nouvelles bonnes nouvelles. À supposer qu'être en fuite soit une bonne nouvelle.

— Vous pensez que votre téléphone est sous surveillance ?

— Les téléphones, les téléphones portables, les téléphones de ses ex, les téléphones de tout le monde ! Ils espèrent qu'il va m'appeler. Quand je décroche le combiné, j'entends des bruits bizarres…

— Dans son interview au *Gazzettino*, Enrico a déclaré qu'il pensait que les parents de Massimiliano le tenaient pour responsable de toute cette histoire. Pourquoi croyait-il ça ?

— À cause de leur comportement.

— Ils ont dit des choses directement à Enrico ?

— Non, rien du tout.

— Votre sœur m'a dit que vous ne vous étiez plus parlé depuis trois mois.

— Elle m'a téléphoné le jour de l'arrestation de Massimiliano, et depuis plus rien. Ma mère, qui a quatre-vingts ans, vit avec moi, ce qui signifie qu'elle ne lui parle plus non plus. Je suis son aînée de huit ans et j'estime que c'est à elle de nous appeler – en tout cas d'appeler sa mère.

— Donc chacune campe sur ses positions.

— Elle a toujours été la petite dernière, la plus gâtée… Elle pense que c'est moi qui devrais l'appeler, et moi je pense le contraire. C'est stupide mais plus ça dure, plus ça empire.

— C'est triste.

— Oui, c'est triste. Maintenant, peut-être qu'un jour je décrocherai et que je l'appellerai. Je fonctionne comme ça.

— Votre sœur est sans doute un peu déstabilisée, en ce moment.

— Oui, elle est déstabilisée, mais je suis plus déstabilisée qu'elle. Au moins, elle sait où se trouve son fils. Moi, pas.

15

Portes ouvertes

Le canal étroit entre l'hôtel Gritti et le Palazzo Contarini était l'unique voie d'accès pour les bateaux acheminant les matériaux de construction depuis le Grand Canal vers La Fenice. Les premiers chargements avaient été les échafaudages et les grues désassemblées, puis étaient venus les briques, les poutres, les tuyaux et les planches – les ingrédients de base du bâtiment. À présent, après vingt mille cargaisons, c'était au tour des fioritures : les dorures, les toiles peintes, les luminaires, les chaises recouvertes de velours rose. L'horloge digitale devant La Fenice était passée à deux chiffres et le chantier était toujours dans les temps, à quelques jours près.

Quand, enfin, La Fenice se défit de ses échafaudages et de ses palissades, l'obscurité qui pesait sur le Campo San Fantin s'envola. Le Ristorante Antico Martini émergea de la pénombre et put se prélasser dans l'éclat de la façade fraîchement rénovée de l'opéra. « Nous avons laissé quelques traces décolorées ici et là pour que le bâtiment n'ait pas un aspect trop neuf », commenta l'ingénieur en chef Franco Bajo. « C'est le reproche que l'on s'attend à entendre le plus souvent : La Fenice n'a pas l'air assez vieille. »

À l'intérieur de l'opéra, l'auditorium était redevenu une clairière de forêt arcadienne. Pampres, fleurs, animaux des bois et créatures mythiques grimpaient aux murs et aux balustrades, comme attirés par le plafond où des nymphes à la poitrine offerte se baignaient dans les flots dorés d'un torrent sylvestre.

Comme on put s'en apercevoir, aucune des milliers de photos de l'intérieur du théâtre ne s'était révélée très utile pour déterminer ses véritables couleurs. La lueur jaune des abat-jour en soie des appliques du hall avait trop d'effets trompeurs. Une seule source était vraiment fiable : la scène d'ouverture du *Senso* de Visconti (1954), le premier long métrage italien tourné en couleur. Visconti avait reconstitué avec méticulosité la texture visuelle de l'Italie de 1866. Il avait fait retirer les abat-jour pour donner l'impression que La Fenice était éclairée au gaz, obtenant ainsi une reproduction des couleurs proche de la perfection.

On décida que La Fenice rouvrirait ses portes sur une semaine de concerts symphoniques plutôt que sur une production d'opéra : l'équipe des techniciens n'avait pas encore appris à utiliser la nouvelle machinerie entièrement informatisée. La saison d'opéra reprendrait l'année suivante. Pour la grande soirée d'inauguration, Riccardo Muti dirigerait l'orchestre et le chœur du Teatro alla Fenice.

Pour faire face à la ruée sur les places, La Fenice organisa une vente sur Internet, avec des prix allant de 750 à 2 500 dollars (590-1 970 euros), puis baissant chaque jour, à mesure que la salle se remplissait. Il fallait bien calculer son coup : plus longtemps on attendait, moins chère était la place, mais plus restreint le choix. Et si on attendait trop longtemps, le concert risquait d'afficher complet.

Mais ce n'était pas tout : des centaines de places étaient offertes à des célébrités ou à des personnalités influentes. Seuls les imbéciles ou les fous d'opéra achèteraient leur ticket. Comme il n'était pas question que je manque cet événement mondain, je serrai les dents et, le dernier jour, m'offris une place au troisième balcon pour 600 dollars (475 euros).

Le maire Costa avait tout mis en œuvre pour que cette soirée soit un événement de première classe réunissant le maximum de vedettes. Des membres de son équipe laissèrent filtrer quelques noms d'invités attendus, parmi lesquels Al Pacino, Jeremy Irons et Joseph Fiennes, alors en plein tournage du *Marchand de Venise*. Toutefois, pour des raisons budgétaires, le film n'était pas tourné à Venise mais au

Luxembourg. Le maire supplia les acteurs de venir, leur assurant qu'à l'issue du concert un jet privé les ramènerait pour qu'ils puissent reprendre le tournage le lendemain matin.

Avec l'arrivée des premières personnalités deux jours avant l'inauguration, la sécurité autour de La Fenice se resserra. Des rues furent bloquées. Les policiers et les pompiers étaient plus visibles que d'habitude – quoique pour des raisons différentes : les premiers protégeaient les VIP, les seconds manifestaient bruyamment pour gêner le maire, avec lequel ils étaient en conflit pour une sombre histoire de contrats.

Quand le Président italien Carlo Ciampi et son épouse Franca arrivèrent de Rome, les médias locaux et nationaux relayèrent leurs moindres faits et gestes. Le *Corriere della Sera* rapporta que les Ciampi avaient fait l'impasse sur un déjeuner donné en leur honneur par Larry Lovett, lui préférant un tête-à-tête sentimental à la Taverna La Fenice, où ils avaient dîné lors de leur lune de miel cinquante-neuf ans plus tôt. Le *Gazzettino* précisait qu'ils avaient mangé des crevettes grises avec de la polenta, de la morue à la crème, des pâtes aux artichauts et aux langoustines, une escalope de loup de mer et des pâtisseries vénitiennes, le tout accompagné de prosecco et de tokay.

* * *

À mesure que l'heure du concert approchait, je me rappelai ce que m'avait expliqué Guerrino Lovato : aller à l'opéra est un rituel qui procède par étapes et commence chez soi par le choix d'une tenue. De ce point de vue, ma soirée à l'opéra commença au moment où je fermai d'une main mes boutons de col pendant que, l'autre tenant le combiné téléphonique, j'écoutai Ludovico De Luigi m'annoncer que cette inauguration serait une ignoble farce.

— Ce sera un concours de vanité, de vulgarité et d'auto-congratulation. Costa raconte partout que l'ouverture de La Fenice est la preuve que « le pouls de la ville bat encore ». Ça ne prouve pas ça du tout ! Car, c'est triste à dire, mais Venise est déjà morte. Tout ce qui se passe maintenant, c'est l'exploitation de son cadavre. L'exploitation honteuse de son cadavre.

De Luigi n'assisterait pas au concert. L'occasion serait trop belle pour un autre *scherzo*, me dit-il, et la police était déjà sur la brèche à cause des problèmes de sécurité provoqués par les manifestations de pompiers. Ce soir, ce serait tolérance zéro pour toute forme d'expression artistique spontanée. De toute façon, il n'avait pas été convié à la fête et refusait d'acheter un billet.

Je passai à l'étape suivante de mon rituel en montant à bord du vaporetto n° 1, qui descendait le Grand Canal. Quelques jours auparavant, la presse avait annoncé qu'Enrico Carella avait été brièvement aperçu sur un vaporetto. J'avais évoqué le sujet avec Felice Casson peu après.

— Je doute que la police soit vraiment à sa recherche, me dit-il. S'ils s'agissait d'un terroriste ou d'un chef de la mafia, une équipe spéciale aurait été mise en place avec des *carabinieri* ou des policiers, et l'arrestation aurait été une question d'heures. Là, ils doivent se dire que Carella n'en vaut pas la peine. D'autres clients, plus dangereux ceux-là, ont la priorité.

Je songeai un moment annoncer la nouvelle à Lucia Carella, qu'elle aurait sans doute accueillie avec soulagement. Mais je ne voulais pas faire ingérence, et puis Casson était trop malin. Si je répétais à la signora Carella ce qu'il venait de me dire, elle pourrait baisser sa garde et tomber pile dans le piège qu'il lui tendait. Je n'avais pas à me mêler de leurs affaires. Quoi qu'il en soit, Enrico Carella ne se trouvait pas à bord du vaporetto n° 1 le soir de la réouverture de La Fenice.

La lueur blanche éblouissante des projecteurs de télévision illuminait le Campo San Fantin et le tapis rouge recouvrant le perron de La Fenice. Devant moi, le président Ciampi entrait dans l'opéra, presque entièrement dissimulé par une phalange de gardes prétoriens portant des casques de parade surmontés d'une queue de cheval retombant comme le jet d'une fontaine de cheveux blancs.

Je montai directement à la salle Dante, où se trouvait désormais le bar, curieux de voir le résultat de la restauration de l'*Inferno*. Laure Migliori et son équipe avaient ravivé les couleurs du fragment restant et dessiné sur un simple fond le contour des personnages manquants. J'examinais la silhouette de Virgile avec sa couronne de laurier lorsque je sentis qu'on m'attrapait par le coude.

Je me retournai pour me trouver face à un homme qui me souriait comme s'il me connaissait. Son visage rubicond m'était, il est vrai, vaguement familier – son nom me revint : c'était Massimo Donadon, l'homme aux rats de Trévise. Je ne l'avais plus revu depuis le carnaval de 1996.

— Signor Donadon ! m'exclamai-je. Comment vont les affaires ?

— Je rentre juste des Pays-Bas. J'ai de nouveaux clients.

— Quels sont vos ingrédients secrets pour la mort-aux-rats hollandaise ?

— Saumon et fromage.

— Pas de chocolat ?

— Un petit peu, pas trop.

Son visage se fit sérieux.

— Mais quelque chose de très étrange s'est produit en Italie.

Il me fit signe de le rejoindre dans un coin de la salle pour que nous puissions discuter à notre aise.

— J'ai remarqué que, ces dernières années, les rats italiens ont commencé à préférer le plastique au parmesan.

— Allons donc !

— Si vous vous rappelez bien, tout mon succès repose sur le fait que les rats mangent ce que mangent les humains.

— Oui, bien sûr, je me rappelle.

— Mais les humains ne mangent pas de plastique ! Je me suis dit : « Mon Dieu, je suis ruiné ! Qu'est-ce que je vais devenir ? Voilà que les rats se mettent à manger autre chose que ce que les hommes mangent ! Ce n'est pas possible ! »

Puis, aussi soudainement, le visage de Donadon s'illumina.

— Et puis j'ai compris ! Le plastique, c'est l'antinourriture, pas vrai ?

— Tout à fait.

— Eh bien, je me suis aperçu d'une chose : les humains aussi mangent de l'antinourriture.

— Ah bon ?

— Oui ! Les fast-foods ! Les fast-foods servent de l'anti-nourriture ! Le plastique est l'équivalent pour les rats de ce qu'on mange dans les fast-foods ! Autrement dit, tout va bien : les rats continuent d'imiter les habitudes alimentaires des humains et, comme les humains, ils perdent le goût de la vraie nourriture. Ils préfèrent manger des cochonneries...

— Alors, quelle parade vous allez trouver ?

— La parade, je l'ai *déjà* testée ! répondit Donadon d'un air triomphal. J'ai ajouté des granulés de plastique dans ma mort-aux-rats italienne.

— Et ça marche ?

— À merveille !

Je félicitai Donadon pour ce nouveau succès et pris la direction de l'auditorium et de l'escalier vers les troisièmes balcons. En chemin, je croisai Bea Guthrie. Elle rentrait de New York spécialement pour l'inauguration, en compagnie de la nouvelle présidente de Save Venice, Beatrice Rossi-Landi. Save Venice comptait parmi les plus importants donateurs de La Fenice, avec 300 000 dollars versés pour la construction du plafond.

Je m'installai à ma place et admirai les loges sur cinq étages, tout incrustées de dorures. Elles étaient magnifiques, mais les couleurs paraissaient notablement plus brillantes et vives que dans l'ancienne salle. En fait, la dorure avait l'air neuve. Sans doute ces tonalités s'adouciraient-elles quand les lumières de la salle s'éteindraient pour le concert. Pour l'instant, en tout cas, elles permettaient de bien voir les détails de la décoration – et d'observer les gens dans le public.

Aucune vedette de cinéma en vue, et ça ne changerait pas : l'avion emmenant Pacino, Irons et Fiennes était resté bloqué au Luxembourg à cause du brouillard.

Au parterre, dans l'allée centrale, on remarquait grâce à sa haute taille et au diadème scintillant dans ses cheveux blonds la princesse Michael de Kent, en grande discussion avec la danseuse Carla Fracci. L'hôtesse de la princesse, la marquise Barbara Berlingieri, restait dans son sillage, se retournant quand la princesse se retournait, s'arrêtant quand

368

la princesse s'arrêtait. Larry Lovett s'approcha pour la saluer. Venetian Heritage, la nouvelle organisation de Lovett, avait connu un grand succès. Il avait eu la judicieuse idée de se démarquer de Save Venice en finançant des restaurations non seulement à Venise, mais aussi à travers toute l'ancienne République vénitienne – en Croatie, en Turquie et ailleurs. Même si Venitian Heritage n'avait pas participé à la reconstruction de La Fenice, Lovett avait reçu deux invitations de choix, avec des places à l'orchestre, détail qui n'était sans doute pas étranger à l'expression de mécontentement sur le visage de Bea Guthrie : je la vis assise à la place qui lui avait été offerte, très en hauteur – tout près, en somme, du plafond sponsorisé par Save Venice. Placement dû à un compromis trouvé par la hiérarchie de l'opéra ou aux manœuvres d'un ennemi isolé, l'insulte n'en était pas moins criante. À l'évidence, Larry Lovett gardait toujours la faveur des Vénitiens influents.

Un murmure parcourut l'assistance quand les musiciens de l'orchestre apparurent sur scène et commencèrent à s'accorder. Les membres du chœur entrèrent à leur suite, l'un derrière l'autre. Je parcourus la salle du regard et m'arrêtai sur un homme assis dans la loge opposée à la mienne. Il scrutait le public à l'aide d'une paire de jumelles, et je me dis qu'il cherchait peut-être Jane Rylands. Jane Rylands avait récemment créé la surprise en publiant un recueil de nouvelles se déroulant à Venise. Certains de ses personnages étaient inspirés de personnages réels, ou reprenaient certains traits de caractère de personnages réels, ou étaient constitués d'un mélange entre plusieurs personnages réels. L'homme aux jumelles s'était découvert plusieurs désagréables points communs avec un personnage dépeint d'une plume acérée par Rylands. Cette dernière insistait sur le caractère entièrement fictif de ses créations. Néanmoins, lors d'une réception donnée récemment au musée Guggenheim, Philip Rylands, en discutant avec cet homme, avait rapporté une anecdote à propos d'un ancêtre de son interlocuteur, sans se rendre compte qu'elle avait été inventée par Jane pour étoffer le déguisement de son personnage.

L'homme avait regardé Philip d'un air glacial.

— C'est la vérité, n'est-ce pas? avait demandé Philip à propos de cette anecdote.

— Seulement dans le livre de votre femme, avait répliqué l'homme.

Jane Rylands avait tout de même soigneusement évité tout personnage ou toute intrigue trop liés à Ezra Pound et à la Fondation Ezra Pound. Mais une de ses caricatures les plus désobligeantes présentait certaine ressemblance avec une femme qui avait vigoureusement dénoncé l'imbroglio de la Fondation. Si l'on ajoute à cela toute une galerie de portraits plutôt antipathiques, le recueil de nouvelles de Jane Rylands ressemblait fort à un règlement de comptes.

Quant au Nid Caché, qui aurait dû être un élément clé de feu la Fondation, il fournissait désormais à Mary de Rachewiltz, la fille de Pound et d'Olga Rudge, un confortable revenu sous forme de loyer. Les souvenirs d'Ezra Pound avaient vu leur valeur augmenter considérablement. En 1999, Mary de Rachewiltz avait mis en vente, chez le libraire-bibliophile new-yorkais Glenn Horowitz, cent trente-neuf livres ayant appartenu à ses parents, qui étaient restés depuis des années dans le château de Brunnenburg. On y trouvait des éditions originales dédicacées des *Cantos* et de nombreux ouvrages d'autres auteurs annotés par Pound et Rudge. Au total, Horowitz en demandait plus d'un million de dollars. Aussitôt, on se demanda combien pouvaient valoir sur le marché les deux cent huit boîtes des archives Olga Rudge, cédées en 1987 à la Fondation Ezra Pound pour 7 000 dollars puis, plus tard, à Yale pour une somme non divulguée.

Riccardo Muti traversa la scène, ses cheveux de jais luisants tombant sur ses yeux. Il salua, leva sa baguette et l'orchestra entama l'hymne national italien. Le public se leva aussitôt et se tourna vers la loge royale à l'arrière de la salle pour faire une ovation au couple présidentiel. Les Ciampi partageaient leur loge avec le cardinal Angelo Scola, doyen de Venise, le maire Costa et son épouse Maura, ainsi que l'ancien Premier ministre Lamberto Dini, dont l'épouse Donatella avait, huit ans plus tôt, annoncé la nouvelle de l'incendie pendant le bal de Save Venice à New York.

Mon regard se posa sur le lion de saint Marc décorant le fronton de la loge, tel un diadème brun, à l'endroit où se trouvaient jadis les emblèmes de la France et de l'Autriche. Il me rappela ce que m'avait dit le comte Ranieri da Mosto : « Ce n'est plus la loge de Napoléon, ce n'est plus la loge de l'Autriche : c'est la nôtre. »

Le don à la ville d'une statue de Napoléon de 2,50 mètres de haut avait déclenché une polémique intense. Fallait-il ou non l'accepter ? Elle avait été commandée en 1811 par des marchands vénitiens désireux de remercier l'empereur d'avoir transformé la ville en port franc. Elle était restée pendant deux ans place Saint-Marc jusqu'à ce que les Autrichiens s'emparent de la ville en 1814. Elle avait alors complètement disparu, jusqu'à sa réapparition récente à New York, lors d'une vente aux enchères chez Sotheby's. Le Comité français pour la sauvegarde de Venise, pensant que le cadeau serait bien accueilli par les Vénitiens, l'avait achetée pour 350 000 dollars.

Dans le camp des modérés estimant que la statue devait être remise en place, le maire Costa et le directeur des musées municipaux Giandomenico Romanelli expliquaient que Napoléon et cette œuvre faisaient partie de l'histoire de la ville. Les anti-bonapartistes, parmi lesquels se trouvaient le comte Girolamo Marcello, le comte da Mosto et la plupart des membres du centre droit italien, répliquaient qu'à ce titre on pouvait considérer que le buste de Mussolini stocké dans les réserves du Museo Correr faisait lui aussi partie de l'histoire de Venise et devait être à nouveau exposé.

Le débat était ponctué par la liste interminable des vols, profanations et autres outrages contre Venise dont s'étaient rendus coupables Napoléon et ses troupes. Tout le monde ou presque prit parti pour l'un ou l'autre camp. Peter et Rose Lauritzen protestaient vigoureusement avec les anti-bonapartistes. Je me rendis à une conférence donnée par Peter à un groupe d'étudiants anglais de l'Accademia, et ses premières phrases furent : « Napoléon a ordonné la suppression de quarante paroisses à Venise et la destruction – *jusqu'à la dernière pierre !* – de cent soixante-seize édifices religieux et de plus de quatre-vingts palais tous décorés de tableaux et d'œuvres d'art diverses. En outre, les agents de Napoléon ont dressé l'inventaire de douze mille tableaux qui furent confisqués et envoyés à Paris pour enrichir la collection de ce qui s'appelait alors le musée Napoléon. Je suis certain que ceux d'entre vous qui sont déjà allés à Paris ont visité le musée Napoléon : il est aujourd'hui plus connu sous le nom de musée du Louvre, et c'est l'unique exemple dans l'histoire de l'art d'un monument érigé à la gloire du vol organisé ! »

Un sondage paru dans le *Gazzettino* montra que douze Vénitiens contre un étaient opposés au retour de la statue. Cela n'empêcha pas le maire Costa de l'accepter. En pleine nuit, elle fut donc transportée en secret dans le Museo Correr et installée dans une niche, derrière une vitre en plexiglas renforcé. Quelques mois plus tard, le tribunal imaginé par les anti-bonapartistes sur le modèle de celui de Nuremberg déclara Napoléon coupable des faits qui lui étaient reprochés.

Au plus fort de la controverse, les chefs de la coalition anti-statue adressèrent deux lettres de menace à Jérôme Zieseniss, directeur du Comité français, pour lui conseiller de quitter la ville. Zieseniss fit part de sa colère et les édiles municipaux s'empressèrent de condamner les auteurs de la lettre. Si les esprits s'étaient à présent apaisés, le don de la statue était encore considéré par la majorité des Vénitiens comme une insulte à leur ville. Malgré cela, Zieseniss avait reçu deux excellentes places pour la réouverture de La Fenice : il était assis à l'orchestre, à côté de la directrice du World Monument Fund, Marilyn Perry.

Le concert débuta par une œuvre appropriée : l'ouverture *La Consécration de la maison*, de Beethoven. Je repensai à ce qu'avait dit en 1898 le poète Robert Browning à son fils Pen en apprenant que ce dernier avait acheté, avec sa riche épouse américaine, le gigantesque Palazzo Rezzonico, sur le Grand Canal : « Ne sois pas un homme petit dans une grande maison. » Séjournant au Palazzo Barbaro, chez les Curtis, Henry James avait donné les dernières nouvelles à sa sœur : « Le [Palazzo Rezzonico] est à la fois royal et impérial – mais Pen n'a rien d'un roi et son *train de vie* laisse à désirer. Les gondoliers amènent des amis mais ça ne suffit pas à remplir la maison. » Trois ans plus tard, James écrivit à Ariana Curtis : « Pauvre petit Pen, si grotesque – et pauvre petite Mme Pen. Apparemment, s'il existe une seule façon d'être sain dans ce monde étrange, il en est de nombreuses pour devenir fou ! Et la folie des *palazzi* est presque aussi inquiétante – ou convulsive – qu'un tremblement de terre, avec lequel elle présente de fait une certaine similitude. » Pen Browning n'était jamais arrivé à remplir le Palazzo Rezzonico. L'ironie veut que Robert Browning ait finalement volé les honneurs à son fils en mourant dans ce palais – et c'est son souvenir qu'une plaque fixée à la façade commémore aujourd'hui.

Les Curtis, eux, avaient « rempli » admirablement le Palazzo Barbaro pendant un siècle, et, à présent qu'il appartenait à Ivano Beggio, propriétaire des motocyclettes Aprilia, Venise se demandait de quelle façon les Beggio allaient l'animer. Beggio n'avait pas perdu de temps pour faire nettoyer la double façade du Barbaro. Il avait également retiré du *piano nobile* les tableaux les plus importants pour les faire restaurer.

Et puis… rien. Les mois passèrent, puis les années. Les fenêtres du *piano nobile* restèrent barricadées de planches. Les Beggio vinrent rarement à Venise. Les spécialistes engagés pour restaurer le palais restaient perplexes. Les spéculations allaient bon train. On pensait que les Beggio, en tant que propriétaires du Barbaro, s'étaient attendus à être acceptés par la société vénitienne et avaient été déçus dans leur attente.

Soudain, la vérité éclata : Ivano Beggio était fauché ! Malgré son incroyable réussite, la société Aprilia était en faillite. Le Palazzo Barbaro se retrouva mis en vente, mais si les Beggio avaient dépensé 6 millions de dollars pour l'acheter aux Curtis, son prix de vente était désormais, selon la rumeur, fixé à 14 millions de dollars. Aucune offre n'avait encore été faite et, hélas, elle ne viendrait pas du jeune et idéaliste Daniel Curtis – le seul Curtis en cinq générations à avoir du sang vénitien dans les veines : il était mort brusquement d'une rupture d'anévrisme à l'âge de quarante-sept ans. Dans la semaine qui suivit l'annonce de sa disparition, les avis de décès se multiplièrent dans le *Gazzettino*. L'un d'eux résumait l'esprit de tous les autres : « DANIEL. Un ami à jamais, un *grand Vénitien*. »

Les lumières de l'auditorium ne baissèrent pas quand le concert débuta car, cette soirée étant télévisée, la salle baroque resterait éclairée comme un plateau de télévision. Les subtilités de l'aménagement du théâtre passeraient à la trappe, du moins pour ce soir. Je fermai les yeux et me laissai submerger par la musique. Après Beethoven vinrent Stravinski (enterré à Venise), Antonio Caldara (né à Venise) et Richard Wagner (mort à Venise). Je me concentrai sur le son. L'acoustique était-elle une réussite ? Les experts l'assuraient. Mais, évidemment, pour les spectateurs dans les loges, surtout *au fond* des loges, la qualité sonore ne serait jamais aussi bonne que pour le public du parterre.

Les sons les plus remarquables de Venise n'étaient cependant pas ceux que l'on entendait à La Fenice. Jürgen Reinhold, l'ingénieur en chef chargé de l'acoustique de l'opéra, les avait identifiés lorsqu'il avait exprimé sa surprise en découvrant que le niveau sonore moyen de Venise, la nuit, descendait à 32 décibels, là où les autres villes affichaient en général 45 décibels. Évidemment, la différence provenait de l'absence de circulation automobile. « Le calme de Venise m'a ensorcelé », avait déclaré Reinhold. « Quand je suis rentré chez moi, à Munich, j'ai trouvé le bruit insupportable. Mais c'était simplement le bruit de la circulation. »

Moi aussi, j'avais été ensorcelé par la tranquillité de Venise – et par bien d'autres choses encore. Ce qui, à l'origine, avait été une attirance pour la beauté de la ville avait évolué au fil du temps en un enchantement bien plus général. Dès le début j'avais gardé en mémoire l'avertissement du comte Marcello : « À Venise, tout le monde joue un rôle. [...] Nous autres Vénitiens ne disons jamais la vérité. Il faut toujours comprendre le contraire de nos paroles. »

J'étais conscient d'avoir entendu, pendant mon séjour vénitien, des vérités, des demi-vérités et des mensonges éhontés, mais je ne savais pas toujours les distinguer. Ainsi, quelques jours après la réouverture de La Fenice, je fis une découverte éclairante en me promenant le long des arcades du palais des Doges. Je remarquai une plaque portant le nom de « Loredan », qui me fit aussitôt penser au comte Alvise Loredan, rencontré au bal masqué du carnaval. Ce dernier m'avait répété à plusieurs reprises, en levant trois doigts, que sa famille avait donné trois doges à la ville.

Cela, du moins, était véridique.

Le comte Loredan m'avait également raconté qu'un Loredan, au XVe siècle, avait mis les Turcs en déroute, les empêchant ainsi de traverser l'Adriatique et de détruire le christianisme. De fait, un célèbre Pietro Loredan avait battu les Turcs au XVe siècle, mais l'homme dont la plaque commémorait le souvenir était un Girolamo Loredan du XVIIe siècle qui avait lâchement abandonné aux Turcs la forteresse de Ténédos, « pour la plus grande honte de la chrétienté et de son pays ».

Alvise Loredan n'était en rien obligé de laver le linge sale de sa famille devant moi. Son mensonge était assez inoffensif, et je l'acceptai comme faisant partie du jeu, du mythe perpétuel et du mystère de Venise.

Le concert terminé, je sortis sur le Campo San Fantin et remarquai, au centre d'un cercle crépitant de flashes, un homme qui avait noué deux foulards à son cou – l'un en soie blanche, l'autre en laine rouge. C'était Vittorio Sgarbi, le critique d'art devenu *persona non grata* au Courtauld Institute de Londres après en être sorti en emportant deux livres rares. Sgarbi posait pour les photographes, un bras posé sur l'épaule de la signora Campi et l'autre passé autour de la taille d'une femme portant une toque couverte de perles. Contrairement à ce que la rumeur annonçait, il n'avait pas été désigné ministre de la Culture, mais sous-secrétaire d'État à la Culture, un poste bien moins prestigieux – et, compte tenu des circonstances, très inattendu.

À l'entrée de la place, une dizaine d'hommes en tricorne, cape noire et bas de soie attendaient la sortie des

1 100 spectateurs pour les escorter jusqu'à des bateaux qui les déposeraient à l'Arsenal où les attendait un grand banquet de cérémonie. Les organisateurs de l'événement avaient travaillé sans relâche pendant des semaines. La rédaction du *Gazzettino* avait prévu de sortir plus tôt son numéro du 15 décembre 2003 afin que les convives, en s'asseyant à table, découvrent à la une la photo en couleur de La Fenice. En fin de compte, actualité oblige, c'est la photographie d'un Saddam Hussein hirsute et déconfit, capturé en Irak quelques heures auparavant, qui les avait accueillis au début du repas. Mais peu importe.

Dîner en compagnie d'un millier de personnes ne me disait trop rien, et j'avais un autre projet. Je quittai le Campo San Fantin et pris la Calle della Fenice menant à l'arrière du théâtre. Après un pont, j'arrivai à la maison sur la Calle Caotorta, où je rendis visite à la signora Seguso, désormais veuve du maestro Archimede Seguso, le « Magicien du Feu ».

Nous nous tenions devant la fenêtre d'où, huit ans plus tôt, la signora avait vu un panache de fumée monter de La Fenice, et où Archimede Seguso avait passé la nuit à regarder l'incendie. La signora m'expliqua qu'elle ne voulait plus regarder La Fenice à présent car, malgré le *com'era, dov'era*, l'opéra n'était absolument pas redevenu « comme avant » l'incendie – en tout cas, pas depuis la fenêtre. Son aile nord avait été surélevée de plusieurs mètres, et le toit était désormais couvert d'un enchevêtrement de canalisations, tuyaux et barrières. La vue ravissante sur les toits en terracotta que les Seguso aimaient tant avait été remplacée par un panorama rappelant le site industriel de Marghera.

Il ne restait plus aucune trace, cicatrice ou empreinte de l'incendie, excepté dans les fragments colorés et tourbillonnants du grand vase noir sur la table de chevet de la signora. C'était la première pièce de la série « La Fenice », qui en comptait une centaine. Archimede Seguso l'avait rapportée à la maison pour en faire cadeau à sa femme.

Et les autres, où étaient-elles ?

La signora Seguso soupira. Elle n'avait plus parlé à son fils Giampaolo depuis dix ans. L'héritage de son mari, en particulier les œuvres de la collection « La Fenice », faisait toujours l'objet d'une bataille juridique, quatre ans après sa mort. En attendant que le verdict d'un tribunal scelle leur destin, ces créations d'amour et de feu resteraient enfermées dans l'une des réserves de la verrerie, prenant la poussière à l'abri des regards.

Glossaire

Les mots en italien sont définis dès leur première occurrence dans le texte. Les mots suivants sont utilisés plusieurs fois :

acqua alta
Littéralement « hautes eaux », c'est-à-dire marée haute.

altana
Terrasse en bois installée sur les toits.

buongiorno
Bonjour.

calle (pluriel : *calli*)
Rue étroite.

campo (pluriel : *campi*)
Place.

capito ?
Compris ?

carabiniere (pluriel : *carabinieri*)
Policier (police nationale).

cassazione
Cour d'appel.

ciao
Salut, au revoir. Langage familier.

Com'era, dov'era
« Comme c'était, où c'était » : slogan adopté pour la reconstruction de La Fenice, « exactement telle qu'elle était avant l'incendie ».

doge
Chef de l'ancienne République de Venise.

lira (pluriel : *lire*)
Monnaie italienne avant l'adoption de l'euro.

magazzino
Entrepôt, lieu de stockage.

marchesa (masculin : *marchese*)
Marquise, titre de noblesse situé au-dessus de « comtesse » et en dessous de « duchesse ».

palazzo
Palais.

piano nobile
« Étage noble » : l'étage principal d'un palais.

ponte
Pont.

portego
L'entrée principale d'un palais.

prosecco
Vin blanc pétillant typique de la Vénétie.

putti
Figurines peintes ou sculptées représentant des bébés, des enfants ou des angelots.

ridotto
Foyer, vestibule d'un théâtre.

rio
Petit canal à Venise (ailleurs : ruisseau, torrent).

salone
Grande salle de réception.

scherzo
Plaisanterie.

stucchi
Ornements sculptés en plâtre.

vaporetto
Bateau-bus à Venise.

Noms de personnes, d'organisations et de sociétés

Argenti
Entreprise de BTP romaine ayant sous-traité les travaux d'électricité de La Fenice à la société Viet.

Aulenti, Gae
Architecte associée au consortium Impregilo et à l'architecte Antonio Foscari dans l'appel d'offres pour la reconstruction de La Fenice.

Berlingieri, marchesa Barbara
Vice-présidente de Save Venice.

Bernardi, Nicola
Marchand de fruits et légumes, ami du poète Mario Stefani.

Cacciari, Massimo
Maire de Venise, philosophe, professeur à l'université.

Carella, Enrico
Propriétaire de la Viet.

Carella, Lucia
Mère d'Enrico Carella, femme de chambre à l'hôtel Cipriani.

Carella, Renato
Père d'Enrico Carella, contremaître du chantier de son fils à La Fenice.

Casson, Felice
Procureur.

Cicogna, comtesse Anna Maria
Membre du conseil d'administration de Save Venice. Fille de Giuseppe Volpi, demi-sœur de Giovanni Volpi.

Cipriani, Arrigo
Propriétaire du Harry's Bar.

Corriere della Serra
Journal quotidien basé à Milan.

Costa, Paolo
Successeur de Massimo Cacciari à la mairie de Venise, ancien recteur de l'université Ca' Foscari et ancien ministre des Travaux publics.

Curtis (famille)
(Américains.) Propriétaires et habitants du Palazzo Barbaro depuis 1885. Première génération, originaire de Boston : Daniel et son épouse Ariana ; deuxième génération : Ralph et son épouse Lisa ; troisième génération : Ralph et son épouse Nina ; quatrième génération : Patricia, Ralph et Lisa ; cinquième génération : Daniel, fils de Patricia.

da Mosto, comte Francesco
Architecte associé au consortium Holzmann-Romagnoli et à l'architecte Aldo Rossi dans l'appel d'offres pour la reconstruction de La Fenice. Une épouse : Jane (anglaise).

da Mosto, comte Ranieri
Père de Francesco.

De Luigi, Ludovico
Artiste surréaliste à l'esprit provocateur.

de Rachewiltz, Mary
Fille d'Ezra Pound et d'Olga Rudge. Un fils : Walter.

Donadon, Massimo
L'homme aux rats de Trévise.

Fitz-Gerald, Joan
(Américaine.) Sculptrice, amie d'Ezra Pound et d'Olga Rudge.

Foscari, comte Antonio (Tonci)
Architecte associé au consortium Impregilo et à l'architecte Gae
Aulenti dans l'appel d'offres pour la reconstruction de La Fenice.
Professeur à l'université, vit au Palazzo Barbaro avec sa femme
architecte Barbara.

Gardin, Alberto
Éditeur du poète Mario Stefani.

Guggenheim, Peggy
(Américaine, 1898-1979.) Collectionneuse d'art moderne. Vivait
dans un palais sur le Grand Canal transformé en musée : la collection Peggy-Guggenheim.

Guthrie, Bea
(Américaine.) Directrice exécutive de Save Venice et femme de
Bob Guthrie.

Guthrie, Dr Randolph (Bob)
(Américain.) Président de Save Venice, chirurgien plasticien.

Holzmann-Romagnoli
Consortium germano-italien candidat à la reconstruction de La
Fenice, en association avec l'architecte Aldo Rossi.

Il Gazzettino
Journal quotidien de Venise.

Impregilo
Consortium dirigé par Fiat Engineering, candidat à la reconstruction de La Fenice en association avec l'architecte Gae Aulenti.

Lauritzen, Peter
(Américain.) Auteur d'ouvrages sur l'art, l'architecture, l'histoire et
la culture de Venise. Mari de Rose.

Lauritzen, Rose
(Anglaise.) Propriétaire de l'appartement que j'ai occupé pendant
mon séjour à Venise. Épouse de Peter.

Lovato, Guerrino
Artiste, sculpteur, créateur de masques, propriétaire de la bou-
tique-atelier Mondonovo.

Lovett, Lawrence (Larry)
(Américain.) Directeur de Save Venice, ancien directeur de la Metropolitan Opera Guild, héritier d'une chaîne d'épiceries américaine. Vit sur le Grand Canal.

Marcello, comte Girolamo
Membre du conseil d'administration de Save Venice, époux de Lesa.

Marcello, comtesse Lesa
Directrice du bureau vénitien de Save Venice, épouse de Girolamo.

Marchetti, Massimiliano
Électricien travaillant sur le chantier de rénovation de La Fenice pour le compte de la Viet, société dirigée par son cousin Enrico Carella.

Meduna, Giovanni Battista et Tomaso
Les deux frères qui dessinèrent les plans de la nouvelle Fenice, après sa destruction lors de l'incendie de 1837.

Migliori, Laura
Conservatrice travaillant à la restauration des fresques de *La Divine Comédie* à La Fenice.

Moro, Mario
Soldat, marin, pompier, policier, pilote de ligne, conducteur de vaporetto, électricien et habitant de la Giudecca.

Pound, Ezra
(Américain, 1885-1972.) Poète, critique et expatrié. Vécut à Venise avec sa compagne de cinquante ans, Olga Rudge, dans une maisonnette que Pound avait baptisée le Nid caché.

Rossi, Aldo
(1931-1997.) Architecte associé au consortium Holzmann-Romagnoli et à l'architecte Francesco da Mosto dans l'appel d'offres pour la reconstruction de La Fenice.

Rudge, Olga
(Américaine, 1895-1996.) Compagne pendant cinquante ans du poète Ezra Pound. Violoniste spécialiste de Vivaldi.

Rylands, Jane
(Américaine.) Vice-présidente de la Fondation Ezra Pound, épouse de Philip.

Rylands, Philip
(Américain.) Directeur du musée Peggy Guggenheim, époux de Jane.

Sacaim
Entreprise de BTP en charge de la reconstruction de La Fenice.

Save Venice
Organisation américaine lançant des collectes de fonds pour restaurer les œuvres d'art et l'architecture de Venise.

Seguso, Archimede
Maître verrier, fondateur de la Vetreria Artistica Archimede Seguso.

Seguso, Giampaolo
Fils d'Archimede et président de Seguso Viro.

Seguso, Gino
Fils d'Archimede et président de la société familiale, la Vetreria Artistica Archimede Seguso.

Seno, Giovanni
Avocat de Massimiliano Marchetti.

Sherwood, James
(Américain.) Propriétaire de l'hôtel Cipriani à Venise, de l'Orient-Express, administrateur de Save Venice et de la Fondation Guggenheim.

Stefani, Mario
Poète.

Viet
Entreprise d'électricité appartenant à Enrico Carella. Sous-traitant d'Argenti dans le chantier de rénovation de La Fenice.

Volpi, comte Giovanni
Fils du comte Giuseppe Volpi di Misurata, fondateur du festival du film de Venise, créateur du port de Marghera et ministre des Finances de Mussolini. Demi-frère de la comtesse Anna Maria Volpi Cicogna.

Noms de lieux et d'édifices

Ponte dell'Accademia
L'un des trois ponts traversant le Grand Canal.

Salles Apolinnee
Salles de réception officielles dans l'aile néoclassique de La Fenice.

Ateneo Veneto
Palais néoclassique situé face à La Fenice, de l'autre côté du Campo San Fantin. Aujourd'hui, centre de conférences de l'académie du même nom.

Ca' Farsetti
Palais sur le Grand Canal abritant les bureaux de l'hôtel de ville de Venise. *Ca* est l'abréviation de « casa ».

Campo San Fantin
Petite place où se trouve La Fenice.

Cannaregio
L'un des six *sestieri*, ou quartiers, de Venise, situé à la pointe occidentale.

Cipriani
Hôtel de luxe situé sur l'île de la Giudecca, dirigé par James (Jim) Sherwood.

Dorsoduro
L'un des six *sestieri*, ou quartiers, de Venise, sur la rive sud du Grand Canal.

Église anglaise
Église Saint Georges, sur le Campo San Vio.

Fenice (Gran Teatro La Fenice)
Opéra de Venise.

Frari
Église Santa Maria Gloriosa dei Frari.

Giudecca
Île longue et étroite formant une partie de la ville de Venise. Ses habitants sont appelés les Giudecchini.

Gritti
Hôtel de luxe situé dans le Palazzo Gritti.

Musée Guggenheim
Ou « Peggy Guggenheim Collection ». Musée regroupant l'ensemble des tableaux et sculptures de la collectionneuse d'art moderne Peggy Guggenheim (1898-1979), situé dans le palais inachevé où elle vivait, sur le Grand Canal.

Palais des Doges
Palais du XIVe siècle situé sur la place Saint-Marc, siège du gouvernement de l'ancienne République de Venise et résidence de son chef, le doge.

Piazzale Roma
Grand parking et gare routière situés à l'entrée de Venise, au pied du pont reliant la ville au continent.

Rialto
Ensemble des rues situées aux abords du pont du Rialto, l'un des trois ponts traversant le Grand Canal. Nom dérivé de *riva alta*, « haute rive ».

San Marco
L'un des six *sestieri*, ou quartiers, de Venise. Désigne également la place et la basilique Saint-Marc.

Santa Maria dei Miracoli
Église du XVe siècle restaurée par Save Venice.

Santa Maria della Salute
Église baroque située sur le Grand Canal, dans le Dorsoduro, en face de San Marco. Ses dômes, visibles de loin, en font un point de repère pour tous les Vénitiens.

Strada Nuova
Rue principale du quartier de Cannaregio.

TABLE

*Cet ouvrage a été composé
par Atlant' Communication
aux Sables-d'Olonne (Vendée)*

Impression réalisée sur CAMERON par

La Flèche

*en septembre 2007
pour le compte des Éditions de l'Archipel
département éditorial
de la S.A.R.L. Écriture-Communication*

Imprimé en France
N° d'édition : 1068 – N° d'impression : 43660
Dépôt légal : octobre 2007